CONTRIBUTI E PROPOSTE
Collana di letteratura italiana
diretta da Mario Pozzi

63

Ettore Bonora

La poesia di Montale
Ossi di seppia

Presentazione di
Arnaldo Di Benedetto

Edizioni dell'Orso
Alessandria

© 2004, ristampa anastatica dell'edizione 1982, Liviana Editrice, Padova

Copyright by Edizioni dell'Orso s.r.l.
15100 Alessandria, via Rattazzi 47
Tel. 0131.252349 - Fax 0131.257567
E-mail: info@ediorso.it
http://www.ediorso.it

Impaginazione a cura di Francesca Cattina

ISBN 88-7694-787-6

Presentazione

L'immagine prevalente dell'attività di studioso di Ettore Bonora (1915-1998) è forse legata, per molti, ai nomi di Teofilo Folengo, di Giovanni Della Casa, di Parini, di Manzoni, e al Rinascimento e al Settecento italiani. Periodi e autori certo fra i suoi prediletti, con Dante e Verga. Altri ricorderanno anche i suoi studi sulla nostra poesia dialettale, quelli su De Sanctis, su Croce, e i suoi ritratti di critici illustri (Thibaudet, Benedetto, Fubini, Sapegno, Bosco, Contini, Caretti), e le sue discussioni metodologiche con lo stesso Contini e con Jauss.

Ma Bonora ha scritto, in un certo periodo della sua vita e con piena competenza, anche di letteratura francese; suoi sono infatti complessi e articolati saggi su *Beaumarchais e «Il barbiere di Siviglia»* e su *Camus e la vocazione al romanzo*. Ammiratore di Alain, ne tradusse i *Propos sur l'esthétique* (la traduzione uscì postuma nel 1998, grazie all'interessamento dell'Istituto per gli Studi Filosofici di Napoli). E non mancò mai di sottolineare l'importanza che per lui ebbero i mesi di studio trascorsi a Parigi, quale borsista, nel 1937. Nella capitale francese non aveva seguito solo le lezioni di studiosi quali Charles Bruneau e Paul Hazard, o quelle d'*interprétation* del grande Alfred Cortot, ma era stato assiduo anche del corso di poetica tenuto, allora per la prima volta, da Paul Valéry al Collège de France. Alle geniali, non precettistiche lezioni del poeta sul «fare poesia» (alla cui miglior comprensione gli parve d'essere stato predisposto dalla recente lettura della *Poesia* di Croce) Bonora tributò un breve omaggio in un incompiuto scritto autobiografico tuttora inedito, ma più che meritevole di pubblicazione – visto anche che, come voleva Leo Spitzer, ogni critico di valore dovrebbe scrivere un *Mein Kampf*. Valéry rimase uno dei suoi poeti prediletti, e – se posso inserire questo minimo ricordo – allorché conseguii, negli anni Settanta, la libera docenza egli scelse per me, quale regalo dei componenti l'Istituto d'Italiano della Facoltà di Magistero di Torino, i due tomi delle sue opere nell'edizione della Pléiade.

Se la letteratura e la cultura francesi dell'età dei Lumi e del XIX secolo furono un suo costante punto di riferimento (di cui si valse con profitto come studioso del Settecento e dell'Ottocento italiani), non meno assiduo fu il suo interesse per la letteratura del Novecento, e non solo per quella italiana e francese. Nello scritto autobiografico già menzionato, egli stesso ricorda l'importanza che per lui ebbero le letture di Ungaretti, Cecchi e Proust compiute quand'era studente della Scuola Normale Superiore e dell'Università di Pisa. E in effetti la partecipe frequentazione della letteratura contemporanea è una condizione essenziale nella formazione di ogni vero critico letterario, anche qualora egli non scelga di farne l'oggetto di studi e pubblicazioni assidui e specialistici. (A dire il vero, *et pour cause*, Bonora non amava la parola *specialista* e i suoi derivati, che pronunciava talora con sfumatura ironica, preferendo semmai quella, desunta dalla critica d'arte, di *conoscitore*). Nel caso dello studioso mantovano, andrà poi tenuta nel dovuto conto la sua confessione, che talora di autori da lui amati fino al rischio dell'identificazione di proposito s'era vietato di scrivere o, al più, s'era concesso di scrivere poco e incidentalmente.[1] Naturalmente ognuno ha i *propri* contemporanei, e, se non sbaglio, l'ultimo poeta italiano a cui sia andata la sua incondizionata ammirazione fu Vittorio Sereni, soprattutto per le sue due prime raccolte, *Frontiera* e *Diario d'Algeria*. Non mancò peraltro di apprezzare la poesia friulana di Pasolini e quella tursitana di Pierro.

Saggi di argomento novecentesco si trovano nella sua prima raccolta: *Gli ipocriti di Malebolge e altri saggi di letteratura italiana e francese*, del 1953. Oltre che di Camus e di Thibaudet, alcuni di quegli scritti trattano infatti di Italo Svevo. In un altro saggio del 1951, compreso nello stesso volume, Bonora volle inoltre ribattere a un giudizio di Benedetto Croce sostenendo le ragioni della novecentesca «poesia pura» (*Mallarmé, la poesia pura e la critica crociana*); e questioni poste o strade aperte dalla poesia moderna lo aiutarono a discutere della *Musica nella poesia* (1947), primo nucleo del saggio, anch'esso leggibile negli *Ipocriti di Malebolge*, *Crisi e rinascita del verso*.[2] Persino nella valutazione della poesia di Giovanni Della Casa, sulla quale pubblicò nel 1947 pagine fondamentali, si giovò delle sue esperienze novecentesche – a conferma che, nel valutare la poesia del passato, un problema essenziale per il critico è il suo rapporto con *noi*, lettori partecipi di una diversa cultura e di un diverso *gusto* (s'intenda il termine in tutta la sua complessità).[3] Molti sono i poeti novecenteschi menzionati nei suoi interventi sulla poesia dialettale. A Dino Campana e a Arturo Onofri (da lui esattamente giudicato estraneo alla «poesia pura», a dispetto di convinzioni un tempo diffuse) dedicò un corso universitario nel 1960-61. Pagine notevoli – e comunque meritevoli di riflessione, anche nei pochi casi in cui più siano eventualmente discutibili – sulla nostra letteratura del Novecento si leggono del resto

---

[1] Vd. il suo *Manzoni e la via italiana al realismo*, Napoli, Liguori, 1989, p. 10.

[2] *Gli ipocriti di Malebolge e altri saggi di letteratura italiana e francese*, Milano-Napoli, Ricciardi, 1953.

[3] Il saggio *Le «Rime» di Giovanni Della Casa*, già accolto negli *Ipocriti di Malebolge e altri saggi di letteratura italiana e francese*, fu da ultimo ristampato in *Retorica e invenzione. Studi sulla letteratura del Rinascimento*, Milano, Rizzoli, 1970, pp. 107-27.

nella sua *Storia della letteratura italiana* (1976); si veda ad esempio la sua posizione nei confronti della dibattuta questione (dopo che l'ebbe posta Luciano Anceschi) dell'efficacia della poesia pascoliana sui poeti successivi. Ma nessun lirico, anzi nessuno scrittore italiano del XX secolo riscosse tanta attenzione da parte sua come Eugenio Montale. Già in *Crisi e rinascita del verso* il poeta genovese era definito come «la voce più veramente moderna della nostra poesia del Novecento, la voce in cui più acutamente si esprime tutta l'ansia di questi nostri giorni delusi, racconsolati da quest'ultima illusione che è la parola»; e in *Mallarmé, la poesia pura e la critica crociana* al filosofo napoletano, al quale pareva che i poeti novecenteschi italiani non avessero i lettori numerosi e intimamente simpatizzanti che un tempo si erano volti a un Carducci e a un Gozzano, mandandone anche a memoria alcuni componimenti, ribatteva che gli sarebbe stato facile «rievocare momenti assai tristi nei quali i versi di Valéry o di Montale ci tornavamo alla memoria e ci consolavano, esprimendo un sentimento di solitudine e di perplessità di fronte alla vita simile al nostro, nel quale tuttavia non ci accasciammo [...] quella poesia ci consolava, e ci aiutava a tener desta la fede nella vita che porta con sé la parola dei poeti, anche quando suona più disperata, per la nostalgia ch'essa esprime di un mondo più vero, di valori ideali ai quali l'animo sospira». (Quanto al mandare a memoria, Alda Croce mi raccontò peraltro che proprio suo padre ripeteva a mente il mottetto *Non recidere, forbice, quel volto* delle *Occasioni*; e Mario Fubini mi parlò una volta della stima riservata dal filosofo napoletano agli *Ossi di seppia*. Una stima dal poeta – pur formatosi, in gioventù, su altri filosofi – del resto ricambiata anche pubblicamente).

Tre corsi universitari Bonora dedicò a Eugenio Montale tra il 1961 e il 1964, trattando delle sue prime tre, e maggiori, raccolte poetiche: *Ossi di seppia, Le occasioni* e *La bufera e altro*. Di quei corsi abbiamo le dispense, che furono anche ristampate e ampiamente diffuse, e persino tacitamente saccheggiate da qualche collega. Dispense singolarmente impegnate e il cui valore va bene al di là di una didattica volta a ripetere e divulgare il già detto (dallo stesso docente o da altri). Nell'introduzione a quelle del primo corso, sul poeta si legge fra l'altro:

> non è solo il maggiore tra quanti in Italia hanno scritto poesia nei decenni posteriori alla prima guerra mondiale, ma è colui nella cui poesia, pur così fortemente segnata da uno stile personalissimo, si trova espresso il travaglio morale degli spiriti veramente pensosi del destino dell'uomo in anni di profonda crisi e di tragiche inversioni di valori.[4]

---

[4] E. Bonora, *Poesia di Montale. Lettura degli «Ossi di seppia»*, Torino, Gheroni & C., 1962, p. 4.

La derivazione del volume che qui si ristampa dalle dispense del 1962 sugli *Ossi di seppia* è dichiarata dallo stesso autore nella *Prefazione*, per dar conto del suo taglio spesso consapevolmente didascalico: i riferimenti a poeti precedenti, le note informative e linguistiche, e i frequenti cenni metodologici. E altri due volumi avrebbero dovuto seguirlo, secondo la promessa della stessa *Prefazione*, desunti dalle altre dispense e dedicati alle *Occasioni* e alla *Bufera*. Si potrebbe però anche osservare che, se è vero che la critica si svolge secondo due momenti essenziali: il *commentario* e la *critica* vera e propria (per riprendere i termini di Walter Benjamin), essendo il primo volto alla ricerca del «contenuto reale» di un'opera d'arte, e la seconda a quella del suo «contenuto di verità», Bonora non sacrifica, neanche in questo libro, il secondo momento al primo. Perché l'intervento critico, valutativo e interpretativo, è qui continuo. Se il *commentario* indaga e comunica le circostanze e le condizioni biografiche, letterarie, storico-culturali e, ove sia possibile, intenzionali fra cui e da cui l'opera è nata, la critica indica perché e come essa può ritrovare una sua attualità e rivivere nello spirito dei lettori. Delinea inoltre, se possibile, il percorso ideale del poeta – nel caso degli *Ossi*, dagli inizi simbolisti e impressionisti all'approdo metafisico, a sua volta preludio (in particolare, con l'edizione del 1928), non in tutto lineare, alle *Occasioni*.

La critica, diceva un *connaisseur* quale Bernard Berenson, è il frutto dell'incontro di due sensibilità: quella dell'artista e quella del critico stesso. (Al termine *sensibilità* non si dovrà pertanto attribuire un significato riduttivo). Per questo l'atto critico è irripetibile e individuale. La buona critica, a dispetto di quanto talvolta si dice, non invecchia. D'altra parte, non è mai e non può essere "esaustiva", né sarebbe desiderabile che lo fosse. Essa è anche, necessariamente, non una polemica, ma un dialogo – esplicito o implicito – con quella precedente (e non solo con quella *immediatamente* precedente, secondo una prassi oggi trivialmente diffusa, che condanna all'effimero tanta parte di quegli scritti).

Di quella sensibilità di cui parlava Berenson è parte anche la moralità; e a ragione lo stesso Benjamin sostenne che la critica è un atto morale: tale è infatti la comprensione d'un autore. L'alta stima riservata da Bonora al poeta Montale nasce da una profonda simpatia morale.

La poesia di Montale. *Ossi di seppia*, versione in parte scarnificata e talvolta ellittica, e in parte arricchita e capillarmente aggiornata (fondamentale fu la pubblicazione dell'*Opera in versi* per le cure di R. Bettarini e G. Contini nel 1980), delle dispense del 1962, fu edito con diverso titolo nel 1980 e, in versione definitiva, nel 1982. Non fu seguito dagli altri due libri promessi; a esso però si aggiunsero nel giro di pochi anni *Le metafore del vero. Saggi sulle «Occasioni» di Eugenio Montale* (1981) e *Montale e altro Novecento* (1989). Tra i due, quel *Conversando con Montale*, del 1983, nel quale sono raccolti i resoconti dei numerosi incontri avuti da Bonora col poeta a partire dalla fine degli anni Cinquanta nelle due case da lui abitate in via Bigli, a Milano (non su tutti i suoi visitatori, né su tutti i suoi studiosi, Montale esprimeva giudizi positivi, ma non lesinava simpatia e apprezzamento nei confronti dell'accademico mantovano).

Per quanto sugli *Ossi di seppia*, come su tutto Montale, molto si sia pubblicato dopo l'uscita del presente libro (compresa un'edizione integralmente commentata di quella raccolta poetica), e in quel molto vi siano anche scritti importanti, sia sul versante del commentario sia su quello della critica, esso conserva una sua innegabile incidenza: si rileggano, ad esempio, le considerazioni dedicate al tema meridiano, o le pertinenti distinzioni relative allo specifico della memoria montaliana. Merito anzitutto dell'ansia di verità a esso sottesa, quell'ansia che trovò una formulazione nelle parole signorilmente semplici e antiretoriche che vi si leggono (nel capitolo *Dall'ingorgo delle cose le illuminazioni liriche*): «fare critica vuol essere soltanto cercare di capire meglio». A capire Montale, come altri autori, Bonora molto ci ha aiutato e tuttora ci aiuta.

Imst, luglio 2004   Arnaldo Di Benedetto

INDICE

PREFAZIONE

L'utilità di un commento integrale del corpus poetico montaliano è stata avanzata anche recentemente da chi non intendeva probabilmente condannare le monografie in cui l'opera di Montale è stata ormai studiata analiticamente, ma crede che una poesia, certamente non facile, pretenda la stessa responsabilità che ci assumiamo con i classici quando ne diamo un commento organico.

Mi sembra però che, comunque si configuri – o nella forma canonica di postille a piè di pagina o in un discorso continuato, quale è quello che si offre qui –, un commento richieda, oltre il resto, una buona dose di modestia.

Montale non ha mancato di avvertire che « anche l'oscurità di certi moderni finirà per cedere, se domani esisterà ancora una critica ». Ma ha aggiunto che allora si correrà il rischio di passare alla luce, « a troppa luce: quella che i così detti commenti estetici gettano sul mistero della poesia ». Orbene, ammesso che quel domani sia arrivato, non si deve dimenticare che la troppa luce può venire anche dall'illudersi che l'interpretazione del critico esaurisca il significato della poesia. Quelli che un commento e un'interpretazione critica possono fornire sono soltanto strumenti per una lettura più corretta, avendo in genere come destinatario un ben determinato pubblico. Nel caso specifico della mia interpretazione degli *Ossi di seppia* non è dunque fuori luogo avvertire che essa è nata da lezioni universitarie. Di qui l'andamento dichiaratamente didascalico, riconoscibile non soltanto nelle parti informative e nelle molte note linguistiche. Di qui anche i frequenti riferimenti a poesia del passato. Se qualcuno volesse ravvisare in questo l'abito professionale del pedagogo, liberissimo di farlo. A me è sembrato che anche per questa via si arrivasse a riconoscere

1

alcuni dei molti fili che legano un poeta di indubbia modernità alla tradizione, e posso dire che gli studenti hanno dato il loro convinto consenso, non solo perché hanno meglio riconosciuto con quale novità di accenti risuoni nelle parole di un poeta di oggi la poesia di epoche remote, ma anche perché hanno ritrovato per questa via una inattesa attualità negli antichi o, comunque, in autori che credevano lontani dai loro interessi.

Questo procedimento, che diventa meschino qualora si riduca alla caparbia ricerca di fonti letterarie, risponde del resto alla più vera ambizione del mio lavoro: fare storia della poesia montaliana, non per legarla con fili tanto ovvi quanto fragili agli eventi del tempo in cui il poeta è vissuto e ha operato – come ormai, in maniera caricaturale, si usa fare nelle tabelle che accompagnano opericciole di storiografia letteraria e artistica, congegnate disponendo in colonne parallele date della vita dello scrittore o dell'artista e avvenimenti politici, sociali e culturali dello stesso anno –, ma nella sola forma legittima: con lo spiegare quanto della civiltà, del gusto, della cultura contemporanei e passati è filtrato nell'opera di poesia, e, non meno, le reazioni e negazioni opposte dal poeta alle strutture sociali, alle idee, ai valori estetici in auge. Il primo capitolo di questo libro, che non si presenta come una biografia del poeta, può indicare in che senso io vedo il rapporto tra esperienza vissuta e poesia in Montale; esso peraltro, intenzionalmente, offre poco più che accenni ed esempi. Se poi nei capitoli che seguono può sembrare che le mie analisi mirino a dare valore essenzialmente a fatti culturali – simbolismo e dannunzianesimo – e a dati psichici – il controverso sentimento della memoria e la rinuncia nonché alla felicità alla stessa volontà di vivere e di sopravvivere, accompagnata però da un profondo sentimento di pietà e d'amore per gli altri –, la ragione è da vedere nel significato eminentemente esistenziale che si deve dare all'esperienza che sta sotto la poesia degli *Ossi di seppia*.

Tra le dichiarazioni di Montale sulla natura della sua poesia, tutte degne di attenzione, voglio ricordarne qui una rilasciata nel 1951: « Avendo sentito fin dalla nascita una totale disarmonia con la realtà che mi circondava, la materia della mia ispirazione non poteva essere che *quella* disarmonia. Non nego che il fascismo dapprima, la guerra più tardi, e la guerra civile più tardi ancora mi abbiano reso infelice; tuttavia esistevano in me ragioni di infelicità che andavano molto al di là e al di fuori di questi fenomeni. Ritengo si tratti di un inadattamento, di un *maladjustement* psicologico e morale che è proprio a tutte le nature a sfondo introspettivo, cioè a tutte le nature poetiche. Coloro per i quali l'arte è un prodotto delle condizioni ambientali e sociali dell'artista potranno obiettare: il male è che vi siete estraniato dal vostro tempo; dovevate optare per l'una o per l'altra delle parti in conflitto. Mutando o migliorando la società si curano anche gli individui; nella società ideale non esisteranno più scompensi o inadattamenti ma ognuno si sentirà perfettamente a suo posto; e l'artista sarà un uomo come un altro che avrà in più il dono del canto, l'attitudine a scoprire e a creare la bellezza. Rispondo che io *ho* optato come uomo; ma come poeta ho sentito subito che il combattimento avveniva su un altro fronte, nel quale poco contavano i grossi avvenimenti che si stavano svolgendo ». Altro, forse tutto, sarebbe da citare da quella « intervista con se stesso ». Risulterebbe anche più chiara la polemica del poeta contro le grossolane deduzioni che si trassero nel secondo dopoguerra dalla poetica del così detto *engagement*, con i connessi equivoci di realismo e neorealismo. Ma risulterebbe pure che se tutta la poesia montaliana nasce dal dramma dibattuto tra una inadattabilità psicologica alla vita e il sempre risorgente amore della vita, il momento più veramente esistenziale di questo dramma è rappresentato dal libro giovanile degli *Ossi di seppia*. In seguito il presentimento della imminente tragedia della guerra prima e poi lo smarrimento di fronte alle stragi e agli orrori quando il conflitto era in atto, portarono più tragici bagliori nella poesia. Ma questo risulterà dalla interpretazione delle *Occasioni* e della *Bufera*, che seguiranno fra breve a questa degli *Ossi*. Chi desiderasse conoscere il mio pensiero in proposito potrà trovarne alcune anticipazioni nei miei saggi sulle *Occasioni*, recentemente raccolti sotto il titolo *Le metafore del vero* (Bonacci, Roma) e, in particolare, in *Ipotesi per « Tempi di Bellosguardo »* e in *Proposte per « Palio »*.

ESPERIENZA VISSUTA E POESIA

Anche chi non è disposto ad ammettere che la poesia, tutta la poesia è una sorta di filtro ottico attraverso il quale il poeta vede o rivede le proprie esperienze di vita, non stenterà a concedere che al fondo o meglio al principio della creazione poetica si possa scoprire un'esperienza vissuta. Non pretendo di rimettere in discussione il grande problema affrontato da Wilhelm Dilthey in *Das Erlebnis und die Dichtung*, cioè la « esperienza vissuta » (se così vogliamo rendere il difficilmente traducibile *Erlebnis*) e la «poesia»[1] sopra tutto perché Dilthey, studiando nel suo libro Lessing, Goethe, Novalis, Hölderlin abbracciava quasi un secolo di storia letteraria tedesca e mirava a spiegare il significato che ha la grande poesia in quanto rappresentativa di un determinato momento storico. C'è un modo più pedestre di porre la questione, un modo che gli storici della letteratura hanno praticato in passato e praticano ancora oggi quando scrivono le biografie dei poeti, o comunque indagano sui casi della loro vita. A questo tipo di critica sono state mosse non poche e non infondate obiezioni, specialmente quando, dominando in Italia il crocianesimo, ne venne condannata l'ingenuità. Il Croce che definiva aneddotica l'erudizione che si occupava della « nota del bucato » di Dante o delle « cambialette » del Leopardi, non a torto vedeva in essa la manifestazione peggiore della storiografia positivistica, non perché non entri nei doveri degli storici anche « ricercare l'anno preciso della nascita di Dante, la malattia del Tasso, i debiti del Foscolo e le ragazze recanatesi vagheggiate dal povero Leopardi »[2], ma per il vizio intrinseco a siffatte

[1] Wilhelm Dilthey, *Esperienza vissuta e poesia* a cura di Nicola Accolti Gil Vitale, Istituto Editoriale Italiano, Milano, 1947.
[2] Benedetto Croce, *La critica erudita e i suoi avversari*, ne *La letteratura della nuova Italia*, III, Laterza, Bari, 1973 (UL), p. 359.

ricerche: vale a dire, l'incapacità di farle fruttare per una migliore comprensione di ciò che veramente conta: la poesia. Mentre con l'indulgere all'aneddotica si finisce col fare dei pettegolezzi antipatici sui casi privati dei poeti, è legittimo anzi utile conoscere quei fatti personali che in varia guisa si rispecchiano nella loro opera. Ci si munisce così di uno strumento per la lettura, per la comprensione di quella che si chiama la lettera o il significato letterale, che è poco ancora per capire la poesia, ma che bisogna possedere per evitare di fraintendere il suo significato più profondo.

In Italia non hanno molta fortuna le grandi e minuziose biografie di poeti, romanzieri, drammaturghi. La maggior parte di quelle che si pubblicano sono lavori di mestieranti. Ottime se ne scrivono in Inghilterra e negli Stati Uniti d'America, ma sono il frutto di ricerche lunghe e puntigliose, quali possono essere condotte soltanto da specialisti molto esperti. Per fare un esempio, alla conoscenza di uno scrittore difficile quale James Joyce è veramente indispensabile il vasto studio, condotto come una minuta ricostruzione biografica, di Richard Ellmann[3]. La sua scrupolosa raccolta di notizie aiuta il lettore a entrare nel così detto mondo dello scrittore irlandese. E se cito questo libro, a preferenza delle molte altre biografie di scrittori di lingua inglese, è soltanto perché Joyce è un autore del nostro tempo e perché le sue personali vicende si rispecchiano costantemente, sebbene genialmente trasfigurate, nei *Dublinesi*, nel *Dedalus*, nell'*Ulisse*.

Se dovessimo prendere alla lettera quello che ha scritto Montale in una sua prosa, dovremmo credere che la curiosità dei lettori per ciò che di veramente vissuto entra nella poesia si verifica soltanto con gli autori del passato, consacrati dalla gloria. « Uno dei pochi vantaggi dell'artista vivo – ha scritto il poeta – è che la sua immortalità resta un'ipotesi indimostrabile. Così, finché vive, nessuno gli chiede: "Dove ha Ella conosciuto Silvia e Nerina? Le ha davvero amate? In modo veramente ... conclusivo? In che data? E che cos'è successo poi di quelle brave ragazze?". Domande simili, ripeto, non si fanno ai vivi, e non per discrezione, ma solo perché si ignora chi sarà il futuro cantore di Silvia e di Nerina. Se si potesse saperlo, il neo-immortale dovrebbe darsi alla fuga »[4].

---

[3] Richard Ellmann, *James Joyce*, Oxford University Press, New York, 1959; trad. it. Feltrinelli, Milano, 1964.

[4] *Quelli che restano*, in *Auto da fé*, Il Saggiatore, Milano, 1966, p. 92.

6

Come in non poche delle sue prose, Montale gioca qui d'ironia. Anche ai poeti vivi può andare il riconoscimento che va verso grandi poeti del passato; anche delle loro Silvie e delle loro Nerine i lettori possono interessarsi. Ma è sopra tutto vero che una poesia, a proposito della quale il poeta stesso ha riconosciuto che può talvolta risultare oscura per « una eccessiva confidenza » dell'autore nella propria materia [5], riceverà una certa luce attraverso l'interpretazione del significato letterale e la conoscenza di dati di cronaca, i quali, per se stessi, possono sembrare prosaici. E non si tratta di tradurre nella prosa della vita quella che ci è offerta come poesia, e in quanto tale ci appassiona. Ha una sua ragione di essere fornire, senza insistenze e, sopra tutto, senza spiacevoli concessioni a una curiosità pettegola, le notizie che aiutano a veder più chiaro in alcune vicende che legano strettamente la poesia alla realtà biografica.

Per riprendere le osservazioni di Montale stesso sulle donne amate da Leopardi, sarà bene sapere che Montale, il quale ha sentito intensamente il fascino della femminilità, non è il poeta di una sola donna o di un solo amore, alla maniera, per esempio, del Petrarca. Con nomi o veri o fittizi nella sua poesia sono presenti molte donne: Esterina, « la misteriosa protagonista di *Crisalide* e di *Casa sul mare* », della quale ora conosciamo anche il nome (si chiamava Paola Nicoli) e sappiamo che « era stata attrice e tutti quelli che l'avvicinavano se ne innamoravano. Era sposata con un uomo debole, indifeso: andarono in Sud America... » [6], Gerti, Dora Markus, Liuba, Clizia, Mosca, la Volpe..., donne amate, e diversamente amate, o soltanto sognate o viste per un momento almeno come creature alle quali il poeta ha aperto il proprio cuore, e che ha sentito vicino a sé per quello che esse soffrivano o pensavano.

Non è a dirsi che, riconosciuti questi nomi, ci si sia muniti del grimaldello per aprire il segreto di ogni poesia d'amore di Montale o di ogni poesia in cui si avverte la presenza di una donna. Materializ-

---

[5] Premessa alle Note delle *Occasioni*, Mondadori, Milano, 1962, 5ª ediz., p. 128. Ora in Eugenio Montale, *L'opera in versi*. Edizione critica a cura di Rosanna Bettarini e Gianfranco Contini, Einaudi, Torino, 1980, p. 894. Le citazioni delle poesie di Montale saranno fatte secondo questa edizione.

[6] Vd. Giulio Nascimbeni, *Eugenio Montale, Biografia di un " poeta a vita "*, Longanesi, Milano, 1975³, p. 74; e *Autografi di Montale*. Fondo dell'Università di Pavia a cura di Maria Corti e Maria Antonietta Grignani, Einaudi, Torino, 1976, pp. IX e 27-29.

zare troppo sarebbe esercitare una sorta di prevaricazione sul testo poetico. Quanti « tu » della poesia di Montale significano soltanto l'evocazione di una figura femminile, la cui realtà anagrafica oggi almeno ci sfugge, ma che forse deve restare velata per il senso e il tono stesso del discorso poetico. Non ha portato molto avanti la comprensione della poesia, per fare un esempio, l'avere individuato colei alla quale il poeta si indirizza col « tu » nella *Casa dei doganieri*. Ma non per pedanteria, se autori di libri ponderosi su Montale a proposito della donna di *Ballata scritta in una clinica* della *Bufera* parlano evasivamente di « una creatura cara » o della « ispiratrice », a noi corre l'obbligo di precisare che l'ammalata è Mosca. In questo caso, come in altri casi, la precisazione giova a una lettura corretta della poesia, e probabilmente a un giudizio meno sommario su di essa; ma al tempo stesso, getta luce su altri luoghi delle liriche montaliane. Nella *Ballata scritta in una clinica* si leggono infatti questi versi:

> ed io mi volsi e lo specchio
> di me più non era lo stesso
> perché la gola ed il petto
> t'avevano chiuso di colpo
> in un manichino di gesso.

Dopo la liberazione di Firenze, avvenuta nell'agosto 1944, Mosca fu ricoverata in clinica e sottoposta a una penosa ingessatura che la costringeva all'immobilità. Quando i dolori e i pericoli, che incombevano su tutti coloro che erano a Firenze, sembravano dileguati Montale ebbe a soffrire una nuova e personale angoscia. Orbene, interpretato correttamente, il particolare del « manichino di gesso » non solo porta a capire meglio la *Ballata*, ma dissipa ogni incertezza nell'interpretazione di un'altra poesia, di *Satura* questa: il quattordicesimo della prima serie degli *Xenia*, dove, in uno dei suoi colloqui con la moglie morta, il poeta dice:

> Così meglio intendo il tuo lungo viaggio
> imprigionata tra le bende e i gessi.

Questi due versi rischierebbero di risultare oscuri, se non addirittura strani nel luogo in cui si trovano; li rende del tutto trasparenti la esatta interpretazione del riferimento allo stesso fatto che si legge nella *Ballata scritta in una clinica*; e, a ben considerare, questa trama di corrispondenze non è diversa da quella che i più avveduti commentatori delle grandi raccolte di liriche, a cominciare dalle *Rime* del Petrarca, hanno sempre cercato di ripercorrere.

Basti ora questo esempio, che vale, più che per condannare certa approssimatività in interpretazioni correnti, per dimostrare la opportunità di non rifiutare gli strumenti che tornano utili a leggere il nostro poeta, tenendo meglio conto di quanto della sua esperienza di vita resta, in vario modo, inglobato nei suoi versi.

Anche dentro le opere degli scrittori che eleggono come modo di espressione le forme più oggettive del teatro e della narrativa è possibile scoprire precisi agganci alle esperienze vissute. Certo l'*Adelchi* è la tragedia del popolo italiano in un determinato momento del suo servaggio e il protagonista è un personaggio, più ideale che storico, animato da un'alta aspirazione verso una verità che non è di questo mondo; ma, senza per questo materializzare troppo, nella tragedia del Manzoni si rispecchia una realtà alla quale lo scrittore partecipò con tutta la sua passione. Forse è andato al di là del segno chi nel contrasto fra Desiderio e Adelchi, quale veniva rappresentato nel primo concepimento della tragedia, ha visto riflesso non poco della storia napoletana del 1820 con la diversa condotta del re Ferdinando e del figlio Francesco di Borbone, simpatizzante per i moti liberali[7], ma non è affatto da escludere che quegli eventi contemporanei abbiano avuto una loro parte nell'invenzione poetica del Manzoni. Eppure l'*Adelchi* è una tragedia storica e per scriverla il Manzoni studiò il Medioevo longobardico e franco, e ne diede un'interpretazione sua in antitesi con quella proposta dal Muratori e ancora accreditata ai suoi giorni.

Per Montale si dà però la condizione tipica del poeta lirico, che vive tutto ed esclusivamente di un'esperienza interna, e che interiorizza e ingrandisce anche i fatti della sua occasionale esperienza quotidiana. Aveva da poco pubblicato gli *Ossi di seppia* e a Svevo, che dichiarava di non capire la poesia e lo esortava a volgersi alla narrativa, Montale rispondeva:

Dei versi io ne farò ancora per qualche anno, perché è l'unica forma che io sento oggi possibile per me. Non si meravigli che possa esistere un temperamento polarizzato nel senso della lirica e della critica letteraria: da Baudelaire a Eliot e a Valéry, a quanti è toccata la stessa sorte? – eppoi con l'esperienza di vita che ho io, tutta esclusivamente interna, che potrei

---

[7] Mi riferisco al notevolissimo saggio di Gian Piero Bognetti, *La genesi dell'« Adelchi » e del « Discorso » e il pensiero storico-politico del Manzoni fino al 1821*. Il saggio si legge ora nel vol. *Manzoni giovane* a cura di M. Cataudella, Guida, Napoli, 1972.

dare nel campo narrativo? Sono un albero bruciato dallo scirocco anzi tempo e tutto quel che potevo dare in fatto di grida mozze e di sussulti, è tutto negli *Ossi di seppia* ...[8]

Il poeta sembra ammonirci con queste parole a non volere entrare nella sua storia privata: esorta invece a capire quello che la sua poesia sa comunicarci di una esperienza « tutta esclusivamente interna ». E questo per la sua poesia, come forse per ogni poesia – certamente per quella che definiamo lirica – è vero. Tuttavia si fa esperienza quello che, in qualche modo, per qualche « occasione » è stato un rapporto con la realtà. Per il lettore che non voglia alterare il senso della poesia, ma vuole capire più a fondo che può è utile, ed entro certi limiti necessario, conoscere quali sono i fatti reali da cui è stata occasionata l'esperienza interna che si fa poesia. Di volta in volta, con uno scarto più o meno forte di approssimazione, per interpretare la poesia di Montale si dovrà prestare attenzione appunto a quei dati di conoscenza e di rapporto con la realtà dai quali la poesia è nata.

Raccontare la vita del poeta, tracciarne minutamente la biografia porterebbe forse a dare importanza a fatti che sulla poesia non hanno avuto incidenza o l'hanno avuta irrilevante o troppo indiretta. Sta nella discrezione del lettore estrarre dal magma delle esperienze vissute quelle che per la poesia hanno un significato più sicuro, ben sapendo che se tutto ciò che appartiene all'esperienza personale ha potuto alimentare la poesia, ci sono però fatti che hanno avuto il valore di « eventi », di accadimenti quasi fatali, ed essi non sono sempre quelli ai quali una ricostruzione oggettiva, condotta dall'esterno, assegnerebbe importanza primaria.

Riduciamo dunque a pochi dati essenziali l'informazione sulla vita del poeta, proponendoci però di portare le opportune precisazioni, scendendo in particolari, quando sarà necessario, tanto più che nella ormai vasta bibliografia montaliana si registra anche una biografia, della quale è già stato citato un passo, che, senza avere la pretesa di essere esaustiva, è però scritta da un giornalista intelligente, che conosce bene Montale e che ha saputo leggere le sue opere[9].

Eugenio Montale è nato a Genova nel 1896, il 12 ottobre, Columbus Day, giorno anniversario della scoperta dell'America, da una

---

[8] Eugenio Montale - Italo Svevo, *Lettere* con gli scritti di Montale su Svevo, Mondadori, Milano, 1976, pp. 39-40 (lettera del 3 dicembre 1926).
[9] Alludo al libro di Giulio Nascimbeni, citato alla nota 6.

famiglia del ceto mercantile. Il padre Domingo aveva ereditato dai suoi e gestiva, insieme con due cugini, una ditta per l'importazione di acqua ragia, resine, prodotti chimici. La madre Giuseppina Ricci era figlia di un notaio di Nervi. Il poeta era il minore di cinque fratelli – Salvatore e Ugo, che entrarono nella ditta paterna, Alberto, che si impiegò in banca, e Marianna –, e non avendo rivelato nei primi anni doti eccezionali, dopo le scuole elementari fu mandato in un istituto tenuto dai barnabiti per seguire gli studi tecnici, ai quali sembrava ragionevole avviarlo perché si inserisse nell'attività commerciale della famiglia. Ma, per la salute cagionevole, al terzo anno delle tecniche interruppe gli studi. Negli anni in cui, tra letture casuali, veniva scoprendosi un interesse per la letteratura, fu la sorella Marianna, di due anni maggiore, che seguiva gli studi classici, ad accorgersi delle sue inclinazioni e a dargli i primi suggerimenti. Ma, scartata l'idea di dedicarsi al commercio, il giovane Montale si scoprì la passione del canto. La coltivò segretamente negli stessi anni in cui abbastanza casualmente faceva le sue letture nelle lunghe sedute alla biblioteca civica, fino quando, nel 1915, cominciò a prendere lezioni da un anziano ex baritono, Ernesto Sivori. Senza farne il nome, il poeta ha descritto il maestro in una prosa della *Farfalla di Dinard*, *In chiave di «fa»*:

« A partire da questo *re* lei deve chiudere, portare la voce in maschera » spiegò il vecchio maestro arpeggiando sulla tastiera. « Più tardi aprirà anche il *mi bemolle*, se occorre, ma per ora ... Dica *u*. Così: *O-o-o uuuu ...* Benissimo ».

Mi pareva di emettere un gemito d'oltretomba, un sibilo inumano; ma il vecchio maestro era soddisfatto. Piccolo, rattrappito sui tasti, venerabile e insieme ridicolo, modulava le note con una boccuccia a uovo di piccione che s'apriva a stento tra le gronde dei grandi baffi canuti e le falde tremolanti della nivea barba mosaica. Gorgheggiava come un usignolo centenario e gli occhietti gli brillavano dietro le lenti spesse.

Le finestre (eravamo in cima di casa) s'aprivano su una vasta piazza quadrata, sparsa di ombrelloni e di banchi di mercatini. Da lontano, su un cavallo di bronzo sempre impennato, un generale argentino sciabolava eroicamente l'aria. Il viale che metteva al mare, a destra, era silenzioso e vi si leggevano targhe di levatrici e di oscuri meccanici odontoiatri. Abitava un po' fuori mano, il vecchio maestro, ma dovevo pazientare. Lui solo, che aveva bazzicato Maurel e Navarrini e aveva fatto crollare l'Imperiale di Pietroburgo e il Liceo di Barcellona, lui solo era in grado di salvarmi dalla paurosa incompetenza dei professori di conservatorio ... [10]

---

[10] *Farfalla di Dinard*, Mondadori, Milano, 1969, pp. 57-58.

Il poeta aveva voce di basso, ma il maestro, che lo considerava il suo migliore allievo, credette di dovergliela impostare da baritono. Le lezioni non durarono più di qualche mese: Sivori morì di lì a poco. Si era in guerra; l'anno dopo il poeta dovette partire per Parma, per seguire il corso di allievo ufficiale di fanteria alla caserma della Pilotta. Nei mesi di Parma strinse amicizia con alcuni suoi coetanei o di poco più giovani di lui (aveva tardato al '17 la chiamata alle armi per insufficienza toracica e si trovò a seguire il corso allievi ufficiali con quelli della classe 1899). Tra le amicizie strette allora quella che durò più a lungo fu con Sergio Solmi, il poeta e critico che su Montale ha scritto poi alcuni dei saggi più belli che conosciamo. Alla fine del corso, dopo un breve periodo nelle retrovie del vicentino, andò al fronte nella Vallarsa, assumendo il comando di un posto avanzato nei pressi del paese di Valmorbia: accanto scorreva il fiume Leno; sopra dominava il forte austriaco di Pozzacchio. Un osso di seppia fissa il ricordo di quei giorni, nei quali il paesaggio della Vallarsa aveva l'incanto della primavera in fiore, tacevano gli spari e si udiva solo il suono del fiume, mentre di quando in quando veniva lanciato un razzo di quelli con i quali si fanno, o si facevano, le così dette segnalazioni ottiche:

> Valmorbia, discorrevano il tuo fondo
> fioriti nuvoli di piante agli àsoli.
> Nasceva in noi, volti dal cieco caso,
> oblio del mondo.
>
> Tacevano gli spari, nel grembo solitario
> non dava suono che il Leno roco.
> Sbocciava un razzo su lo stelo, fioco
> lacrimava nell'aria.
>
> Le notti chiare erano tutte un'alba
> e portavano volpi alla mia grotta.
> Valmorbia, un nome – e ora nella scialba
> memoria, terra dove non annotta.

A parte questo osso, non molti sono i ricordi di guerra nella poesia di Montale, e bisogna dire ricordi, non impressioni, fogli di diario o qualche cosa di simile. Mentre Ungaretti ha se non proprio scoperto, certo reso chiara a se stesso la sua più autentica vena poetica nelle dure esperienze della guerra, sicché l'*Allegria* è anche, se non sopra tutto, un ineguagliato diario di trincea, nella poesia di Montale la vita di guerra è entrata per frammenti e a distanza di anni. Non esattamente databile, come la maggior parte degli « ossi », quello di Valmorbia. Di molto posteriori sono i due mottetti in cui, nello stile proprio delle *Occasioni*, più allusivo e meno descrittivo, ponendo a confronto il proprio destino e quello della donna amata [11], il poeta introduce per rapidi accenni l'esperienza dei mesi trascorsi al fronte. Nel primo dei due mottetti è rievocato il periodo passato dalla donna in sanatorio, con le lunghe giornate d'inverno occupate, come avviene nelle crisi di stanchezza e di depressione, dal gioco dei solitari; e a confronto della pena di lei stanno i pericoli corsi dal poeta in guerra:

> Brina sui vetri; uniti
> sempre e sempre in disparte
> gl'infermi; e sopra i tavoli
> i lunghi soliloqui sulle carte.
>
> Fu il tuo esilio. Ripenso
> anche al mio, alla mattina
> quando udii tra gli scogli crepitare
> la bomba ballerina.
>
> E durarono a lungo i notturni giuochi
> di Bengala: come in una festa.
>
> È scorsa un'ala rude, t'ha sfiorato le mani,
> ma invano: la tua carta non è questa.

Riconosciuti l'occasione e il tema del mottetto, le spiegazioni da dare sono poche: « la bomba ballerina – spiega Montale in una delle rare note delle *Occasioni* – fu usata dalle nostre fanterie nel 1915 e forse anche dopo »; dei « Bengala » diciamo, in genere « fuochi di Bengala », il poeta dice invece « giuochi », e quasi non ci si avvede dello scarto semantico, essendo molto simili come suono « giuochi » e « fuochi », ma così esercita una sottile ironia su quelle strane luminarie di razzi e di proiettili traccianti che percorrevano il cielo della Vallarsa; l'« ala rude » che ha sfiorato la donna è, naturalmente, quella della morte; l'immagine della carta, ovvia anche in un altro contesto, è qui un richiamo ai ripetuti interrogativi dei solitari.

Sul tema dei destini paralleli del poeta e della donna, che qui è Clizia, è anche il mottetto che segue immediatamente a *Brina sui vetri*:

---

[11] La « donna amata » è Clizia per tutta la serie dei mottetti (si veda la nota seguente), eccettuati in primi tre, dedicati a una peruviana di origine genovese, che abitava a Genova.

Lontano, ero con te quando tuo padre
entrò nell'ombra e ti lasciò il suo addio.
Che seppi fino allora? Il logorio
di *prima* mi salvò solo per questo:

che t'ignoravo e non dovevo: ai colpi
d'oggi lo so, se di laggiù s'inflette
un'ora e mi riporta Cumerlotti
o Anghébeni – tra scoppi di spolette
e i lamenti e l'accorrer delle squadre.

Occorrono per questo mottetto spiegazioni un poco più minuziose, ma il commento non vuole servire soltanto a chiarire qualche difficoltà, bensì anche a dimostrare come l'esperienza vissuta che entra nella poesia di Montale si spogli del tutto del dato di cronaca per farsi nozione interiore. C'è qui quasi il condensarsi o meglio il raccorciarsi di eventi memorabili, fissati con rapidissime allusioni. Per la brevità e l'essenzialità questa poesia somiglia ad altra poesia moderna da Ungaretti in poi, ma se ne differenzia pure per la densità dei fatti e dei rapporti che non possono essere riportati al gusto impressionistico proprio di tant'altra poesia moderna, se per impressionismo si ha da intendere l'isolarsi di un'immagine, di una figura, di un ricordo sotto una luce che ne intensifica la presenza.

Il rapporto tra i due destini paralleli, che c'è anche in *Brina sui vetri*, viene posto in maniera più drammatica. Con certo compiacimento per l'*understatement*, Montale aveva dichiarato che i mottetti nell'insieme costituiscono un romanzetto per Clizia, nato episodicamente nel tempo in cui la donna era lontana, molto lontana, e per fugaci impressioni, per scatti improvvisi della memoria tornava presente alla sua fantasia e al suo cuore[12]. Orbene il motivo della lontananza è posto

---

[12] Cfr. *Due sciacalli al guinzaglio*, « Corriere della Sera », 16 febbraio 1950, ora in *Sulla poesia*, Mondadori, Milano, 1976, pp. 84-86: « Le piccole poesie di Mirco, che formarono poi una serie, un romanzetto autobiografico tutt'altro che tenebroso, nascevano di giorno in giorno ». In particolare sull'origine del mottetto *Lontano, ero con te*: « Un giorno Mirco seppe che il padre di Clizia era morto, intuì quello strazio e più gli dispiacquero le tremila miglia che lo tenevano lontano, troppo lontano da quel lutto. E gli parve che tutte le ansie e i rischi della sua vita trascorsa convergessero verso quella Clizia allora ignota, verso un incontro che doveva tardare, poi, tanti anni. Forse, si disse, la guerra mi ha risparmiato proprio per questo: perché senza Clizia la mia vita non avrebbe avuto alcun senso, alcuna direzione. Rivangò il suo passato, si rivide in alcuni contesi villaggi della Vallarsa, a Cumerlotti, ad Anghébeni, sotto il Monte Corvo; ritrovò se stesso in mortale pericolo ma già assistito, inconsapevolmente, dalla stella di Clizia, dall'ombrellino del suo girasole ».

nel mottetto che abbiamo letto, come sul rigo musicale è segnata la chiave in cui vanno lette le note. Ma «lontano» è immediatamente corretto da «ero con te»: cioè, pur essendo materialmente lontano, il poeta era vicino col cuore a Clizia nel momento in cui suo padre moriva. Così è sentito come una predestinazione l'incontro sentimentale con la donna; la vita vissuta fino a che non si conobbero era stata in sé vana, priva di conoscenza, priva di uno scopo preciso; ma l'amore porta anche all'idea che essa sia trascorsa come un'inconsapevole preparazione all'incontro. E qui entra, con un improvviso molto caratteristico dello stile delle *Occasioni* e della *Bufera*, il ricordo del passato che ormai rivela con piena chiarezza il suo significato. Quel passato, quel *prima*, sono i giorni e i mesi di guerra, quando la vista del dolore e della morte potevano indurre all'idea della precarietà e forse dell'inutilità dell'esistenza. Ma, tornando presente anche in un suo frammento, quell'esperienza trova ora la sua motivazione.

Il poeta usa un verbo che assume un significato particolare: «s'inflette»; propriamente: si piega, subisce una deviazione dal suo corso, per tornare presente al pensiero. Una geniale forzatura, uno spostamento della parola dal suo più comune ambito semantico, che ha il suo precedente in una espressione affine degli *Ossi di seppia*, dove veniva a dare senso metafisico a un'immagine tutta fisica, e la somiglianza va notata non come un fatto grammaticale, ma per riconoscere in concreto, nel tessuto linguistico, i nessi inscindibili tra fisico e metafisico nella poesia montaliana. In *Incontro*, sul principio, si legge

> sospinta sulla rada
> dove l'ultime voci il giorno esala
> viaggia una nebbia, alta si flette un'ala
> di cormorano.

In una nota delle *Occasioni* Montale avvertiva che Cumerlotti e Anghébeni sono «paesi in Vallarsa». Nella prosa *Due sciacalli al guinzaglio* ha poi ironizzato sull'imbarazzo dei lettori, che non trovando quella nota nella prima edizione delle *Occasioni* (Einaudi, Torino, 1939), scambiarono quei luoghi «per due personaggi essenziali all'intelligenza del testo»[13]. Veramente quello che si legge subito dopo nel mottetto degli scoppi di spolette, dei lamenti, dell'accorrere delle squadre appartiene inequivocabilmente alla vita di guerra. Ma, per

---

[13] Ivi, p. 86.

pura curiosità, o, se si preferisce, per esercizio di pedanteria, si può osservare che Anghébeni è segnato nella minutissima carta a scala 1 : 200.000 dell'*Atlante automobilistico* del Touring Club Italiano, Cumerlotti no. Per trovarlo occorrerebbero le non facilmente accessibili carte dell'Istituto Geografico Militare! E l'osservazione merita d'essere fatta affinché si consideri che anche l'indicazione precisa dei luoghi, come di altri particolari presi di peso dalla realtà, è un segno stilistico montaliano. Montale riassume in sé la grande lezione della lirica che va dal tardo romanticismo al simbolismo, ma non rifiuta quell'esigenza di realismo che si è fatta sentire in molta lirica del secondo Ottocento e del primo Novecento. Perciò Cumerlotti e Anghébeni sono stati trasportati con i loro nomi – e, direi quasi, come puri nomi – nel cielo della poesia, con un procedimento del tutto diverso, per fare un esempio insigne, da quello adottato dal Leopardi nell'*Infinito*. Solo dai commenti infatti noi apprendiamo che il rialto che sta dietro il palazzo Leopardi a Recanati si denomina monte Tabor (e, a dire il vero, saperlo o non saperlo non aggiunge nulla all'*Infinito*); per noi, perché così ha voluto Leopardi, quello è soltanto il colle dell'Infinito.

È bene ora rifarsi un poco indietro nel tempo. Di Genova, il « paese di ferrame e alberature » e della « oscura primavera Di Sottoripa » (mottetto *Lo sai: debbo riperderti e non posso*) è entrata qualche immagine nella poesia di Montale. Ma, specialmente nella stagione degli *Ossi di seppia*, molto di più è entrato di Monterosso e delle Cinque Terre.

A Monterosso i Montale avevano la casa delle vacanze. Per l'esattezza le ville erano due: una apparteneva al padre del poeta e a suo cugino Domenico, l'altra al cugino Lorenzo. La villa paterna è descritta nella *Casa delle due palme* della *Farfalla di Dinard*:

Il treno stava per giungere. Fra un tunnel e l'altro, in un breve squarcio – un batter d'occhio se il treno era un diretto e un'eternità se si trattava di un omnibus o di un trenino operaio – appariva e spariva la villa, una pagoda giallognola e un po' stinta, vista di sbieco, con due palme davanti, simmetriche ma non proprio eguali. Gemelle erano nell'anno di grazia 1900, quando furono piantate, poi una prese l'aire e crebbe più dell'altra, né mai s'era trovato un mezzo per ritardare la prima e accelerare la seconda. Quel giorno il treno era un «operaio» e la villa, benché seminascosta da costruzioni più recenti, fu visibile a lungo. Sul lato di ponente, in cima a una scaletta mascherata da una siepe di pitòsfori, era d'uso che qualcuno (madre o zia o cugina o nepote) agitasse un asciugamani per salutare chi giungeva e soprattutto (se dal treno si rispondeva agitando il fazzoletto) per affrettarsi a mettere in pentola i gnocchi di patate. Sei o sette minuti dopo era previsto l'arrivo del parente di turno, debitamente stanco e affamato. Cinque ore di treno e di fumo! [14]

In altre prose della *Farfalla di Dinard* e in una inserita nella *Bufera* (*Dov'era il tennis ...*) il poeta, giocando col contrappunto dell'ironia, ha rievocato il paesaggio che più profondamente si è impresso nella sua memoria, e dal quale ha preso ispirazione non poca della poesia degli *Ossi di seppia*, a volte con una fedeltà tale da obbligare il lettore a individuare esattamente i luoghi ricordati, a volte con grande libertà, cogliendo nelle cose alcuni elementi che, assunti come emblemi del sentimento, comportano una trasformazione o un processo di astrazione tali da rendere molto sottili i rapporti col reale. Ma queste distinzioni ed altro risulteranno dalla lettura analitica degli *Ossi di seppia* con i debiti riferimenti alle prose della *Farfalla di Dinard* e a più di una pagina della *Bufera*, per non dire di qualche spunto presente anche nelle *Occasioni*.

Al ritorno dunque dalla guerra Montale andò di nuovo a vivere a Genova in casa dei genitori. Frequentò i pochi letterati che vivevano in città. Al caffè Roma, dove imperava Fausto Maria Martini, si davano convegno i dannunziani; gli altri, o antidannunziani o almeno non affascinati dal sensualismo e dai miti eroici e superumani dell'immaginifico, si riunivano al Diana in Galleria Mazzini. Montale frequentava il Diana, dove conobbe Angelo Barile, Adriano Grande, Camillo Sbarbaro. Per Sbarbaro sopra tutto ebbe un'istintiva simpatia, che non venne mai meno. A lui sono dedicate due poesie degli *Ossi di seppia* e sulla sua opera, misuratissima, di rara nobiltà, Montale ha scritto con molto consenso ma anche con giusto distacco critico in anni giovanili ed è poi tornato dopo la morte dell'amico [15]. Gli amici però lavoravano; Montale, a parte una saltuaria e poco redditizia collaborazione a giornali e riviste, viveva senza un impiego, in famiglia. Un rapido ritratto della sua condizione in quegli anni, con una leggera marcatura caricaturale, si legge nella prima delle prose della *Farfalla di Dinard*, il *Racconto d'uno sconosciuto*:

---

[14] *La farfalla di Dinard*, p. 41.
[15] Vd. *Camillo Sbarbaro* e *Ricordo di Sbarbaro*, in *Sulla poesia*, pp. 189-194 e 335-337.

Mio padre viveva fra casa e *scagno* (dove lo aiutavano i miei fratelli, questi indipendenti davvero); io fra la casa e i portici delle strade nuove, sempre disoccupato. Si intende che cercavo un lavoro degno di me e delle mie attitudini; ma quali si fossero tali attitudini, né io né mio padre avevamo mai potuto appurare. Nelle nostre vecchie famiglie c'era di regola un figlio, per lo più l'ultimo, il beniamino, al quale non si richiedeva nessuna ragionevole attività. Figlio minore di padre vedovo, alquanto malescente fin dall'infanzia e ricco di imprecisabili vocazioni extra-commerciali, io ero giunto a quindici e poi a venti e poi a venticinqu'anni senza aver preso una decisione. Venne la guerra, che non mi strappò di casa, e vennero il dopoguerra, la crisi e la grande rivoluzione che doveva salvarci dagli orrori del bolscevismo. Gli affari andavano male ... [16]

Per uscire dalla condizione di figlio di famiglia, dopo avere inutilmente cercato un'occupazione a Milano, Montale si impiegò a Firenze presso l'editore Bemporad. Arrivò a Firenze nei primi giorni del marzo 1927, e alloggiò in una modesta pensione di via del Pratellino. Colui che aveva già pubblicato gli *Ossi di seppia*, che di lì a poco avrebbe pubblicato nella rivista « Criterion » di Eliot *Arsenio*, faceva le sue otto ore d'ufficio, ricevendo uno stipendio che non consentiva di scialare. A Firenze, nel cenacolo della rivista « Solaria » e al caffè delle Giubbe rosse, strinse nuove amicizie, e da Firenze, dal suo paesaggio, dai suoi luoghi, ma anche dai letterati e dagli artisti che conobbe, ebbe incentivo a una poesia nuova che diede i suoi primi segni nelle liriche aggiunte alla seconda edizione degli *Ossi di seppia* del 1928 (la prima era uscita a Torino nel 1925, nelle edizioni di Piero Gobetti). Quando, dopo aver subìto una riduzione dello stipendio, nel giugno del '28 venne licenziato da Bemporad, per uno sfoltimento del personale, Montale affrontò le difficoltà dell'intellettuale disoccupato, ma non a lungo. Il germanista e romanziere Bonaventura Tecchi, lasciando il posto di direttore del Gabinetto Vieusseux per andare a insegnare a Brno in Cecoslovacchia, segnalò Montale al presidente Paolo Emilio Pavolini come suo successore. Così il poeta entrò in una terna di concorrenti. Era il solo che non fosse iscritto al partito fascista, ma colui che doveva decidere, il podestà di Firenze conte Giuseppe della Gherardesca, per una serie di quelle stranezze che avvenivano negli anni della dittatura, scelse proprio lui. Senonché dieci anni dopo, nell'inasprirsi dei provvedimenti contro le persone sospette di antifascismo, Montale, catalogato fra i cittadini « soggetti a sor-

---

[16] *La farfalla di Dinard*, p. 11.

veglianza» e definito dall'opinione pubblica fiorentina un «bigio», venne dimesso perché privo della tessere fascista [17]. Cominciarono tempi più duri, e per vivere il poeta si adattò al lavoro di traduttore, dall'inglese sopra tutto. Tra l'altro in quegli anni (1940) fu tra i collaboratori di Vittorini nella grande e veramente storica antologia di scrittori statunitensi, *Americana* edita da Bompiani. Ma per Montale e ancor più per la poesia italiana, l'anno memorabile è il 1939, nel quale presso Einaudi apparve la prima edizione delle *Occasioni*, il libro di poesia che più intensamente ha espresso i dubbi, le perplessità, le angosce del nostro tempo, quello in cui gli intellettuali (pensanti) della generazione formatasi fra le due guerra più si sono riconosciuti, e che più li ha aiutati a un vero atto di chiarificazione e di presa di coscienza dei propri drammi e dei propri problemi.

Ha ragione Montale di ribadire che la sua poesia è nata da un'esperienza tutta personale, da un'esplorazione fatta nella propria vita interiore senza il proposito di parlare in nome anche degli altri, senza l'ambizione sopra tutto di dare senso alle proprie parole facendone un messaggio sociale o collettivo o che altro si vuol dire. Specialmente con certa critica di ispirazione marxista il poeta è stato sprezzante in anni recenti. Ricordo la replica, che porta la data 21 settembre 1972, a un critico di sinistra, contrario, come dice Montale, al «privatismo» in poesia: Alberto Asor Rosa (il titolo della poesia, raccolta nel *Diario del '71 e del '72*, è appunto *Asor*):

> Asor, nome gentile (il suo retrogrado
> è il più bel fiore),
> non ama il privatismo in poesia.
> Ne ha ben donde e ne avrebbe se la storia
> producesse un quid simile o un'affine
> sostanza, il che purtroppo non accade.
> La poesia non è fatta per nessuno,
> non per altri e nemmeno per chi la scrive.
> Perché nasce? Non nasce affatto e dunque
> non è nata. *Sta* come una pietra
> o un granello di sabbia. Finirà
> con tutto il resto. Se sia tardi o presto
> lo dirà l'escatologo, il funesto
> mistagogo che è nato a un solo parto
> col tempo – e lo detesta.

---

[17] L'episodio è narrato nel racconto *Il colpevole* della *Farfalla di Dinard*, che è stato pubblicato anche a sé in un libretto «all'insegna della Baita di van Gogh» a cura di Vanni Scheiwiller, Milano, 1966, con tre disegni di Ottone Rosai.

Certamente la questione del privatismo, non dico nella poesia in generale, ma anche nel caso specifico della poesia di Montale, richiederebbe un lungo discorso, condotto con non poche distinzioni. Ma se stiamo cercando di ricavare, sebbene in forma sommaria e approssimativa, delle indicazioni per la lettura di Montale da una rapida messa a punto della sua biografia, non è per fare della poesia un fatto privato. Dire «personale», «nato da esperienza vissuta» ecc., se le parole hanno un senso preciso, non è lo stesso che dire «privato».

Del resto Montale pensa che le vie per le quali la storia del proprio tempo si rispecchia nell'opera di poesia sono un poco come le vie del Signore: infinite e misteriose. È suo parere che sussista, in linea di principio, una differenza fondamentale tra la condizione del romanziere e del saggista, i quali difficilmente potrebbero scrivere qualche cosa di significativo senza impegnarsi più o meno direttamente con la storia dentro la quale vivono, e il poeta lirico che, se proprio non può astrarre dalla storia del suo tempo, può tuttavia valersi di modi allusivi che vengono a mascherare le sue vere intenzioni: il che non significa tradire le proprie idee.

Piuttosto che riferire qualche pagina di scritti del poeta ben noti, cito il brano di un'intervista inedita che ebbi la fortuna di fare, quando, insegnando ai corsi internazionali di Gargnano, parlai brevemente di lui, alla sua presenza, agli studenti stranieri, e ottenni che egli poi rispondesse ad alcune mie domande. Una delle questioni che gli proponevo era: in che senso ed entro quali limiti egli vedesse il così detto *engagement* dello scrittore, e la risposta, fedelmente registrata dal magnetofono, fu questa:

La domanda è troppo grossa. Lo scrittore in senso lato non ha limiti. Può accadere che un romanziere scriva, per esempio, un romanzo interamente *engagé* in senso politico. Può accadere però che non riesca a scrivere un bel romanzo e che l'intento resti puramente platonico; succede più spesso di quanto non si possa credere. Ma nella poesia è ancora più difficile. C'è però una poesia piena di frecciate, di epigrammi; esiste anche questa possibilità di una poesia satirica, che può essere un flagello politico e non esserlo; flagellare una società in sé, una società corrotta, una società decadente, oppure un determinato regime politico. C'è questa possibilità nella poesia. Ma in genere il poeta come lirico è fatto in modo che trascende un poco le contingenze del suo tempo, le vede un po' sotto specie di eternità. La sua visione della vita tende un po' a superare l'attualità del momento. Per esempio, in *Finisterre* e nella *Bufera*, ci sono delle poesie che si possono dire politiche. *Le processioni del 1949* non è una poesia antireligiosa, ma siccome in quell'epoca l'Italia era piena di processioni, si portava dappertutto in processione la Vergine Pellegrina – non so perché fosse avvenuto nel '49 e non prima – forse perché peregrinanti erano questi che io ho chiamati madonnari – allora ho fatto questa poesia: poesia *engagée* anche questa. Ma in genere ho creduto di fare sentire la guerra solo da lontano, come un'eco. Non ho creduto nemmeno, mi è accaduto di fare questo spontaneamente. Ci sono anche poesie, come la *Ballata scritta in una clinica*, che risente del bombardamento di Firenze; ci sono anche degli epigrammi nei quali si parla del Ponte di Santa Trinita distrutto, con l'apparizione di un cane, di quelli che sembrano delle pecore, un bedlington terrier. Alcuni poi lo presero per un aeroplano. Il critico Bocelli disse che dovevo spiegare in nota che si tratta d'un cane. Va bene; avrei potuto fare anche questo. Quindi l'*engagement* può essere forte, e può essere scarso. Si può anche supporre che ci sia un poeta del tutto estraneo a quello che succede nel mondo intorno a lui; potrebbe anche darsi. Quando la Barret Browning si è finta monaca portoghese, ha scritto delle poesie d'amore, mentre probabilmente si stava combattendo da poco tempo nelle strade di Firenze. [18] Insomma non vedo uno stretto obbligo di rispondenza con i fatti della cronaca; perché la storia appare sempre a noi in forma di cronaca: dopo ci accorgiamo di avere vissuto momenti storici. Io mi accorgo ora di avere vissuto momenti storici; ma quando li si vive è difficile prenderne coscienza. Fabrizio Del Dongo di Stendhal partecipa alla battaglia di Waterloo e viene a saperlo dopo; sul momento non ha visto che una vivandiera, una barella, un cane: un po' di noia sudore stanchezza e basta. Chi ha fatto la guerra, se non è morto in guerra, vede appunto la guerra spesso così: una serie di seccature e basta; poi si accorge di essere stato un eroe. Quindi l'*engagement* ha forme così late, che io non l'escluderei in nessuna delle sue forme, ma difenderei anche il poeta che non affrontasse direttamente i problemi del suo tempo, purché avesse fatto della poesia; e credo che se avesse fatto della poesia questi problemi finiremmo per trovarli, anche se il poeta non ce li ha messi. Per esempio, Paul Valéry era un poeta (io l'ho anche conosciuto) che non si preoccupava per niente di quello che accadeva intorno a lui: eppure vi hanno trovato dentro Bergson, e tutto il suo tempo; insomma rientra tutto in ballo.

L'intervista dalla quale ho riportato un brano è del 1961. Montale vi cita poesie della *Bufera*. Forse ai fini del suo discorso avrebbe potuto citare opportunamente una poesia delle *Occasioni*, le *Nuove stanze*, e, dalla stessa *Bufera*, *La primavera hitleriana*. Infatti *Nuove*

---

[18] Elizabeth Barret (1806-1861) sposatasi col poeta Robert Browning, nel 1846 si stabilì a Firenze e lì scrisse la sua opera migliore: i *Sonnets from the Portuguese*. È soltanto un'ipotesi che la Browning, che partecipò con grande passione alle vicende del Risorgimento italiano, componesse quelle sue poesie d'amore mentre si stava combattendo da poco tempo nelle strade di Firenze, vale a dire nel periodo che va dai moti della primavera del 1848 alla restaurazione del '49. I *Sonnets*, editi nel 1850, avevano infatti avuto una stampa a tiratura limitata per gli amici nel 1847.

stanze è una poesia in cui le allusioni alla dittatura fascista si tingono di un colore di tragedia; senonché la poesia poté essere pubblicata nel '39 perché di fatti purtroppo reali, anziché dare una rappresentazione diretta, se ne dava una tanto traslata da rendere mal decifrabile, almeno a lettori non ben provveduti, la cronaca che vi si mescolava. Nella *Primavera hitleriana* invece era rievocato un episodio della visita in Italia di Hitler (una nevicata di farfalle bianche in una serata di gala al Teatro Comunale di Firenze), in modo tale che la decifrazione sarebbe stata facile. Perciò la *Primavera hitleriana* vide la luce in rivista soltanto nel 1946-47 e poi nella *Bufera*.

Sta di fatto che come nessun altro dei nostri scrittori Montale ebbe il senso doloroso della tragedia che si stava preparando negli anni in cui dettava le ultime poesie delle *Occasioni*. Ma non fu un'ipotesi da politico la sua: se così fosse egli non sarebbe sicuramente il solo che presagì il tragico bagno di sangue nel quale sarebbe finita la dittatura fascista; il suo fu un presagio legato alla coscienza profonda del «male di vivere» che portava dentro di sé, quindi non previsione della guerra imminente, ma idea angosciosa di un incubo che gravava sull'Europa, e dell'epilogo tragico che avrebbe avuto. A buon diritto dunque il poeta ha potuto fare questa dichiarazione:

Le *Occasioni* erano un'arancia, o meglio un limone a cui mancava uno spicchio: non proprio quello della poesia pura nel senso che ho indicato prima, ma in quello del *pedale*, della musica profonda e della contemplazione. Ho completato il mio lavoro con le poesie di *Finisterre*, che rappresentano la mia esperienza, diciamo così petrarchesca. Ho proiettato la Selvaggia o la Mandetta o la Delia (la chiami come vuole) dei *Mottetti* sullo sfondo di una guerra cosmica e terrestre, senza scopo e senza ragione, e mi sono affidato a lei, donna o nube, angelo o procellaria. Il motivo era già contenuto e anticipato nelle *Nuove stanze*, scritte prima della guerra. Non ci voleva molto a essere profeti. Si tratta di poche poesie, nate nell'incubo degli anni '40-42, forse le più libere che io abbia mai scritte, e pensavo che il loro rapporto col motivo centrale delle *Occasioni* fosse evidente. Se avessi orchestrato e annacquato il mio tema sarei stato capito meglio. Ma io non vado alla ricerca della poesia, attendo di esserne visitato. Scrivo poco, con pochi ritocchi, quando mi pare di non poterne fare a meno. Se neppure così si evita la retorica vuol dire ch'essa è (almeno da me) inevitabile. [19]

Sulla questione, e in particolare sul significato della dichiarazione «Si tratta di poche poesie ... forse le *più libere* che io abbia mai

---

[19] *Intenzioni (Intervista immaginaria)*, in *Sulla poesia*, pp. 567-568.

scritte», dovremo tornare. Ora importa sottolineare un fatto sopra tutto: se da alcuni particolari della vita del poeta possiamo ricavare indicazioni utili per leggere meglio la sua poesia, per capirne l'occasione volutamente taciuta (nella *Intervista immaginaria* Montale ha dichiarato: «ammesso che in arte esista una bilancia tra il di fuori e il di dentro, tra l'occasione e l'opera-oggetto bisognava esprimere l'oggetto e tacere l'occasione-spinta»), non si può, purché si abbia mano leggera, rinunziare a cogliere anche i legami esistenti tra la poesia e una certa realtà storica, della quale il poeta è stato testimone: è vivendo e giudicando quella realtà, che si è fatto interprete di situazioni e reazioni che appartengono a una storia più vasta della sua storia personale. Appunto le poesie nelle quali la storia personale del poeta è più legata alla storia degli altri uomini sono alcune di *Finisterre*, il primo nucleo della *Bufera*. Troppo evidenti erano in esse i riferimenti alle vicende di quegli anni, i primi del secondo conflitto mondiale. Non poche apparvero in riviste, perché isolate non lasciavano bene vedere la loro «occasione-spinta»; riunite avrebbero forse offerto qualche indizio a chi poteva essere interessato a riconoscere, dentro l'angoscia esistenziale che esprimevano, una precisa denuncia degli errori e degli orrori della tragedia cominciata con l'attacco della Germania alla Polonia. Non pubblicabili in Italia, con la complicità di Gianfranco Contini, che allora insegnava a Friburgo in Svizzera, varcarono il confine e furono pubblicate a Lugano a cura di un avvocato ticinese, Pino Bernasconi (dopo la guerra se ne fece una ristampa a Firenze).

Per non perdere del tutto il filo della sommaria biografia che veniamo tracciando, ricordiamo che Montale non aveva lasciato Firenze, dove appunto le poesie di *Finisterre*, se non tutte quasi tutte, vennero composte. Sulla vita del poeta nell'immediato dopo-guerra una notizia almeno abbiamo già dato con il cenno all'occasione da cui nacque *Ballata scritta in una clinica*. Dopo la liberazione di Firenze ci fu la partecipazione del poeta alla vita politica. Con l'archeologo Ranuccio Bianchi Bandinelli, Nicola Lisi e il musicista Vittorio Gui, Montale, che era iscritto al Partito d'Azione, fece parte del comitato per la cultura e l'arte, nominato dal Comitato di Liberazione Nazionale. Si impegnò allora anche nel giornalismo, collaborando, dopo il settembre 1944, al quotidiano fiorentino «La Nazione del Popolo» e divenendo, insieme con Arturo Loria, redattore del quindicinale «Il Mondo», che nacque a Firenze il 7 aprile 1945, e aveva come direttore, o meglio, come «redattore capo responsabile», Alessandro Bonsanti[20]. Dopo la liberazione del Nord si parlò di affidare a lui e a Leo Valiani la direzione del quotidiano del Partito «L'Italia libera», che si stampava a Milano; ma non se ne fece nulla. La carriera giornalistica di Montale (sull'elenco telefonico di Milano quando vi si leggeva il suo nome a fianco c'era «giornalista») che segnò veramente una svolta nella sua vita ebbe inizio quando entrò al «Corriere della Sera». Era stato Alessandro Levi, lo studioso di Cattaneo, professore di filosofia del diritto all'università di Firenze, che in un suo viaggio a Milano aveva proposto a Mario Borsa, allora direttore del «Corriere», di fare entrare Montale fra i collaboratori del giornale. Poiché Renato Simoni, al quale era affidata la critica teatrale, era sottoposto a processo di epurazione, a Montale venne affidata la critica teatrale. Egli mandò la recensione alla silloge del *Teatro italiano della seconda metà dell'Ottocento* di Alda Croce; intanto Simoni tornò al suo posto e Montale continuò a collaborare, ma non con articoli di critica teatrale. Quando a Mario Borsa subentrò nella direzione del «Corriere» Guglielmo Emanuel, Montale ebbe confermato il suo incarico. Si trovava a Milano nella sede del «Corriere» il 30 gennaio 1948. Era giunta la notizia dell'assassinio di Gandhi; Emanuel non sapeva a chi affidare l'incarico di scrivere il necrologio. Vide Montale e gli chiese di toglierlo dall'imbarazzo; l'articolo, scritto seduta stante, venne pubblicato nel «Corriere» del 31 gennaio, e da allora cominciò per il poeta una collaborazione assidua, che si concretò in articoli di critica musicale, specialmente sugli spettacoli del Teatro della Scala pubblicati nell'edizione pomeridiana del giornale «Il Corriere d'Informazione», in recensioni, in divagazioni, in ricordi (che in parte furono raccolti nella *Farfalla di Dinard*), in «pezzi» d'inviato speciale, in buona parte riuniti nel volume *Fuori di casa*.

Montale ha poi detto che la sua attività giornalistica è stata un ostacolo alla poesia. Fare il giornalista è scrivere per gli altri, su commissione; fare poesia è scrivere per sé, quando viene l'ispirazione.

---

[20] Sul «Mondo» di Bonsanti Montale pubblicò sedici articoli di letteratura e di politica, fra il '45 e il '46. Questi articoli, in parte ristampati in *Auto da fé*, sono stati raccolti tutti in un quaderno della «Nuova Antologia», a cura di Giovanni Spadolini, che ha ricostruito con bella chiarezza quell'episodio del nostro giornalismo finalmente libero e ha fatto rivivere da storico la passione morale e politica di Montale in quei mesi: Eugenio Montale, *I miei scritti sul «Mondo»* (*da Bonsanti a Pannunzio*), Le Monnier, Firenze, 1981.

Nell'intervista intitolata *Dialogo con Montale sulla poesia*, ha detto a proposito di un più preteso che reale impoverirsi della sua vena: « Aggiunga che dal '48 io sono un giornalista e mi manca assolutamente il tempo per scrivere cose mie. Scrivo per gli altri »[21]. Sarà piuttosto da vedere quanto abbia inciso sulla trasformazione delle poesie scritte dopo la *Bufera* l'intensa attività giornalistica, cioè il lungo e tutt'altro che futile impegnarsi nella prosa. A parte le considerazioni sul trasformarsi dello stile che, approssimativamente, possiamo dire che si è venuto aprendo a modi discorsivi, meno intensi e più sciolti di quelli delle *Occasioni* e della *Bufera*, è da prendere in considerazione tutta la serie degli interventi contro quelli che al poeta sono sembrati mode caduche, manifestazioni di snobismo, segni di una chiassosità inaccettabile: dalla teoria dell'alienazione alle neo-avanguardie. Ma sono anche da esaminare con maggiore attenzione e senza prevenzioni le prese di posizione politiche, dalle quali risulta inequivocabilmente un rifiuto di tutto ciò che rischia di limitare la libertà di scelte individuali. Avverso ai chierici rossi e ai chierici neri, Montale si è arroccato su una posizione di liberalismo, coerente con le sue origini gobettiane, tutt'altro che insensibile ai problemi di oggi, come poco generosamente qualcuno pretende, ma senza dubbio inadatto a dare risposte accettabili a chi sente quanto le trasformazioni profonde della nostra società, anche quando ci sconcertano, non siano il risultato di un trionfo dell'irrazionale. Per colui che aveva pensato che la sua poesia nascesse, come aveva scritto a Svevo, da un'esperienza di vita esclusivamente interna, l'attenzione che, anche per dovere professionale, dovette rivolgere ai fatti esterni di cui si occupano i giornalisti è stata senza dubbio importante. Ma per la poesia di Montale un fatto capitale fu certamente un evento personale: dopo un certo periodo di silenzio, egli infatti ha ripreso a scrivere versi per un impulso improvviso venutogli dalla percezione della prodigiosa presenza della moglie morta. Il 20 ottobre 1963 morì Mosca. Il 10 aprile 1964, di sera, Montale dettò il primo degli *Xenia*, la poesia dedicata alla moglie morta che comincia *Caro piccolo insetto*.

Ora, senza scendere in dettagli, riassumiamo le notizie che appartengono alla vita « ufficiale » del poeta, tanto più che il conferimento del premio Nobel per la letteratura nel 1975 e le celebrazioni per l'ottantesimo compleanno nel 1976 hanno obbligato anche i più di-

---

[21] *Dialogo con Montale sulla poesia*, in *Sulla poesia*, p. 578.

stratti, anche i meno disposti a interessarsi di poesia ad avere qualche curiosità.

Nel settembre 1950 Montale ha vinto il premio di poesia San Martino. Nel maggio 1952 tiene a Parigi una conferenza sul tema *Isolamento e comunicazione*, ristampata col titolo *La solitudine dell'artista* sia in *Auto da fé* sia nel volume *Omaggio a Montale* (Mondadori, Milano, 1966), per l'importanza che a questo scritto annette giustamente l'autore. Montale vi spiega la condizione ineliminabile dell'isolamento, alla quale l'uomo è costretto dalla sua stessa natura individuale e limitata, e vede nell'esistenzialismo la filosofia che ha spiegato questa condizione, e all'esistenzialismo riconosce altresì il merito di avere spiegato come non solo l'arte, ma l'arte sopra tutto sia lo sforzo di rompere questo isolamento, di fermare l'effimero, di creare la comunicazione. L'isolamento è infatti necessario alla vera comunicazione; al massimo d'isolamento anzi corrisponde il massimo di comunicazione. Per Montale, l'esempio più convincente è offerto da Kafka, l'artista dei nostri tempi che più di altri ha ricavato dal suo isolamento l'impulso al massimo di comunicazione in opere di altissima poesia.

La comunicazione che Montale non apprezza è perciò quella che non presuppone l'isolamento, quella degli scrittori fatuamente mondani, ma, in sostanza, anche quella degli artisti grossolanamente realistici: e le sue frecciate contro il realismo sovietico sono particolarmente dure e azzeccatissime. Tipico del nostro tempo egli considera altresì il trionfo dei surrogati dell'arte, che si ha specialmente nel cinematografo, quando il regista – come avviene particolarmente a coloro che hanno l'ambizione di parere intelligenti – si dà a manipolare prodotti altrui. Non un rifiuto del cinema, la decima musa; ma il sospetto, non infondato, che troppo nel cinema sia, come tipica arte di massa, appunto il risultato di una manipolazione, e che esso non comunichi se non ciò che già è risaputo, con l'illusione purtroppo che l'arte sia di tutti e per tutti. Ma merita di essere letta almeno l'ultima parte della conferenza parigina, sulla quale si deve particolarmente riflettere:

... Alcuni pensano che lo spettacolo (cinema e teatro spettacolare) sia la vera arte del nostro tempo e che colui che monta lo spettacolo prendendo a pretesto *ficelles* o opere di poeti, il regista, sia il vero artista attuale. Le vecchie arti si direbbero morte, la pittura figurativa sembra impossibile, la musica tonale pare esaurita nelle sue possibilità, la poesia lirica è intraducibile e pressoché incomunicabile; solo le espressioni che possono essere portate a contatto di vaste masse coi mezzi tecnici nuovi (cinema, televisione, radio) sembrano veramente conformi al vitalismo del nostro tempo. Ma poiché interpretare e anche leggere e comprendere un'opera del passato è compiere operazione di regìa, operazione creativa, ne consegue che oggi tutti siamo più o meno grandi artisti. Dove tutti sono artisti non esiste nessun artista; il nostro tempo ha reso l'arte così immediata da distruggerla.

Non credo prossima una reazione a questi pericoli, ma penso che quando il vitalismo irrazionalista e la nuova tecnica della comunicazione avranno raggiunto l'estremo sviluppo si dovrà tornare a un concetto diverso e meno materiale della comunicazione artistica. L'arte si disporrà allora su due piani: un'arte utilitaria e quasi sportiva per le grandi masse e un'arte vera e propria, non troppo diversa dall'arte del passato e non facilmente riducibile a *cliché*. Quest'ipotesi ottimista, presuppone che i *clercs* dell'intelligenza e della cultura, gli uomini capaci di andare controcorrente restino oggi e domani al loro posto e non si lascino sommergere. Sono queste grandi personalità isolate che danno un senso a un'epoca e il loro isolamento è più illusorio che reale. Anche le loro ricerche, negli imitatori, diventano cifra, decorazione, spettacolo, e insomma confluiscono nel grande balletto dell'arte per tutti.

Non penso, in sostanza, che il trionfo dei nuovi mezzi tecnici sia senza importanza in un mondo che tende a un nuovo umanesimo positivo e scientifico e che si sforza di rendere migliore la vita delle moltitudini; ma ritengo che anche domani le voci più importanti saranno quelle degli artisti che faranno sentire, attraverso la loro voce isolata, *un'eco del fatale isolamento di ognuno di noi ...* [22]

Riducendo a uno scarno elenco le notizie – e mi servo in parte del libro del Nascimbeni, sorvolando su qualche notizia e aggiungendone qualche altra – registriamo che nel 1956 il poeta ottenne il premio Marzotto, nel novembre 1959 fu insignito della Legion d'onore, nel '61 ebbe la laurea *ad honorem* in lettere dell'università di Milano insieme con Bacchelli (seguirono poi quelle delle università di Roma e di Cambridge), nel maggio '62 gli fu assegnato dall'Accademia dei Lincei il premio internazionale Feltrinelli, nello stesso anno 1962 Vanni Scheiwiller pubblicò gli *Accordi e Pastelli*. Nel 1963 esce il volumetto su *Benedetto Croce* (Edizioni di Comunità), nel quale con una prefazione di Vincenzo Arangio-Ruiz e scritti di Vittorio De Caprariis e Leo Valiani ce n'è uno del poeta su *L'estetica e la critica di Croce*; nel '65 a Firenze tiene una delle due prolusioni al convegno internazionale di studi per il settimo centenario della nascita di Dante

---

[22] *La solitudine dell'artista*, in *Auto da fé*, pp. 56-57.

(l'altra fu tenuta dal poeta Saint-John Perse), nel '66 è festeggiato per il suo settantesimo compleanno e in suo onore esce un grosso fascicolo della rivista « Letteratura », che fu poi ristampato come *Omaggio a Montale* da Mondadori, e l'editore Scheiwiller pubblica il volume dei *Pastelli e Disegni* con prefazione di Franco Russoli, un libro che porta a conoscenza anche di un pubblico di non iniziati l'opera di Montale pittore. Nel '67 viene nominato senatore a vita.

Nel 1971 Mondadori pubblica *Satura*, quarto libro delle poesie; nello stesso anno, a cura di Vanni Scheiwiller esce in cento esemplari il *Diario del '71*, che, arricchito delle poesie dell'anno successivo, riappare in edizione Mondadori col titolo *Diario del '71 e del '72* nel 1973. Nel 1977 esce da Mondadori il *Quaderno di quattro anni* che, tranne pochi componimenti di data anteriore, contiene le poesie scritte dal '74 al '77. Nel 1980, a cura di Rosanna Bettarini e Gianfranco Contini, Einaudi pubblica *L'opera in versi*, che riproduce tutte le poesie dagli *Ossi* al *Quaderno*, e contiene il *Quaderno di traduzioni*, le *Poesie disperse* e, sotto il titolo *Altri versi*, le poesie degli ultimi anni.

Il poeta ha cessato di vivere il 12 settembre 1981, a Milano.

ALLE ORIGINI DEGLI « OSSI DI SEPPIA »

Gli *Ossi di seppia* nella loro prima edizione in volume, la torinese del 1925, raccoglievano, tranne poche eccezioni, poesie composte dopo il 1920. Erano l'opera di un poeta di meno di trent'anni, il quale non presentava i caratteri che sono più comuni fra gli esordienti: i pesanti ricalchi letterari o, al polo opposto, lo sfoggio di novità scintillanti. Dal libro veniva un acerbo sapore di modernità, che era altra cosa da quello della poesia uscita dal frammentismo vociano o dal classicismo della « Ronda ». Nella versificazione, nella scelta linguistica, in certe arditezze e sprezzature sintattiche c'era però il segno di una rara maturità d'artista, l'assimilazione di un'antica e sapiente retorica, dissimulata e, sopra tutto, conquistata fuori dalla comoda via della cultura di scuola. A chi inclinava, se non proprio a fare rientrare la voce di Montale nel coro di una nuova letteratura, a dare un risalto eccessivo a ciò che gli *Ossi di seppia* avevano in comune con la poesia e la prosa italiana posteriori all'esperienza vociana e frammentista, era giusto replicare richiamando l'attenzione sull'inconfondibile novità del linguaggio poetico di Montale. Perciò se Gargiulo aveva saputo caratterizzare incisivamente gli *Ossi di seppia*, era pur nel vero Sapegno quando obiettava che da altre esperienze di quegli anni, nobili ma tenute sul piano di una sapiente letterarietà, Montale si staccava per « i modi dell'espressione nuovi e personali, tanto ch'essi paiono ritrovati, o meglio, conquistati, a poco a poco e con difficoltà, in un ambiente di totale solitudine, senza libri né modelli »[1]. L'af-

---

[1] Le affermazioni di Sapegno, contenute nella recensione della seconda edizione degli *Ossi di seppia* con prefazione di Alfredo Gargiulo, « Leonardo », IV (1928), p. 151, trovano una conferma e una più sottile spiegazione in un articolo del poeta (*Della poesia d'oggi*, « La Gazzetta del Popolo » del 4 novembre 1931, ora in *Sulla*

fermazione di Sapegno ha un valore se la si spoglia della sua nota polemica, e se quella solitudine del poeta, quel suo rifiuto di libri e modelli vengono intesi come un difficile atto di fedeltà del poeta a se stesso, in un processo di escavazione dentro il suo mondo sentimentale. In questa condizione appunto i modelli, se proprio non vennero rifiutati, divenivano qualche cosa che bisognava assimilare a fondo per trasfonderli trasformati nella propria lingua poetica. Qui forse è da riconoscere quel superiore dilettantismo, di cui Montale scriveva in un articolo del « Baretti », un dilettantismo che pretendeva amore dell'arte, umiltà disinteressata e disincantata, rinuncia ai toni messianici, per esprimere con sincerità se stesso[2]. Qui certamente è da vedere la ragione per cui un poeta tutt'altro che sospetto di contenutismo psicologico volle segnare la data di nascita della sua poesia dal frammento del 1916 *Meriggiare pallido e assorto* e, ancora a molti anni di distanza, ripensando quasi col distacco dello storico alla sua giovinezza, poté dichiarare, con una frase presa da Racine, che quello era il suo « primo frammento *tout entier à sa proie attaché* », precisando: « La preda era, s'intende, il mio paesaggio »[3].

È infatti quello, nei suoi connotati fisici e nei significati che richiama, il paesaggio caratteristico della prima poesia di Montale: pietrificato, arso dal sole, sotto una luce accecante che fissa gli oggetti in una sorta d'immobilità fantomatica. In esso, prima e più fortemente del senso simbolico, s'impone il gusto figurativo, per il quale non sapremmo indicare un preciso precedente letterario, mentre il pen-

---

poesia, pp. 557-558): « Si è parlato di un "adamismo" del genio spagnolo. Credo possa parlarsene anche a proposito della maggior parte dei poeti d'oggi, i quali tendono a far *tabula rasa* della propria cultura e della propria storia, valendosi a questo fine dei mezzi più raffinati della loro secolare esperienza. Da questo paradosso — quando è sentito come esigenza e non è un trucco — nasce la poesia più notevole del nostro tempo ». La prefazione di Gargiulo si legge ora in *Letteratura italiana del Novecento*, Firenze, Le Monnier, 1940 (2ª ediz., ivi, 1957). Del Sapegno sarebbe da vedere anche uno scritto di due anni prima, *Lettere di Silvestro a' suoi amici sui libri che legge*, I, nel « Baretti », III, n. 6 (giugno 1926): qui, dopo un discorso giustamente severo sulla retorica e il cerebralismo di cui dava prova Papini in *Pane e vino*, Sapegno trattava con vivo consenso degli *Ossi di seppia*, esprimendo giudizi che sembrano ancora oggi accettabili, e impegnandosi in una lettura attenta a cogliere i modi tipici dello stile di Montale.

[2] Di « dilettante di gran classe » e del « famoso stile totale che non ci hanno dato i poeti dell'ultima illustre triade, malati di furori giacobini, superomismo, messianismo ed altre bacature » Montale diceva nell'articolo *Stile e tradizione*, pubblicato nel « Baretti », II, n. 1 (15 gennaio 1925) e ristampato in apertura di *Auto da fé*.

[3] Si veda *Intenzioni (Intervista immaginaria)*, in *Sulla poesia*, p. 563.

siero corre a certa pittura del Fattori, nella quale troviamo il muro scalcinato sotto il sole, le forme immobili, le ombre consistenti come le figure, trattati con ispirazione sentimentale affine a quella di Montale. Nel poeta di *Meriggiare pallido e assorto* c'era tuttavia minore purezza: bellissimo il particolare del mare che palpita lontano a scaglie, ma incongruente, legato a un compiacimento di miniaturista, l'altro delle file delle rosse formiche. È vero però che la lucida percezione delle cose si affida qui più che all'occhio all'orecchio, che è pronto a cogliere i suoni secchi e disarmonici che si levano dalla terra riarsa: schiocchi di merli, frusci di siepi, tremuli scricchi di cicale. E su questi suoni si concentra il frammento lirico, esempio di quella specie di mostro che deve essere la poesia: « musica fatta con parole e persino con idee »[4]. Esempio anzi vistoso, se si bada ai mezzi usati: in versi che pure rispettano le strutture tradizionali, le sillabe in arsi sono battute con tanta forza che non si distinguono accenti primari e accenti secondari; risaltano le rime difficili *sterpi-serpi*; *scricchi-picchi* di ascendenza dantesca[5]; c'è la rima ipermetra *veccia-s'intrecciano*; spicca il gioco di consonanze e di rime nell'ultima strofa, dove è difficile riconoscere una punta d'ironia o qualche cosa che vada al di là della prova di bravura. E non è tutto: la pesantezza delle troppe desinenze in *-are*; il ripetersi delle sillabe in *-a* dei versi 9-10; l'allitterazione e l'omofonia di « in cima cocci aguzzi » sono altri elementi che portano a un piano più basso di quello al quale mirava il poeta: non all'impressionismo musicale, ma al pezzo caratteristico, quale era nato in margine alla musica impressionistica, con un Rimskij Korsakof un po' banale o, peggio, con un Suppé.

Su questi difetti conviene riflettere non per constatare i limiti del poeta ventenne: operazione troppo facile oggi. Specialmente chi tenga conto della poesia della maturità di Montale nota altre incongruenze, e la più compromettente forse sul principio della lirica: « meriggiare », come « spiar », « osservare », « sentire » che lo riprendono, vuole avere la funzione grammaticale propria dell'infinito: togliere

---

[4] « La poesia è un mostro: è musica fatta con parole e persino con idee »: dichiarazione contenuta nel *Dialogo con Montale sulla poesia*, in *Sulla poesia*, p. 584.

[5] « Uomini fummo, e or siam fatti sterpi: Ben dovrebb'esser la tua man più pia, Se stati fossimo anime di serpi », *Inferno* XIII, 37-39. Per la rima *scricchi-picchi* si pensa alle rime *Osterlicchi-Tambernicchi-scricchi* in *Inferno* XXXII, 26, 28, 30, che i critici classicisti disapprovarono severamente per la stranezza dei suoni e per la singolarità stessa delle immagini che comportavano.

all'azione espressa dal verbo la forma della soggettività, non per renderla indefinita ma per caricarla al massimo di forza. Ma accanto a « meriggiare » i due predicati « pallido e assorto » portano un tocco descrittivo di colore romantico e, naturalmente, più il primo che il secondo, propongono, sia pure di scorcio, in contraddizione con l'uso dell'infinito, la persona del poeta come un nuovo Werther o Jacopo Ortis. Eppure in *Meriggiare pallido e assorto* veniva già intuito un paesaggio al quale la poesia di Montale sarebbe rimasta a lungo legata, un paesaggio reale, nel quale la sensibilità e il pensiero del poeta arrivarono a riconoscersi, in un processo di autentica identificazione.

Per istintiva ripugnanza all'autoincensamento e per un severo rispetto della verità, Montale non ha mai parlato di una sua precoce e prepotente vocazione alla poesia. « Scrissi i primi versi da ragazzo – egli ha raccontato nell'*Intervista immaginaria* –. Erano versi umoristici, con rime tronche bizzarre. Più tardi, conosciuto il futurismo, composi anche qualche poesia di tipo *fantaisiste*, o se si vuole di tipo grottesco-crepuscolare. Ma non pubblicavo e non era convinto di me »[6]. Se si tiene conto di questa e di simili dichiarazioni, *Meriggiare pallido e assorto*, nonostante i limiti che abbiamo indicati, segna veramente la nascita di una poesia. Ma questa constatazione non deve portare a credere che Montale abbia seguìto subito un itinerario preciso, senza ritorni, senza sperimentazioni, senza dispersioni che, giudicate *a posteriori*, risultano tutt'altro che inutili.

Date esatte per le singole poesie degli *Ossi di seppia* dentro l'arco degli anni 1920-1925 non possono in genere essere stabilite. Nemmeno la poesia più coerente e meno sperimentale però procede secondo una linea ascendente precisa. Le date possono essere utilissime, possono anche non aiutare molto a ricostruire il vero itinerario d'un poeta. Osservando invece certe tendenze stilistiche, studiando anche prove rifiutate, si può vedere più chiaro nelle origini della poesia montaliana.

Nella *Intervista immaginaria* il poeta ha detto di essere stato suggestionato forse dalla musica nuova e dalla nuova pittura più che dalla nuova poesia, in particolare dalla musica impressionista. Dopo aver sentito i *Minstrels* di Debussy aveva scritto una « cosetta » in cui cercava di imitarli: *Musica sognata*, che, tolta dalla seconda edi-

---

[6] *Sulla poesia*, p. 562.

zione degli *Ossi di seppia*, è stata inserita nell'edizione integrale delle poesie col titolo di *Minstrels*[7]. E a proposito del simbolismo francese, che può essere visto, con le debite distinzioni, come l'equivalente in letteratura dell'impressionismo pittorico e musicale, ha detto: « Dei simbolisti francesi sapevo quanto si può capire dall'antologia del Van Bever e del Léautaud: più tardi lessi molto di più. Quelle esperienze erano già in aria, tuttavia; note anche a chi non conoscesse gli originali. I nostri futuristi, e gli scrittori della "Voce", le avevano apprese e spesso fraintese »[8].

Simbolismo è categoria canonica per la letteratura francese, non per la letteratura italiana. Come il nome sta a significare, è una concezione che nasce dall'idea romantica della poesia come scoperta dei misteri della vita non per mezzo della ragione, ma cogliendo al di là delle parvenze sensibili il senso spirituale delle cose; per servirci di termini kantiani: vedendo al di là del fenomeno il noumeno. Basta rinviare a una delle più famose poesie di tutto l'Ottocento francese, il sonetto *Correspondances* di Baudelaire, nella cui prima quartina si trova compendiata la poetica simbolista:

> La Nature est un temple où de vivants piliers
> Laissent parfois sortir de confuses paroles;
> L'homme y passe à travers des forêts de symboles
> Qui l'observent avec des regards familiers.

Circa l'adesione intuitiva e il modo in cui si attua e si esprime la conoscenza di cui dice Baudelaire molto bene poi Marcel Raymond ha precisato: « Il simbolo autentico, di fatto, nasce da un'adesione diretta dello spirito a una forma di pensiero *naturalmente* figurata »[9].

Vale però per il simbolismo anche una famosa precisazione di Paul Valéry: « Quello che fu battezzato: il *Simbolismo* – ha scritto Valéry –, si riassume molto semplicemente nell'intenzione comune a varie famiglie di poeti (d'altra parte tra loro nemiche) di prendere dalla musica il loro bene »[10]. Perché più libera delle altre arti dalla imitazione della realtà, per la vera o presunta sua natura non razio-

---

[7] *Sulla poesia*, p. 563.
[8] Ivi, p. 565.
[9] Marcel Raymond, *De Baudelaire au Surréalisme*, Corti, Parigi, 1940. Nouvelle édition revue et remaniée, p. 50. Ma si veda tutto il cap. I del Primo Libro, pp. 49-57.
[10] Paul Valéry, *Avant-propos à La connaissance de la Déesse*, in *Oeuvres*, Bibliothèque de la Pléiade, Parigi, 1968, I, p. 1272.

nale, la musica s'impose come modello ai poeti simbolisti, i quali vollero esaltare la musicalità della parola e del verso, dissolvere addirittura la parola in musica, facendo del suono un valore espressivo. Ma questa alta ambizione portò anche, non di rado, a tentare una sorta di trascrizione dei sentimenti e delle idee in modi il più possibile affini a quelli della musica, facendo di elementi musicali una sorta di metafora o punto di riferimento per la poesia. Per spiegare non il concetto ovvio della dissoluzione della parola in musica, ma quello forse meno evidente di un certo riferimento alla musica, possono valere due esempi, scelti da libri di minori simbolisti francesi: Henry de Régnier e Albert Samain. Da Régnier leggiamo un passo di *Les cloches* (Le campane) della raccolta *La cité des eaux*:

> Ce matin est si clair, si pur et si limpide,
> Que les cloches, qui l'ont à l'aurore éveillé
> En sa douceur soyeuse et en sa fraîcheur vive,
> Semblent tinter au ciel, où longtemps elle vibre,
> Une gamme d'argent et de cristal mouillé.

E poco più avanti:

> Les cloches de ce soir ont de rumeurs de bronze,
> Comme si se heurtaient entre eux des fruits d'airain.

Due situazioni diverse dunque: il suono delle campane al mattino, il suono delle campane alla sera; ma in tutti e due i momenti questo suono si immerge nel paesaggio, e il paesaggio assume un nuovo significato proprio perché pare che sprigioni da sé il suono delle campane, e pare che il suono delle campane dia un senso più intimo al mattino, alla sua freschezza, alla gioia che è nelle cose al loro risveglio, mentre alla sera ha non so che di cupo, di vagamente preoccupante, che è proprio della notte che sopravviene. La mattina c'è la festosità del « tinter », il risuonare squillante nel cielo come una gamma d'argento e di cristallo umido; la sera invece abbiamo l'impressione di frutti di rame che cozzano fra loro; è ancora un suono metallico, ma non più fresco, non più argentino come quello del mattino, bensì cupo, con un senso d'indefinibile ansia.

Da Samain prendiamo come esempio *Soir* (Sera) dalla raccolta *Au Jardin de l'Infante*:

Les vierges au balcon boivent l'amour des brises;
Et sur les fleurs et sur les vierges indécises
Il neige lentement d'adorables pâleurs.
Toutes rose au jardin s'incline lente et lasse,
Et l'âme de Schumann errante par l'espace
Semble dire une peine impossible à guérir.

Qui addirittura il senso musicale che si sprigiona dal paesaggio – un paesaggio di vergini e di fiori – si tramuta, alla fantasia del poeta, nell'anima di Schumann che passa miracolosamente sul paesaggio e lo fa vibrare con la sua musica romantica.

Nella rivista «Primo tempo», fondata nel maggio 1922 a Torino da Debenedetti, Gromo, Sacerdote e Solmi, della quale uscirono soltanto dieci numeri, nel fascicolo del 15 giugno Montale pubblicò *Riviere* e gli *Accordi*. *Riviere*, che sarà analizzata più avanti, fu messa come ultimo componimento degli *Ossi di seppia*. Gli *Accordi* invece vennero rifiutati, tranne il frammento *Corno inglese*, che in forma autonoma e con poche correzioni, entrò negli *Ossi di seppia* [11]. Ma è sugli *Accordi* che giova fermarsi per meglio giudicare le origini della poesia di Montale, nei suoi rapporti col simbolismo francese, non quello di Mallarmé e di Rimbaud, che male si lasciano includere in una categoria anche molto elastica, e nemmeno quello di Verlaine, ma quello dei minori, alla cui schiera appartengono anche Régnier e Samain.

Gli *Accordi* sono un poemetto che ha come sottotitolo « sensi e fantasmi di una adolescente », e che si articola come una *suite* le cui parti portano per titolo i nomi di strumenti musicali: 1 *Violini*, 2 *Violoncelli*, 3 *Contrabbasso*, 4 *Flauti-Fagotto*, 5 *Oboe*, 6 *Corno inglese*, 7 *Ottoni*, con questa nota in fondo: « Unisono fragoroso d'istrumenti. Comincia lo spettacolo della Vita ».

Quando a distanza di molti anni Giacinto Spagnoletti riesumò gli *Accordi* pubblicandoli ne « L'Espresso Mese » (anno I, n. 6, ottobre 1960), poté accompagnarli con alcune informazioni e qualche giudizio di Montale, che meritano di essere conosciuti. Circa la data il poeta ha detto:

...sono certamente posteriori al primo vero e proprio *osso* («Meriggiare», del '16) ma assai anteriori a «Riviere» (marzo 1920), poesia riassuntiva dei miei *juvenilia*, da me inserita negli Ossi, sebbene vi stia a disagio.

---

[11] Gli *Accordi* si possono leggere ora nella sezione delle *Poesie disperse* de *L'opera in versi*.

Per quello che riguarda i difetti, e le ragioni per cui dell'intero poemetto venne salvato il solo *Corno inglese*, ecco la dichiarazione che ci interessa:

Il « Corno inglese » era l'unica della serie che potesse staccarsi dal ciclo: del quale mi dispiaceva, e tuttora mi dispiace il senso generale e anche l'ingenua pretesa di imitare gli strumenti musicali (a parte quel po' di amido che vi si avverte qua e là). Debbo dunque concludere che nel mio giovanile *château d'eaux* (così definì Lorenzo Montano la mia poesia) accanto a una vena più torbida, o addirittura *dentro* quella vena, si facesse strada assai per tempo la venatura più magra ma più limpida degli Ossi.

Nel poemetto il personaggio dell'adolescente è una finzione. La verità consiste nell'analisi di stati d'animo che vogliono esprimersi attraverso il suono o, meglio forse, il timbro di alcuni strumenti. I momenti o tempi che dir si voglia del poemetto costituiscono una successione di stati d'animo: l'ansia felice di un'attesa giovanile (*Violini*); l'esaltazione di fronte a non so che panico invito delle cose (*Violoncelli*); la tristezza di chi riconosce la costrizione della vita prosaica d'ogni giorno (*Contrabbasso*); la felicità soffusa di malinconia, ma non senza qualche brivido di grottesco se non di orrore, che si può provare in una notte senza luna (*Flauti-Fagotto*); lo stupore che provoca un'inspiegabile gioia quando la realtà si confonde intorno a noi e assume quasi l'aspetto di un palcoscenico vuoto dopo lo spettacolo (*Oboe*); il riconoscere nella violenza della natura una forza vitale, che ci fa desiderare che la nostra stessa esistenza ne sia scossa, sì da salvarsi dal suo stato di abbattimento (*Corno inglese*); un sentimento di liberazione dopo aver conosciuto la malinconia e, in conseguenza, la speranza d'una più vera gioia (*Ottoni*).

Ha ragione Montale di condannare il « senso generale » del poemetto, « l'ingenua pretesa di imitare gli strumenti musicali ». L'errore degli *Accordi* sta in effetti nel descrittivismo e nel fare della musica non l'essenza della poesia, ma una specie di metafora o di riferimento, alla maniera appunto di certi simbolisti minori. Ma è proprio negli *Accordi* che il rapporto di Montale col simbolismo si pone in una maniera molto vistosa. Gli *Accordi* sono ben altra cosa che quel « mostro » che è una musica fatta con parole e persino con idee. Tuttavia, osservati non nell'insieme ma nei particolari, gli *Accordi* si prestano a considerazioni utili. La metrica innanzi tutto è degna di attenzione per le forme libere e aperte, e per i giochi di rime anche rare. Si è sulla linea di una poesia moderna, da D'Annunzio a Campana, ma probabilmente non senza suggestioni francesi: credo sopra tutto di Verhaeren. Da osservare anche certa preziosità della lingua, che è particolarmente da collegare a ricordi dannunziani, o comunque a un gusto dannunziano. Per stare ai fatti più appariscenti, in *Violini*, *erbite* (v. 4), *calura* (v. 9), *innimbi* (v. 15) nel significato del tutto inedito di « circondi di un nimbo, di un'aureola », *mattinare* (v. 26) che è un raro trecentismo per « fare la mattinata »; in *Violoncelli*, *gurge* (v. 8) di memoria dantesca (*Paradiso* XXX, 68), *esagitato* (v. 11), e, poiché non solo le parole come le può registrare un lessico ma le frasi hanno un loro peso, *il rosso invito del mattino* (v. 4), *assurgi dal vivaio dei mortali D'opaca creta* (vv. 6-7), *seguici nel Centro Delle parvenze: (ti rivuole il Niente)* (vv. 22-23); in *Flauti-Fagotto*, *sufolo Bizzarro* (vv. 1-2), *vetrino* (v. 3) che si dice di ferro o d'altro che facilmente si scheggia[12], *in ascoltarla* (v. 9), *onde* (v. 10) per significare « di cui », i sostantivi *buffo* e *svolìo* (v. 26), *nottivaghi* (v. 27); in *Corno inglese, alti Eldoradi* (v. 8), *s'annera* (v. 15); in *Ottoni, immilla* (v. 3), che è un tipico dantismo, *pèsa Malinconia* (vv. 7-8), *occasi* (v. 11).

All'« amido che si avverte qua e là » in *Accordi* contribuisce tuttavia più l'idea generale del poemetto che non la preziosità del linguaggio. Comunque, se per un verso gli *Accordi* consentono di conoscere in maniera molto evidente quali rapporti legassero alle sue origini la poesia di Montale al simbolismo minore, per un altro s'impongono per singolari anticipazioni di temi e stilemi della poesia che sarebbe nata più tardi. Certo *barbaglia* (*Violini*, v. 8) è parola tipica del lessico montaliano e già qui le dà risalto la collocazione, non in rima ma in fine di verso dando luogo all'*enjambement* (*barbaglia La calma*): parola tipica in quanto esprime con singolare incisività il tema, caro al poeta degli *Ossi di seppia*, della luce che acceca e annienta le figure[13], ma tipica anche per la violenza del suono: per non dire d'altro, pensiamo a *abbaglia, meraviglia, travaglio, muraglia, bottiglia*, le parole che sigillano gli ultimi cinque versi di *Meriggiare*. D'altra parte « innimbi » è un'anticipazione di « nimbare » di *Cave d'autunno* (*Occasioni*), v. 2: « e nimba di candore ogni frastaglio ». Ma in *Violini* notiamo ancora « volere non so più né disvolere » (v. 20) un'espressione

---

[12] L'aggettivo torna in *Egloga*: « uno sparo Si schiaccia nell'etra vetrino ».

[13] Per la somiglianza, oltre che del tema, della parola ricordo la terza quartina dell'« osso » *Non rifugiarti nell'ombra*: « Ci muoviamo in un pulviscolo Madreperlaceo che vibra, In un *barbaglio* che invischia Gli occhi e un poco si sfibra ».

epigrammatica, di quelle in cui Montale ama fissare perentoriamente il significato di un'esperienza di vita, che, sia per la struttura sintattica sia come definizione di una insanabile contraddizione, fa pensare a « sensi non ho; né senso. Non ho limite », l'ultimo verso dell'ottavo movimento di *Mediterraneo*. Più avanti il « mattinare arguto Di balestrucci » anticipa la prima strofa del settimo mottetto delle *Occasioni*:

> Il saliscendi bianco e nero dei
> balestrucci dal palo
> del telegrafo al mare
> non conforta i tuoi crucci su lo scalo
> né ti riporta dove più non sei,

più per la rima *crucci-balestrucci*, a dire il vero, che per l'immagine, ché « il saliscendi bianco e nero dei Balestrucci dal palo Del telegrafo al mare » è cosa diversa e più poetica che il « mattinare arguto Di balestrucci ».

Anche in *Violoncelli* si incontrano singolari anticipazioni di immagini e figure che in altre poesie troveranno una espressione più forte. Il « rosso invito del mattino Che rapido trascorre come ombra d'ala in terra » è un passo che merita di essere osservato non per l'enfatico « rosso invito del mattino », ma per l'immagine dell'« ombra d'ala » che trascorre in terra. Vi si trova infatti una prima intuizione del bellissimo attacco d'una delle più intense liriche delle *Occasioni*, *L'estate*:

> L'ombra crociata del gheppio pare ignota
> ai giovinetti arbusti quando rade fugace.

A parte la frase « la tua forma Più vera non capisce ormai nei limiti Della carne » (vv. 13-15), che non è forse senza rapporto con « Non ho limite » dell'ottavo movimento di *Mediterraneo*, si devono osservare questi versi (15-17):

> t'è forza confonderti
> con altre vite e riplasmarti tutta
> in un ritmo di gioia.

Espressa in una forma enfatica, quale pretendeva il forzato ottimismo ricalcante, in qualche modo, il sentimento panico del D'Annunzio, qui si coglie non una consonanza verbale e tematica con la chiusa di *Arsenio*, ma, enunciata quasi per antifrasi, quella che sarebbe divenuta un'alta nota tragica nei versi:

> e se un gesto ti sfiora, una parola
> ti cade accanto, quella è forse, Arsenio,
> nell'ora che si scioglie, il cenno d'una
> vita strozzata per te sorta, e il vento
> la porta con la cenere degli astri.

Un'enfasi dalla quale la poesia di Montale andrà sempre più liberandosi si riconosce del resto in tutta la chiusa di *Violoncelli*:

> E saprai
> i paradisi ambigui dove manca
> ogni esistenza: seguici nel Centro
> delle parvenze: (ti rivuole il Niente) [14].

Più che a un passo preciso di *Mediterraneo*, leggendo questi versi si pensa a quello che in *Mediterraneo* è un motivo ritornante, come torna con le sue variazioni, il motivo di una sinfonia: l'immensità distruttrice del mare, che è l'antagonista e, al tempo stesso, il grande modello della fragile creatura umana.

Ancor più rilevante l'apertura di *Contrabbasso*:

> Codesti i tuoi confini: quattro pareti nude,
> da tanti anni le stesse:
> e in esse
> un susseguirsi monotono di necessità crude.

Formulata in un linguaggio generico, si legge in questi versi quasi la traccia della seconda parte di *Dora Markus* delle *Occasioni*, dove non « quattro pareti nude », ma un interno di casa con i suoi oggetti immobili sembra fissare la leggenda e il destino di Dora.

In *Flauti-Fagotto* la « fischiata d'ottavino » (v. 6) si fa notare come lontana anticipazione di due passi della *Bufera*: il « gruppetto Di flauto » del merlo acquaiolo di *Da una torre*, e l'« intervallo di terza maggiore » del cucco in *Sul Llobregat*; ma nello stesso frammento colpisce la nostra attenzione sopra tutto lo « svolio D'uccelli nottivaghi » per quello che esso ha di simile (e di molto diverso!) con lo « svolacchiare » del gufo nell'« osso » *Arremba su la strinata*

---

[14] Vv. 20-23. Si osservino anche le maiuscole, che rispondono a consuetudini del primo Novecento. Sono le maiuscole che trovavano largo uso nella poesia e nella prosa fra D'Annunzio e la « Voce », eredità fra le altre di retorica romantica.

proda («Nel chiuso dell'ortino svolacchia il gufo») e con «il volo infagottato degli uccelli Notturni» della seconda parte di *Notizie dall'Amiata* delle *Occasioni*.

Per limitarsi a particolari che non dovrebbero dare adito a dubbi, in *Oboe* è da osservare l'attacco:

> Ci sono ore rare
> che ogni apparenza d'intorno vacilla s'umilia scompare.

In modo stilisticamente indeciso è enunciato il tema della luce abbagliante, del quale abbiamo appena detto a proposito di «barbaglia» di *Violini*, e per il quale si pensa in particolare all'«osso» *Gloria del disteso mezzogiorno* dove, sotto la luce incandescente,

> e più e più si mostrano d'attorno
> per troppa luce le parvenze falbe. [15]

Senza scendere in particolari linguistici troppo minuti, in *Corno inglese* è da notare il quadro del mare livido e minaccioso:

> (e il mare che scaglia a scaglia,
> livido, muta colore
> lancia a terra una tromba
> di schiume intorte)

per lo svolgimento che avrebbe trovato nel più drammatico paesaggio marino di *Arsenio*, e specialmente, nel «giorno or piovorno ora acceso», il particolare della tromba di piombo che sovrasta sui gorghi:

> Discendi all'orizzonte che sovrasta
> una tromba di piombo, alta sui gorghi,
> più d'essi vagabonda: salso nembo
> vorticante, soffiato dal ribelle
> elemento alle nubi ... [16]

---

[15] *Falbo* è il colore gialloscuro, fulvo. Si dice specialmente del mantello degli animali.

[16] Nell'esordio di *Corno inglese* è da notare un sintagma caratteristico della lingua poetica di Montale: il gruppo sostantivo più relativa: «Il vento che stasera suona attento ...». Lo ha notato Edoardo Sanguineti nel saggio *Documenti per Montale*, in *Ideologia e linguaggio*, Feltrinelli, Milano, 1965, portando un'abbondante serie di esempi dagli *Ossi di seppia*, dalle *Occasioni* e dalla *Bufera*. Anche per questo stilema credo però che non siano da trascurare i precedenti, a cominciare dal Petrarca: per es.: *Quel rosignuol che sì soave piagne*; e con rilievo molto forte per l'apertura con vocativo: *Alma felice, che sovente torni*; *Amor che meco al buon tempo ti stavi* ecc.

Perché « il *Corno inglese* era l'unica della serie che potesse staccarsi dal ciclo » degli *Accordi*? Riassuntivamente si può rispondere che gli elementi illustrativi in *Corno inglese* cadono e la rispondenza fra lo stato d'animo e il paesaggio è immediata. Anche qui, a rigore, c'è la gara con la musica: « Il vento che stasera suona attento – Ricorda un forte scotere di lame – Gli strumenti dei fitti alberi ... Il vento ... Suonasse te pure stasera Scordato strumento, Cuore » [17]. Ma ognuno vede che questa concessione ai modi del simbolismo minore è riconoscibile soltanto se si reimmette il *Corno inglese* nella serie degli *Accordi*. Il titolo stesso, per chi non conosca gli *Accordi* (ed è stata questa la condizione della maggior parte dei lettori fino al 1960, anno della ristampa della *suite* giovanile) ha un'allusività vaga, e in quanto tale suggestiva. Non so quanti, se non intenditori di musica, saprebbero dire con esattezza che specie di strumento è il corno inglese, che corno non è e, probabilmente, con l'Inghilterra non ha niente a vedere, ma è uno strumento di legno a fiato simile all'oboe.

Mentre dunque in *Violini* e in *Violoncelli* il titolo sta a significare l'intenzione di proporre una precisa corrispondenza tra gli stati d'animo dell'adolescente e certi timbri musicali, in *Corno inglese* tra lo strumento che dà il titolo al frammento e il contenuto della poesia il rapporto è di una quasi inafferrabile vaghezza. Qui la musica investe la natura, ed è la musica che fa il vento scuotendo i fitti alberi. Al grande concerto, se così possiamo definirlo, partecipa il cielo stesso. L'« orizzonte di rame » è, prima di tutto, un'immagine visiva: una nota pittorica che descrive il rosso arancione delle nuvole sotto i raggi del tramonto; ma è anche un'immagine acustica, che suscita nel pensiero il fragore di suoni metallici nel « cielo che rimbomba ». È questa, ci si chiede, la musica che dà un corno inglese? non c'è forse nella poesia che stiamo leggendo una sproporzione o addirittura una falsificazione? Certo il suono che il poeta percepisce non è simile a quello

---

[17] Le citazioni sono dall'edizione definitiva. Le varianti della redazione originale si leggono ne *L'opera in versi*, pp. 864-865. A proposito di « lame » Mengaldo osserva che è un dialettalismo ligure nel significato di *lamiere* (cfr. P. V. Mengaldo, *La tradizione del Novecento. Da D'Annunzio a Montale*, Feltrinelli, Milano, 1975, p. 306). Congetturalmente e un po' laboriosamente anche Almansi interpreta nel significato giusto la parola: « fra le varie soluzioni semantiche della parola, [il lettore] scarterà automaticamente quelle che rendono l'espressione pleonastica, e selezionerà quella stilisticamente più attendibile e semanticamente più fruibile, cioè lame come *thundersheets*, lamine sonore, fogli di metallo che, percossi, emettono un suono temporalesco » (Guido Almansi, *Lettura di « Còrno inglese » di Montale*, « Studi novecenteschi », II, 1973, p. 403).

di cui parla il Leopardi nell'*Infinito* (« E come il vento odo stormir tra queste piante ... »), un suono che sorge dentro l'« infinito silenzio » e accentua la tensione drammatica tra il sogno e la realtà. Il contrasto nella lirica di Montale vuol essere tra l'impeto vitale che sconvolge la natura e l'inerzia che intorpidisce il cuore. La furia della natura apre per un momento prospettive su miracolosi mondi lontani. Le nuvole in viaggio diventano figure di sogno, esse promettono un paese d'incanto, il paese dell'oro a lungo e invano cercato dagli esploratori spagnoli dell'America. Ma il vento che sconvolge anche il mare è invocato come il salvatore, come quello che dovrebbe rianimare il poeta, e nell'idea del cuore « scordato strumento » sta la spiegazione della ragione per cui dalla musica – da una certa musica delle cose – viene la salvezza, come non accade di trovare negli altri frammenti degli *Accordi*. Perciò in *Corno inglese* la musica non è decorazione della poesia, ma si fa sostanza della poesia.

Si osservi come l'intero frammento sia costituito da un solo lungo periodo, dentro il quale la parentesi dei versi 7-9 porta una sospensione più che una pausa, ed è una parentesi simile a quelle che nella poesia del Petrarca sottolineano i momenti di riflessione o di più commosso stupore. Si osservi anche come la fine presenti una caratteristica contrapposizione di due momenti musicali: l'aspro dei versi 10-13 e il dolce dei versi 14-18. « Scaglia a scaglia », « schiume intorte » sono espressioni che col suono stesso vogliono dare un'idea di drammaticità. E il verso « e il mare che a scaglia a scaglia » è costruito in modo da sconvolgere le norme della metrica, secondo i modi della atonalità. Per le sinalefi questo dovrebbe essere un ottonario, che è il più cantabile dei versi italiani, per i suoi accenti fissi di terza e di settima. Ma questo verso di Montale, comunque lo si legga, non ha accenti di terza e settima; è un ottonario «mostruoso», che si può pronunciare scandendolo come se fosse costruito su tre membri trisillabi, oppure, eliminando tutte le sinalefi, come un verso di undici sillabe, non dico un endecasillabo, per non far pensare a una certa regolarità di accenti. Comunque la trasformazione dell'ottonario da canzonetta in un ottonario mostruoso è stato un atto ben calcolato, perché cantabilità e facile melodicità qui sarebbero state fuori luogo. È da osservare pure la coppia settenario più quinario « lancia a terra una tromba di schiume intorte », che costituisce una sola frase e metricamente è un endecasillabo ipermetro, di dodici sillabe, quali si trovano non di rado usati volutamente da Montale. Viceversa gli ultimi versi si sciolgono in dolcezza per le rime facili *muore-cuore, s'annera-stasera,* rinforzate dalle consonanze *ora-pure* [18] e per il ritmo di novenario, ché novenari sono « nell'ora che lenta s'annera » e « suonasse te pure stasera », e novenari di contrabbando (mi si passi la definizione, che non pretendo di vedere consacrata nei futuri trattati di metrica) sono « il vento che nasce e muore » e « scordato strumento, cuore », purché, contro il parere dei linguisti ma non contro le regole dell'orecchio musicale, si pronunzino *muore* e *cuore* come dei trisillabi.

---

[18] *Annerarsi* è verbo della lingua poetica; la prosa preferisce *annerire*. Già l'aveva usato Dante (*Purg.* VIII, 49: « Temp'era già che l'aere s'annerava »). Lo riprese Leopardi nel frammento *Odi, Melisso*, vv. 14-15. « La luna ... in mezzo al prato Si spegneva annerando a poco a poco », e merita d'essere notato che questo passo ha un precedente nel *Saggio sopra gli errori popolari degli antichi*, nel quale però, conformemente all'uso della prosa, si trova *annerire*: « il solo suo disco (del sole quando si eclissa) rimane offuscato, e sembra annerire a poco a poco a guisa di un carbone che va a spegnersi », in *Poesie e prose* a cura di F. Flora, Mondadori, Milano, 1962, 7ª ed., vol. II, p. 336. Per la rima con *sera*, più che per la situazione, il precedente immediato di « s'annera » di *Corno inglese* è nella *Sera fiesolana* di D'Annunzio: « Su l'alta scala che s'annera » (v. 5). Sottili osservazioni sulla metrica di *Corno inglese* in relazione con il D'Annunzio alcionio in P. V. Mengaldo, « *Corno inglese* » e *Alcione* nel vol. *La tradizione del Novecento. Da D'Annunzio a Montale*, pp. 301-313.

NEOCLASSICISMO E ANTILETTERATURA

Credo che per primo Pietro Pancrazi, a proposito del tema svolto nei quattro brani di *Sarcofaghi*, abbia fatto il nome di John Keats: « ... il poeta si sofferma a osservare le sculture di certi sarcofaghi; ed ecco le figure del bronzo gli smuovono la fantasia (come la fantasia di Keats fu mossa dalle immagini dell'urna) » [1].

Nell'ode *On a Grecian Urn* (Ode su un'urna greca) Keats era affascinato dall'idea di bellezza perfetta che gli comunicavano le figure dell'urna greca, e concludeva la sua lirica con due versi che possono considerarsi un compendio della poetica neoclassica:

> Beauty is truth, truth beauty – that is all
> Ye know on earth, and all ye need to know.

(la bellezza è verità, la verità bellezza – questo è tutto quello che tu conosci sulla terra, e tutto quello che ti occorre conoscere). Non si può dire che in Montale ci sia, almeno in forma esplicita, la stessa fiducia nella identità di bellezza e verità. Nei *Sarcofaghi*, dopo aver indugiato a contemplare le figure effigiate nelle tombe più eleganti, il poeta va cercando le tombe più umili, nelle quali meglio si fa conoscere il significato di un'intera esistenza. L'elemento neoclassico perciò si combina, almeno nel quarto dei frammenti, con un motivo che non è riconducibile alla poetica neoclassica, un motivo che, se si volesse

---

[1] Pietro Pancrazi, *Eugenio Montale poeta fisico e metafisico* (1934), ora in *Ragguagli di Parnaso*, II, Ricciardi, Milano-Napoli, 1967, p. 595. Pancrazi aggiunge: «Questa poesia che trae argomento e personaggi dall'arte figurativa, da un sarcofago, da un vaso, si sa che, prima che in Keats e negli esteti, ha origine classica, molto antica: si può pensare a Omero, a Teocrito. Ma Montale la tratta senza nessuna velleità classicistica. Anzi di una certa anti-letteratura, Montale si compiace ».

a tutti i costi trovargli un antecedente letterario, fa pensare piuttosto al tema preromantico delle meditazioni sui cimiteri, per esempio alla *Elegia in un cimitero di campagna* di Thomas Gray, ma che è in effetti indicativo di quel bisogno di sentimenti umani e comuni che la poesia moderna ha fatto valere per la sua avversione alla retorica e alla declamazione. Ma solo una lettura, condotta con le opportune distinzioni, può portare a comprendere ciò che vi è nei *Sarcofaghi* di letterario, ossia di riconducibile a una tradizione, e ciò che è proprio di una visione personale[2].

Il primo dei frammenti ritrae una scena nata sotto il segno della grazia: una schiera di donzelle ricciute che recano anfore sulle spalle procede con un movimento di danza, che è stato fissato dallo scultore in ciò che ha di più elegante: « ed hanno il fermo passo sì leggero ». Ma in questa scena pervasa da una blanda felicità s'insinua, inatteso, il sentimento di una immobilità tragica. Un indizio appena, ma folgorante, racchiuso nella definizione « natura fulminata », che trova la sua spiegazione nella domanda:

> mondo che dorme o mondo che si gloria
> d'immutata esistenza ...

È questa – si chiede il poeta – l'immobilità del sonno, della cessazione della vita, oppure è la sublimazione di un momento di perfezione? Nel contrapporre all'immobilità della scena scolpita nel sarcofago il destino dell'uomo ben vivo che la contempla sta la risposta. Sul vivente infatti grava, come una pena, come segno del suo limite, l'alternarsi del dì e della notte; perciò egli soffre di essere « troppo morto ». Sarebbe però dare al testo un significato che va al di là delle stesse intenzioni del poeta sentire qui dentro una vera e propria tensione drammatica. Di tipicamente montaliano c'è il senso della perfezione che le cose toccano nei momenti d'immobilità, quando pare che cessi il palpito vitale; ma il dramma dei viventi è troppo impoverito in espressioni come « non c'è asilo per te » e, peggio, « seguita il giro delle tue stelle ». Sopra tutto quello che c'è di più forte nella poesia è quasi cancellato dalla chiusa, che riassume, come la ripresa di una ballata, la scena iniziale:

---

[2] Per un'ingegnosa spiegazione dei *Sarcofaghi* si veda Sergio Caredda, *Remarques sur la structure des Sarcofaghi de Montale*, in AA. VV., *A travers le XXe Siécle italien*, F. Paillard, Abbeville, 1976.

46

E dunque addio, infanti ricciutelle,
portate le colme anfore su le spalle.

« Forse l'antidoto classicista [antidoto alla mancanza di calma e di distacco nella creazione degli *Ossi di seppia*], sempre vivo negli italiani, agiva in me ... E cominciai presto a decifrare qualche ode di Keats ... ». La dichiarazione della *Intervista immaginaria*[3] invita ad approfondire la ricerca sul neoclassicismo giovanile di Montale, anche se per gli stessi *Sarcofaghi* non si tratta propriamente di ricondurre il loro neoclassicismo al modello di Keats o, tanto meno, dei poeti italiani dal Savioli al Carducci. A parte il gusto e la cultura propri di un poeta venuto dopo il simbolismo e il decadentismo, non c'è in Montale quella nostalgia della bellezza che portava, in diversa guisa, i poeti neoclassici ad ispirarsi al gusto figurativo antico, senza forse ben distinguere tra classico, alessandrino e pompeiano. Certo la grazia delle « ricciute donzelle » del primo frammento dei *Sarcofaghi* non è quella leziosa, tutta settecentesca degli *Amori* del Savioli. Ancor meno si ha traccia nel nostro poeta della monumentalità che piaceva al Monti. Del resto tra i neoclassici italiani il poeta che Montale ha sempre e veramento amato è Foscolo, e mentre sarebbe vano tentare un discorso su sottili implicazioni della poesia giovanile di Montale con il neoclassicismo, non è illegittimo un più preciso riferimento al Foscolo delle *Odi* e ancor più delle *Grazie*. In un saggio che anche dopo altre notevoli ricerche sul neoclassicismo italiano mi sembra che non abbia perso nulla della sua verità, Attilio Momigliano osservava, a proposito delle figurazioni delle *Grazie*, che esse « sono regolate dalla legge che domina nel poemetto, dove tutti i mezzi espressivi sono alleggeriti con una sovrana finezza », e – osservazione per noi anche più rilevante – precisava che « quello che nelle *Grazie* assomiglia alla scultura non è statua ma bassorilievo »[4]. Non c'è dubbio che quelli illustrati da Montale sono bassorilievi, e, per di più, visti sotto una luce che ne ammorbidisce sporgenze e contorni. Ben si vede nella « più rara scena » del secondo frammento, nel quale gli elementi figurativi sono ridotti all'essenziale e più attentamente è rivissuta l'atmosfera, sicché sembra più fittizia che reale la distinzione tra elementi figurativi (la porta chiusa per sempre del tempietto, il magro cane, la

---

[3] *Sulla poesia*, p. 566.
[4] Attilio Momigliano, *Gusto neoclassico e poesia neoclassica*, in *Cinque saggi*, Sansoni, Firenze, 1945, p. 40.

nuvola grandiosa) e atmosfera (la grande luce diffusa sull'erbosa soglia, il silenzio intoccabile del paesaggio nel quale « peste umana non suoneranno, o fittizia doglia », l'ora che « s'indovina afosa »). Nell'ispirarsi alla scena raffigurata in questo bassorilievo, Montale si poneva sulla linea del neoclassicismo con una coerenza stilistica da artista sapiente. Il tocco è di una rara delicatezza, ma la descrizione, nella serie dei particolari nettamente disegnati, ha anche non so che di calligrafico. Domina però su tutto un silenzio stupito, quasi un senso di angoscia. La porta del tempietto è « corrosa » e « rinchiusa per sempre »; la « grande luce diffusa » quasi abbacina e stordisce; il cane, simbolo di fedeltà, è un « magro cane »; silenzio e afa gravano su tutto, e la « nuvola grandiosa » è più simile a quella dell'« osso » *Spesso il male di vivere* – un segno della divina Indifferenza – che non ai « chiari Reami di lassù » di *Corno inglese*.

Nel terzo frammento la scena è fissata con misura anche più sobria, concentrando tutto nella figura del vecchio che dorme il sonno dell'abbandono accanto al caminetto. Nulla vieta di pensare che i bassorilievi del primo e del secondo frammento siano effigiati in bronzo, ma questo non è detto e, in certo senso, il lettore resta libero d'immaginarsi quei rilievi scolpiti in marmo o in altra materia. Nel terzo frammento invece è detto esplicitamente che la materia è il bronzo (v. 8); ma la notizia, ammesso che la si voglia definire così, avrebbe poco o nessun interesse se si riducesse al particolare descrittivo del fuoco che « verdeggia » nel caminetto, e non portasse a definire il colore, non neoclassico ma metafisico, della « luce abissale » nella quale sono immerse le cose. E dicendo colore metafisico penso proprio alla pittura metafisica e in particolare a quella di Giorgio De Chirico. Ma, non per insistere sulle vere o presunte reminiscenze letterarie di queste poesie sino a precisazioni pedantesche, bensì per cercare di definire meglio il loro particolare tono, direi che la conclusione non rientra nel gusto neoclassico, ma si lega ai modi dell'epigramma antico.

Alle origini l'epigramma greco era stato un componimento metrico breve, per lo più in distici elegiaci, destinato alla celebrazione dei defunti e al tema della morte, e solo in seguito venne usato per trattare le più varie materie. Il frammento *Il fuoco che scoppietta* si conclude nella forma dell'epigramma, come lo trattarono anche grandi poeti greci, e come in numero cospicuo ne conserva la maggiore raccolta di epigrammi greci a noi giunta, l'*Antologia Palatina*. La chiusa, con l'invito al viandante a procedere piano e ad aggiungere prima un ramo alla fiamma del focolare e una pigna matura alla cesta gettata nel canto, è un epigramma che sarà bene tenere presente non solo nel leggere una poesia composta press'a poco nel tempo dei *Sarcofaghi*, l'*Epigramma* per Camillo Sbarbaro, ma anche per gli *Xenia* di *Satura*.

Al gusto neoclassico, se si bada alla materia, non risponde anzi addirittura contraddice il quarto frammento dei *Sarcofaghi*. È sempre intrinseca al neoclassicismo nelle sue varie manifestazioni la ricerca d'una materia nobile; il poeta che va dunque alla ricerca della tomba umile, delle « derelitte lastre » dichiara, come già abbiamo osservato, una diversa inclinazione. Ma un sigillo di nobiltà e ben marcato il quarto frammento lo porta nel linguaggio sostenuto. Non è questa tanto la sostenutezza volta a descrivere gli oggetti usuali in modo da farne cose di remota e inconsueta eleganza (anche questo è tipico dello stile neoclassico, e basta pensare al Foscolo dell'ode *All'amica risanata* che chiama « candidi coturni » gli stivaletti di Antonietta Fagnani Arese, « amuleti » i suoi ninnoli, « cori notturni » le feste da ballo, « ambrosia » l'unguento dei capelli e via discorrendo), quanto una sapienza retorica impiegata per trovare alcune definizioni, che sono contrassegnate dall'allusività propria della poesia di Montale e, in genere, della poesia moderna. Questa tendenza stilistica si riconosce nell'espressione « accolgono le brace Dell'originale fiammata », la quale vuol significare che nelle persone più umili (l'amico fedele, l'amante, il mendicante, il fanciullo), che forse hanno più coraggiosamente bruciato la loro esperienza umana, il grande fuoco della vita continua ad ardere tenace come il fuoco sotto la cenere. Si riconosce ancora dove il poeta, parlando delle « derelitte lastre », dice

> ch'ànno talora inciso
> il simbolo che più turba
> perché il pianto e il riso
> parimenti ne sgorgano, gemelli,

ed allude all'Alfa e all'Omega, simbolo della vita stessa, che è conoscenza insieme di dolore e di gioia.

Il vero guasto di questo frammento è, a mio giudizio, il verso stonatissimo, a proposito dell'« artiere che al lavoro si reca »:

> e già gli batte ai polsi una volontà cieca.

Per se stesso l'« artiere », legato a ricordi carducciani e dannunziani, mi va poco a genio; ma non so proprio che cosa sia e come entri in questa poesia la volontà cieca che batte ai polsi, che sa del peggiore D'Annunzio, e qui è fuori luogo. Non mi piace, come una stonatura seppure meno grave, nemmeno l'«anima rude» dell'artiere. Mi sembra invece che il senso di felicità che c'è negli ultimi due versi («un nulla un girasole che si schiude Ed intorno una danza di conigli») sia da mettere nel numero degli improvvisi montaliani più belli.

Col vedere in *Sarcofaghi* elementi di gusto e di stile riconducibili al neoclassicismo Montale non viene inserito *ipso facto* in un filone neoclassico. Basterebbe a dissuadere da siffatta deduzione sbrigativa tutto quello che nell'ispirazione dei *Sarcofaghi* discorda dagli ideali neoclassici, e l'accento fortemente personale che si riconosce dove, anche in questi frammenti, l'immobilità è pensata come un segno della divina indifferenza e come folgorante rivelazione di verità che l'inesplicabile monotono succedersi degli avvenimenti tiene nascosta. È chiaro d'altra parte che facendo i nomi di Keats, del Savioli, del Monti, del Foscolo stesso, non s'intende affatto di suggerire una ricerca di fonti. Nel neoclassicismo di Montale non si dà quella fiducia in uno stile speciosamente elegante, in cui, per esempio, Francesco Flora, con certa sufficienza, diceva di avere consumato la sua esperienza di neoclassico, ingenua e inconcludente [5].

Negli *Ossi di seppia* ciò che si riconduce al neoclassicismo non risulta soltanto dalle scelte linguistiche, che pure sono significative, ma da un certo gusto della materia e della immagine poetica; e questo non si constata esclusivamente in *Sarcofaghi*, ma anche in altre poesie del tempo press'a poco dei *Sarcofaghi*, e innanzi tutto nelle *Poesie per Camillo Sbarbaro*.

È caratteristico di queste due poesie un tono leggero, conversevole, che s'incontra qua e là anche in altri passi degli *Ossi di seppia* e che tornerà con notevoli differenze, a distanza di anni, in *Satura*. Ma quel non so che di smorzato, che pretende il tono discorsivo, è corretto dalla trasposizione in forme di studiata eleganza di una realtà comune, e qui sta il segno del gusto neoclassico. In *Caffè a Rapallo*, in apertura, il «tepidario Lustrante», a parte certa intenzione ironica, è già un indizio della decorazione neoclassica. Il *tepidarium*, che per i latini – si veda Vitruvio – era la stanza del bagno tiepido, sta a significare una sala di caffè o meglio quella parte di un caffè o

---

[5] Francesco Flora, *I miti della parola*, Mondadori, Milano, 1958, p. 140.

di un ristorante che occupa, con tavoli e seggiole, il marciapiedi, e a Parigi si chiama *terrasse*, ma non meno che sui *boulevards* parigini usa sul lungomare di Rapallo[6]. Chiusa d'inverno da vetri – il poeta dice « chiusi Cristalli » – la *terrasse* diventa luogo accogliente di soste oziose. Preziosità, se non proprio gusto neoclassico – ma si pensi al Savioli, al Parini, anche al Foscolo – è pure nei « lampi di gemme E screzi di sete ».

Tra le parole e le immagini che connotano uno stile, ma hanno in sé, come si suol dire, un futuro, mi sembra sopra tutto da rilevare l'immagine dei « fumi Che svolgono tazze ». Non sono questi i fumi di un sortilegio; tuttavia qualche cosa di magico, di una magia alla buona, alla portata di ogni occhio vuole esserci nel tepidario « truccato » dai leggeri vapori che salgono dalle tazze delle bevande calde. Ed è un particolare come questo che, se per un verso conferma che la così detta esperienza neoclassica sta chiusa tutta in un breve periodo dell'apprendistato di Montale, d'altra parte sta a provare che qualche spunto di queste poesie giovanili ha molto fruttato a distanza di anni. In un'atmosfera, alla quale mancano i pur minimi segni di drammaticità, è infatti intuita una situazione che si ritrova, carica di senso drammatico, in una delle liriche più alte delle *Occasioni*, le *Nuove stanze*.

Nel diverso « interno » delle *Nuove stanze*, il salotto fiorentino in cui il poeta e la sua donna stanno soli quasi a compiere un incantesimo, non sale dalle tazze il vapore di una bevanda calda, ma s'innalza dal portacenere il fumo della sigaretta, e l'atmosfera si carica dello stupore che provoca un'operazione magica:

> Poi che gli ultimi fili di tabacco
> al tuo gesto si spengono nel piatto
> di cristallo, al soffitto lenta sale
> la spirale del fumo
> che gli alfieri e i cavalli degli scacchi
> guardano stupefatti ...

---

6 Osserva Emerico Giachery: « per *tepidario* non escluderei una mediazione del D'Annunzio più mondano, del " dilettoso tepidario cattolico " nel capitolo secondo del primo libro di *Il Piacere*, che sarebbe in sintonia con la voluttuosa, inautentica mondanità del caffè Ligure ». Si veda il saggio « *In limine* » *e la metamorfosi dell'orto*, in AA. VV., *Letture montaliane* in occasione dell'80° compleanno del Poeta, Bozzi, Genova, 1977, p. 32.

Non vorrei calcare la mano, ma persino il « piatto Di cristallo », che sembra molto ovvio, è nelle *Nuove stanze* una perifrasi per indicare il portacenere o posacenere nella quale si riconosce l'efficacia dello studiato neoclassicismo giovanile. L'eleganza delle parole e delle perifrasi di *Caffè a Rapallo* viene tuttavia alleggerita da un'ironia nella quale consiste la ragione ultima di questo stile. La realtà un poco fatua, un poco prosaica doveva essere velata, e in qualche punto è stata velata con così sapiente arguzia da mettere fuori di pista qualche lettore ingenuo, che non s'è ricordato dell'avviso, dato da Dante in un punto in cui la sua allegoria era trasparentissima, di aguzzare gli occhi al vero, perché quando il velo è troppo sottile, « certo che 'l trapassar dentro è leggero ». Affinché le sue parole suonino come un invito all'amico assente, Montale gli ricorda:

> Son giunte
> a queste native tue spiagge
> le nuove Sirene!; e qui manchi
> Camillo, amico, tu storico
> di cupidige e di brividi.

Versi così facili si sono attirati – è il caso di usare questo verbo – un commento di questa fatta: « Qui in verità l'amico Camillo è soltanto un nome, un fiato della voce, che subito si sposta a cantare il grande frastuono che dalla via penetra quest'ambiente mondano, ove siedono femmine ingioiellate (v'è un'eco dei crepuscolari, in questa ironia descrittiva della serietà, "tra lampi di gemme / e screzi di sete", con cui le borghesi vivono il loro impegno di società), "nuove Sirene" giunte alla natie spiagge di Sbarbaro ».

È una spiegazione infelicissima, in ogni senso. Lo sproposito che trascina con sé tutti gli altri sta nell'avere visto nelle « nuove Sirene » delle borghesi che « vivono il loro impegno di società ». Perché Sbarbaro sarebbe invocato come storico di cupidige e di brividi per delle signore tanto per bene? Non si tratta infatti di borghesi, ma, dato che il critico da noi citato vede un'eco dei crepuscolari, diciamo che si tratta di « cattive signorine », ospiti di certe case, in genere per periodi quindicinali. Uno storico di cupidige e di brividi, un lettore appassionato di Rimbaud, quale era il giovane Sbarbaro, s'interessava probabilmente più alle cattive signorine che alle borghesi che vivono il loro impegno di società.

La sfilata carnevalesca dei fanciulli fuori del caffè difficilmente darebbe luogo a interpretazioni strane, tanto il testo è semplice. Anche qui però è osservabile una certa nobilitazione d'oggetti e fatti comuni, ottenuta attraverso una studiata scelta linguistica. Abbagliare è comune, ma raro « bagliare », nel significato di mandare bagliori (« un bagliare Di sciabole fasciate di stagnole »); ed è una perifrasi studiata quella delle « tinnanti scatole » dove spicca « tinnante » per la sua rarità, anzi eccezionalità (il verbo onomatopeico, che già fa macchia ed è caro al Pascoli, è infatti « tinnire »; « tinnante » è participio di un infinito « tinnare » che i lessici non registrano). Sa di prezioso, come ogni arcaismo, anche « meraviglioso » per meravigliato; ed è aggettivo che assume un forte rilievo per la sua collocazione nella parentesi, la quale segna un diretto intervento del poeta nella scena da lui descritta. Non comune è « zampare »; zampare si dice propriamente del cavallo che batte la zampa, e perciò « zampante greggia » ha ancor più dello studiato. Non c'è dubbio che il verso « che il tuono recente impaura » è nato sotto la suggestione del D'Annunzio della *Pioggia nel pineto* (« Risponde Al pianto il canto Delle cicale Che il pianto australe Non impaura Né il ciel cinerino »), tanto più che il verbo d'uso corrente è impaurire e non impaurare. Gli ultimi due versi infine ambiscono a una sottile allusività. La poesia esce dal tono descrittivo per quello che suggerisce il paragone tra la schiera dei fanciulli in festa e la zampante greggia; la « pastura », ovverosia il pascolo che, in senso proprio, s'addice alla greggia e, fuori di metafora, significa la gioia di cui godono i fanciulli, porta con sé l'idea di una felicità per sempre perduta da chi, come il poeta, è ben lontano dalla spensieratezza della fanciullezza.

L'*Epigramma* persino nel titolo dichiara i suoi rapporti, se non proprio con modelli neoclassici, con modelli classici e alessandrini, e non occorre aggiungere spiegazioni a quelle date per la chiusa del quarto frammento dei *Sarcofaghi*. Non meno del titolo dichiara il rapporto col classicismo la metrica: l'*Epigramma* infatti è in versi lunghi, formati dall'accoppiamento di ottonario e settenario, settenario e ottonario, ottonario e ottonario, in modo da ottenere l'andamento largo dell'esametro. Più che la non eccezionale rarità delle parole (« versicolore », un latinismo che propriamente significa dai colori cangianti; « rigagno », in luogo del più comune rigagnolo) a segnare l'accento della poesia sta il gioco allusivo: la scena infatti può essere vista badando al significato letterale senza che nessun particolare stoni; ma

è altresì evidente che le carte di vari colori con le quali Sbarbaro fa
barchette da affidare all'acqua fangosa d'un rigagnolo, stanno a significare le poesie, le quali vengono raccomandate al galantuomo che
passa, ossia a colui che un tempo si usava denominare l'onesto o il
candido lettore.

Abbiamo osservato che l'adolescente degli *Accordi* è un personaggio fittizio. Se ci provassimo a descriverla, ci troveremmo non poco
imbarazzati. Di lei conosciamo degli stati d'animo, momenti della sua
vita intima, che non riescono però a crearne la storia, a darcene la
fisionomia, e non la fisionomia materiale, ma la fisionomia morale e
sentimentale. L'adolescente degli *Accordi* è un pretesto. C'è da chiedersi se Montale aveva tentato per quella via una forma di poesia
che gli è fallita del tutto o se aveva in qualche modo intuito qualche
cosa che avrebbe trovato la sua consistenza nella poesia successiva.
Non esito a rispondere che anche con l'inventare il personaggio degli
Accordi Montale s'era messo sulla via giusta. La sua poesia ci offre
infatti una ricca galleria di ritratti femminili, il primo dei quali, riu-
scitissimo, è quello di una poesia assai vicina nel tempo agli *Accordi*:
l'Esterina di *Falsetto*.

Agli *Accordi*, e in particolare a *Corno inglese*, *Falsetto* si lega
per il titolo stesso che allude vagamente e con una punta d'ironia non
al personaggio di Esterina, bensì alla voce del poeta che tenta di ade-
guarsi alla felicità del suo personaggio, di questa creatura tutta vitalità,
che egli ammira sentendosi da lei troppo diverso:

> Esterina, i vent'anni ti minacciano,
> grigiorosea nube
> che a poco a poco in sé ti chiude.
> Ciò intendi e non paventi.
> Sommersa ti vedremo
> nella fumea che il vento
> lacera o addensa, violento.
> Poi dal fiotto di cenere uscirai
> adusta più che mai,
> proteso a un'avventura più lontana
> l'intento viso che assembra
> l'arciera Diana.
> Salgono i venti autunni,
> t'avviluppano andate primavere;
> ecco per te rintocca
> un presagio nell'elisie sfere.

Un suono non ti renda
qual d'incrinata brocca
percossa!; io prego sia
per te concerto ineffabile
di sonagliere.

Esterina, colta in un momento di sospensione e di tensione verso la
vita, esiste come personaggio reale, ed è anche una creatura di sogno.
Ma la misura dell'arte montaliana non si coglierebbe se non si notasse il
sapiente processo di stilizzazione, che si riporta, come nei *Sarcofaghi*
e nelle *Poesie per Camillo Sbarbaro*, a modi di neoclassicismo sottilmente corrosi dall'ironia. Il gusto neoclassico di una trasposizione
mitologica è nell'idea del fiotto di cenere dal quale Esterina uscirà
purificata, che è idea attinta dal mito della Fenice risorgente dalle
proprie ceneri; ma a dare esplicitamente misura neoclassica alla figura
della fanciulla interviene il paragone con l'arciera Diana, alla quale
Esterina assomiglia per il suo viso « intento » (e intento significa, ben
più che l'ovvio attento, la tensione verso un futuro atteso e non conosciuto), e noi non pensiamo affatto a un trattato di mitologia ma
a una figura di bassorilievo, a un profilo delicato e tuttavia segnato
con linee molto precise. Tutta la lingua della prima strofa del resto,
con la scelta di parole eleganti, quasi preziose, ribadisce la stilizzazione neoclassica (« paventi », « fumea », « adusta », « assembra »).
Nella seconda strofa, al sapore neoclassico s'informa il presagio che
rintocca nelle elisie sfere, l'auspicio che proviene da un oltretomba
pagano. È questo il primo incontro con un motivo ritornante nelle
poesie e nelle prose di Montale: quella fede negli oroscopi, nei ta-
lismani, negli oggetti e nei segni ai quali ci si affida per la propria
salvezza. Per il tono di *Falsetto* è sopra tutto notevole che il gusto
neoclassico dia scintilla incontrandosi con immagini di sapore realistico: il suono funesto dell'incrinata brocca e il concerto gioioso
di sonagliere.

La dubbia dimane non t'impaura.
Leggiadra ti distendi
sullo scoglio lucente di sale
e al sole bruci le membra.
Ricordi la lucertola
ferma sul masso brullo;
te insidia giovinezza,
quella il lacciòlo d'erba del fanciullo.

L'acqua è la forza che ti tempra,
nell'acqua ti ritrovi e ti rinnovi:
noi ti pensiamo come un'alga, un ciottolo,
come un'equorea creatura
che la salsedine non intacca
ma torna al lito più pura.

Sono versi belli, se accettati nella loro voluta tenuità, e in essi continua il raffinato contrappunto tra realismo descrittivo e stilizzazione neoclassica. È una figura che non si dimentica questa giovinetta che si tuffa nelle onde del mare e nell'immergersi prova una gioia fisica che diventa gioia spirituale, come se l'acqua la rinnovasse. Nel contemplarla il poeta si smemora, ma non al punto da non compiacersi di stilizzare la scena. Nella lucertola ferma sul masso e insidiata dal lacciòlo del fanciullo un'impressione dal vero si compone così con uno stilema neoclassico, per quello che nella figura del fanciullo col suo lacciòlo traluce della figura dell'Apollo sauroctono (uccisore di lucertole) di Prassitele, ben noto attraverso la replica dei Musei Vaticani. E si badi almeno, per la raffinatezza classicheggiante del linguaggio, all'espressione «equorea creatura», che ci ricorda in particolare l'«equoreo seno» e l'«equoreo flutto» di due passi dei *Canti* leopardiani (*Alla Primavera o delle favole antiche*, v. 94; *Inno ai Patriarchi o de' principii del genere umano*, v. 58).

L'ultima parte della poesia costituisce il momento in cui la descrizione più strettamente si salda con la riflessione, alla quale la felicità di Esterina invita il poeta:

Hai ben ragione tu! Non turbare
di ubbie il sorridente presente.
La tua gaiezza impegna già il futuro
ed un crollar di spalle dirocca i fortilizî
del tuo domani oscuro.
T'alzi e t'avanzi sul ponticello
esiguo, sopra il gorgo che stride:
il tuo profilo s'incide
contro uno sfondo di perla.
Esiti a sommo del tremulo asse,
poi ridi, e come spiccata da un vento
t'abbatti fra le braccia
del tuo divino amico che t'afferra.

Ti guardiamo noi, della razza
di chi rimane a terra.

La felicità di Esterina è contemplata come il dono che tocca a chi gode delle gioie della vita senza turbarle col pensiero del futuro, che non vale chiedersi quale sarà. Ma anche chi, come il poeta, è della razza di coloro che rimangono a terra, e anziché godere la gioia degli abbandoni si travaglia nella riflessione, non può non contemplare con stupita ammirazione una creatura come Esterina. Eppure nemmeno nel momento in cui riflette e si confessa, il poeta rinuncia del tutto alle eleganze di tipo letterario, anzi neoclassico; bada ancora a sostituire la parola propria, realistica, con la perifrasi raffinata. Trampolino non è per sé prosaico, tutt'altro; ma « ponticello Esiguo » e « tremulo asse » sono espressioni che rinnovano un oggetto che tutti abbiamo familiare; e il processo di abbellimento non è estrinseco e forzato; c'è anzi una giusta adeguazione degli oggetti alla figura di Esterina, che è così pura da essere solo un profilo che s'incide contro uno sfondo di perla.

Le *Poesie per Camillo Sbarbaro* e *Falsetto*, più che i *Sarcofaghi*, hanno qualche cosa del componimento occasionale; sono ispirate da un fatto esterno, che non ha in sé il carattere di evento. Di qui il tono abbastanza disimpegnato e leggero. In *Falsetto* s'osserva però una nota più profonda per quel tanto di malinconia che porta con sé la contemplazione della fanciulla che, sentendosi in sintonia col ritmo della vita, ricorda al poeta come egli sia invece legato a un ben diverso destino:

> Ti guardiamo noi, della razza
> di chi rimane a terra.

Senza toccare i tasti drammatici, il poeta dichiara così il suo invincibile disagio morale.

In passi come questo è stato fin troppo facile riconoscere la poetica implicita negli *Ossi di seppia*, e s'intende poetica non nel senso di precettistica di poesia (alla maniera di quella offerta da Orazio nell'*Arte poetica* o *Epistola ai Pisoni*), ma come quel mondo di affetti e d'idee che il poeta riconosce suo proprio, e sul quale esercita la sua riflessione: un mondo che si risolve in poesia, ma che, in certo modo, è vivo prima e dopo la poesia. La scarnificazione della realtà, la materia critica di cui discorreva Gargiulo erano sì la poesia di Montale, ma anche la sua poetica; e se Gargiulo, che è stato lettore tanto sensibile degli *Ossi di seppia*, non capì poi le *Occasioni*, fu anche perché nel secondo libro di versi di Montale la poetica non traspariva tanto chiara come negli *Ossi di seppia*.

Una poesia la cui fortuna è dovuta in parte alla professione di poetica con la quale si apre, non senza una sottolineatura ironica e polemica, è *I limoni*. I poeti laureati che si muovono soltanto tra le piante dai nomi rari – bossi, ligustri, acanti – sono i collezionisti delle falsità scintillanti amate da chi vuol fare della poesia un discorso solenne. La scelta del giovane Montale voleva essere del tutto diversa: in un paesaggio a lui familiare, non impresso da note di nobiltà, egli trovava i segni di una vita più umile ma più autentica. E la pianta che celebra è quella per nulla rara, non rara nemmeno nel nome, dei limoni. L'usuale, il quotidiano con il loro grigiore, erano stati portati all'onore della poesia sopra tutto dal Pascoli, dai simbolisti belgi, dai nostri crepuscolari. Negare in assoluto un debito di Montale verso quella poesia sarebbe pretendere che egli fosse rimasto sordo a una esperienza che aveva contato non poco nella storia del gusto e della sensibilità fra Otto e Novecento. Ma nei *Limoni* Montale dava vita a un paesaggio fino a quel momento sconosciuto alla nostra poesia, nel quale l'animo, proprio per la modestia delle cose, si trova in accordo con sé e con il mondo. E che il paesaggio nel quale il poeta si riconosce sia un paesaggio vero, a lui ben noto, è garantito sopra tutto da questi versi:

> Io, per me, amo le strade che riescono agli erbosi
> fossi dove in pozzanghere
> mezzo seccate agguantano i ragazzi
> qualche sparuta anguilla.

Molti anni più tardi, in una prosa della *Farfalla di Dinard*, *Il bello viene dopo*, Montale avrebbe descritto con dovizia di particolari e una punta di malinconia il tempo in cui, con altri ragazzi, andava a pescare sparute anguille nel botro melmoso che passava accanto alla sua casa di Monterosso. Al ristorante, in compagnia di una giovane amica che non ha esitazioni nello scegliere cibi e bevande, il poeta (sebbene il racconto non sia in prima persona, il suo valore di documento autobiografico è fuori discussione), mentre resta incerto sulla scelta delle vivande, da un piatto segnato nella lista – capitone alla livornese – è d'un tratto portato con la memoria al tempo in cui con i suoi coetanei andava alla pesca delle anguille:

« Trota al bleu » disse a mezza voce. « Sogliola *à la meunière*. Capitone alla livornese. Ah ah! No, non mi tenta; ma mi fa ricordare il botro melmoso che passava accanto alla mia casa. Chissà se c'è più. Serpeggiava, forse si insinua ancora fra rocce e canneti e non si può costeggiarlo che in pochi tratti. Sì e no, se è piovuto molto, c'è qualche ristagno d'acqua, intorno al quale si affollano le lavandaie. Ma ci sono le anguille, le migliori del mondo. Rare, piccole anguille giallognole che è difficile vedere sotto la superficie grassa del sapone che intorbida l'acqua. Per prenderne una bisognava cintare e arginare una di quelle pozzanghere con pezzi d'ardesia ben conficcati nel fango, poi svuotar l'acqua col cavo delle mani e infine, prima che l'acqua rifiltrasse dentro, mettersi a piedi scalzi nel fosso e frugare fra i ciottoli e l'erba marcia del fondo. Se l'anguilla appariva e noi avevamo una forchetta la cosa era quasi sicura; un colpo, e l'anguilla trafitta e sanguinante era sollevata in alto e gettata poi sullo scrimolo, dove si torceva ancora per poco. Senza forchetta era un affare serio, l'anguilla ci sguisciava fra le dita, riparava sotto una bolla di sapone e spariva. Ci voleva mezz'ora di fatica per prenderne una di venti centimetri, viscida, immonda, mezza sbudellata, immangiabile ». [7]

Se poi si legge dell'altro, si trovano in questa prosa anche i limoni, sebbene in funzione più prosaica che nella lirica degli *Ossi di seppia*. Quando l'uomo descrive il pranzo che consumava con i compagni – un'anguilla arrostita sulla brace, un beccafico cotto su uno stecco – tra lui e la giovane compagna ha luogo questo dialogo:

« E da bere? » chiese lei portando alla bocca senza orrore un oceano di Manzanillo.
« Un secchio d'acqua di pozzo tirata su tra il capelvenere e la polvere di calcinaccio, con dentro dieci o dodici limoni spremuti; limoni mezzo acerbi, grandi come una noce ». [8]

Se importa prestare attenzione agli elementi realistici per quello che essi garantiscono di autenticità nella situazione dei *Limoni*, bisogna poi sapere riconoscere in questa poesia quello che essa ha di più fantastico e di più meditato. Il giallo dei limoni, che improvvisamente si rivela nel grigiore d'un paesaggio cittadino e opera il prodigio di risvegliare il cuore intorpidito, è una nota che basta a far sentire quanto anche in questa poesia Montale sia lontano dal crepuscolarismo, almeno dal più convenzionale.

---

[7] *Farfalla di Dinard*, p. 54.
[8] Ivi, p. 56. (Manzanillo è una varietà di vino sherry bianco e secco, prodotto nella zona di San Lucar de Barrameda, nell'Andalusia. Propriamente significa camomilla, forse per il suo colore giallino trasparente).

La parte però più personale e più meditata della poesia è la terza strofa, nella quale dei limoni appena si percepisce la presenza come di un profumo diffuso nell'aria, ed è una percezione che vagamente conforta la visione drammatica della realtà, l'idea di un mondo di parvenze che rischierebbe di restarci impenetrabile nelle sue ragioni, se uno sbaglio di natura, un punto morto, un anello che non tiene non ci mettessero miracolosamente nel cuore della realtà.

In un linguaggio che indulge tuttavia a qualche cadenza troppo cantabile – per non dire d'altro, gli accordi da chitarrista dei due ottonari « nel profumo che dilaga Quando il giorno più languisce » – il poeta si solleva qui dalla visione della realtà fisica alla conoscenza della verità metafisica, coglie l'atmosfera incantata in cui gli oggetti diventano imponderabili e sfuggenti, e non sono per questo meno veri:

> Sono i silenzi in cui si vede
> in ogni ombra umana che si allontana
> qualche disturbata Divinità.

A chi ha esagerato i debiti di Montale verso il crepuscolarismo e ha parlato di un gusto liberty, tenendo presente una poesia come *I limoni*, che rappresenta forse la concessione più forte alla poetica crepuscolare, ci sarebbe da chiedere in quale dei crepuscolari e dei così detti poeti liberty si leggerebbe qualche cosa di simile alla terza strofa dei *Limoni*. Nel riconoscere i legami che uno scrittore di forte personalità ha con la tradizione letteraria vicina e lontana, occorre usare discrezione. Leggiamo nei *Limoni*:

> Ma l'illusione manca e ci riporta il tempo
> nelle città rumorose dove l'azzurro si mostra
> soltanto a pezzi, in alto, tra le cimase.
> La pioggia stanca la terra, di poi; s'affolta
> il tedio dell'inverno nelle case,
> la luce si fa avara - amara l'anima.
> Quando un giorno da un malchiuso portone
> tra gli alberi di una corte
> ci si mostrano i gialli dei limoni;
> e il gelo del cuore si sfa ...

Se a proposito di questi versi qualcuno ricordasse l'abusata contrapposizione della campagna alla città e, per caso, traesse la conclusione che Montale è l'ultimo poeta di una arcadia riverniciata a nuovo, non so proprio cosa dovremmo pensare di un così saputo lettore. Gli suggeriremmo di osservare almeno che la campagna qui si trova dentro la città: è la « corte » in cui si vedono « i gialli dei limoni ». È giusto invece per la terza strofa dei *Limoni* ricordare una dichiarazione dell'*Intervista immaginaria*: « ... forse negli anni in cui composi gli *Ossi di seppia* (tra il '20 e il '25) agì in me la filosofia dei contingentisti francesi, del Boutroux soprattutto che conobbi meglio del Bergson » [9]. Toglierei da questa dichiarazione il prudenziale « forse ». Infatti il contingentismo di Boutroux si rispecchia, per quanto può rispecchiarsi una filosofia nell'opera di un poeta, in molti momenti degli *Ossi di seppia*.

Emile Boutroux (1845-1921) fu un grande oppositore del meccanicismo positivistico, che spiegava i fenomeni come una catena di cause ed effetti. Come sa anche un modesto lettore di Dante, contingente viene detto in filosofia ciò che è così, ma potrebbe anche essere diverso da come è o non essere affatto, e contingenza o indeterminazione è la legge che governa la realtà materiale in quanto mondo della possibilità. « La contingenza, che fuor dal quaderno De la vostra matera non si stende ... » di *Par.* XVII, 37-39, è appunto la definizione della legge che governa le cose terrene. *Contingenza delle leggi della natura* è il titolo della prima opera del Boutroux, e contingentismo è detta la sua filosofia, che voleva essere una difesa della libertà dell'uomo contro la negazione della libertà alla quale, secondo il filosofo francese, portava il positivismo, e quella di Boutroux fu una filosofia spiritualistica, che rivalutava, contro il materialismo, l'importanza dell'esperienza religiosa [10]. Nel contingentismo Montale però riconobbe un pensiero che rifiutava quelle che a lui sembravano le facili e accomodanti spiegazioni date da ogni specie di razionalismo. Negli anni in cui furono scritti gli *Ossi di seppia* sarebbe stata fuori tempo una opposizione al positivismo; il contingentismo fu in effetti per Montale un antidoto allo storicismo e al neoidealismo dominanti in Italia, al razionalismo che si manifestava in quelle filosofie, nella dialettica di origine hegeliana e nel riconoscimento della razionalità della storia. Giova leggere le righe che immediatamente seguono a quelle sopra citate dell'*Intervista immaginaria*: « Il miracolo era per me evidente

---

[9] *Sulla poesia*, p. 565.

[10] Per i debiti verso Boutroux, che in recenti conversazioni il poeta ha peraltro ridotto, si veda Arshi Pipa, *L'influence de Boutroux et de Bergson sur Montale*, « Revue des Etudes italiennes », Nouvelle Série, Tome XXII, n. 3, Julliet-Septembre 1976, pp. 193-204.

come la necessità. Immanenza e trascendenza non sono separabili, e farsi uno stato d'animo della perenne mediazione dei due termini, come propone il moderno storicismo, non risolve il problema o lo risolve con un ottimismo di parata. Occorre vivere la propria contraddizione senza scappatoie, ma senza neppure trovarci troppo gusto ». Sentire il miracolo evidente come la necessità non fu per Montale tornare a superstizioni da primitivo. Evidente come la necessità significa che la necessità, diversamente spiegata dai positivisti e dagli storicisti, è sì riconosciuta come la legge che governa il mondo (non abbiamo letto in *Contrabbasso* degli *Accordi* « il susseguirsi monotono di necessità crude »?), ma nel rompersi di quella legge Montale vedeva la salvezza, e che questa, enunciata nei *Limoni*, fosse un'idea per lui fondamentale è provato dal fatto che questa idea costituisce il tema di *In limine*, la poesia messa in apertura degli *Ossi di seppia* come una prefazione in versi.

In questa poesia a parole di ricercata rarità, che vogliono segnare il distacco dell'artista dalla bruciante materia delle sue esperienze personali (il latinismo « pomario » per frutteto; « reliquario », usato nel significato metaforico di luogo in cui si conservano non delle reliquie ma dei ricordi, il luogo « dove affonda un morto Viluppo di memorie ») fanno contrasto parole di suono e di significato diverso (« frullo », « crogiuolo », « rovello »), nelle quali, si rivela, come per bagliori, il dramma della vita. Nel contrasto delle due famiglie di parole si rispecchia l'interna lacerazione del poeta. La rinuncia a vivere, propria di colui che si culla in quelle cose morte che sono i ricordi, è sconvolta dal senso di una vitalità attuale, erompente dal grembo della natura. L'ordine, che ciò che è accaduto sembra garantire per il futuro, è perciò spezzato e anche la salvezza è vista nell'infrangersi di una serie meccanica e razionale:

> Se procedi t'imbatti
> tu forse nel fantasma che ti salva ...

Il fantasma salvatore è il primo della serie degli amuleti montaliani; e se nei *Limoni* ci si aspetta di scoprire

> uno sbaglio di Natura,
> il punto morto del mondo, l'anello che non tiene,
> il filo da disbrogliare che finalmente ci metta
> nel mezzo di una verità,

qui la salvezza è attesa dalla « maglia rotta della rete Che ci stringe ». E *In limine*, come *I limoni*, carica di pathos un dramma personale con quel « tu » che coinvolge alla sorte del poeta un'altra persona, per la quale egli desidera la salvezza più che per se stesso tanto che, se essa potrà balzare fuori dalla rete che ci stringe, « la sete *gli* sarà lieve, meno acre la ruggine ... » [11].

[11] Secondo le dichiarazioni contenute in una lettera a Silvio Guarnieri del 29 aprile 1964, la donna alla quale il poeta si rivolge in *Il limine* è la stessa di *Casa sul mare* e di *Crisalide*, cioè Paola Nicoli. Vd. Lorenzo Greco, *Montale commenta Montale*, Pratiche Editrice, Parma, 1980, p. 33.

DANNUNZIANESIMO E ANTIDANNUNZIANESIMO

Un anno dopo la morte di D'Annunzio la rivista « Letteratura », alla quale collaborarono, se non tutti, molti dei migliori poeti, saggisti, narratori degli anni Trenta, pubblicò in un fascicolo fuori serie un *Omaggio a D'Annunzio* a cura di Giuseppe De Robertis ed Enrico Falqui. Vi si leggono, con i saggi sul poeta di S. Solmi, A. Gargiulo, E. Cecchi, G. De Robertis, alcuni scritti di Arturo Marpicati, Giovanni Comisso e Marcello Gallian sull'uomo d'azione, pubblicati probabilmente per dare l'impressione che si trattasse non di una liquidazione più o meno fallimentare, ma veramente di un omaggio, oltre che al poeta, a colui che i fascisti, con giudizio non del tutto infondato, ma interessato e grossolano, consideravano loro precursore. Il fascicolo di « Letteratura » conteneva anche un *Referendum su D'Annunzio*, con le risposte di molti anziani e giovani, illustri e meno illustri. Tra coloro che risposero mancano però i nomi dei tre maggiori poeti di quegli anni: Ungaretti, Saba e Montale.

Nel 1939 Ungaretti viveva in Brasile, e può darsi che la lontananza gli sia servita almeno di giustificazione ad astenersi da qualsiasi omaggio. Su Umberto Saba gravava la condanna d'impurità razziale decretata da Mussolini su ebrei e mezzo ebrei: probabilmente è questa la ragione della sua assenza, perché Saba in giovinezza era stato dannunziano e a D'Annunzio, pur segnando le distanze che lo separavano da lui, riconobbe sempre natura di vero poeta. Ma per Montale si ha da pensare a un silenzio volontario: in quel momento professarsi in qualsiasi modo antidannunziano poteva essere anche una verità scontata (mancano, probabilmente per questa ragione, tra coloro che risposero al referendum alcuni dei collaboratori più prestigiosi di « Letteratura »: Gadda, Landolfi, Vittorini, Contini); mentre per rendere giustizia a D'Annunzio scrittore era necessaria almeno una buona serie di distinzioni.

Come ricorda Pier Vincenzo Mengaldo, quando maggiori erano i suoi debiti verso D'Annunzio, Montale era stato meno disposto ad ammetterne l'importanza[1]. Un sereno riconoscimento del posto che spetta a D'Annunzio nella storia della nostra poesia Montale lo diede abbastanza tardi, quando personalmente si era liberato da qualsiasi sua influenza, e fu nella Prefazione ai *Canti barocchi e altre liriche* di Lucio Piccolo, dove dichiarò: « D'Annunzio nella recente tradizione italiana è un poco come Hugo nella sua posterità francese, da Baudelaire in giù: è presente in tutti perché ha sperimentato o sfiorato tutte le possibilità linguistiche e prosodiche del nostro tempo. In questo senso non aver appreso nulla da lui sarebbe un pessimo segno »[2]. Questo giudizio è notevole sia per il parallelo con l'influsso esercitato da Hugo in Francia sia per la limitazione intrinseca al riconoscimento stesso dell'importanza che D'Annunzio aveva avuto per i poeti venuti dopo di lui: con « possibilità linguistiche e prosodiche » Montale riduceva infatti l'influsso del D'Annunzio a valori essenzialmente formali e, vorrei dire, retorici. In questo si accordava sostanzialmente con il parere espresso nell'*Omaggio a D'Annunzio* da Sergio Solmi, il quale, tentando di spiegare l'« ambivalenza » dei poeti giovani (nel 1939) verso l'opera dannunziana, scriveva: « Nella nostra tradizione poetica, al cui altissimo tono sentimentale e meditativo il mondo visibile e tangibile non partecipava che con linee e colori del tutto indicativi e convenzionali, D'Annunzio ha compiuto una rivoluzione paragonabile a quella dei lirici paesisti inglesi o dei "decadenti" francesi o di un Wagner nella musica. Egli ha suggerito gli elementi del paesaggio lirico, ha offerto la sua ricca messe sensuale a mezzo secolo almeno di poesia nuova »[3].

Certo, specie per il Montale degli *Ossi di seppia*, D'Annunzio è stato un maestro che doveva essere attraversato. Che i debiti verso D'Annunzio consistano in fatti che appartengono alla lingua e alla

---

[1] Pier Vincenzo Mengaldo, *La tradizione del Novecento. Da D'Annunzio a Montale*, pp. 30-31.

[2] La Prefazione a L. Piccolo, *Canti barocchi e altre liriche*, Mondadori, Milano, 1956, ristampata come nota finale a L. Piccolo, *Gioco a nascondere. Canti barocchi e altre liriche*, ivi, 1960, si legge ora in *Sulla poesia*, pp. 65-71.

[3] Sergio Solmi, *L'Alcione e noi* nell'*Omaggio a D'Annunzio* di « Letteratura », p. 12, ora nel vol. *Scrittori negli anni. Saggi e note sulla letteratura italiana del '900*, Il Saggiatore, Milano, 1963, pp. 187-188.

prosodia è stato dimostrato da Mengaldo nel saggio *Da D'Annunzio a Montale*, un saggio che merita di essere letto con attenzione, del quale non occorre che ripeta i risultati, bastando al mio scopo servirmi, ove occorra, di questa o quella osservazione in esso contenuta. Ma gli elementi linguistici e formali che un poeta prende da un altro poeta non bastano a stabilire una vera dipendenza; essi possono anche essere un materiale da costruzione, impiegato con funzioni e significati diversi da quelli che avevano nell'originale. Anche il rapporto di Montale con D'Annunzio si definisce in maniera ben più complicata che non sia una derivazione di parole e stilemi.

La poesia degli *Ossi di seppia* in certo senso è infatti una replica alla poesia di *Alcione*; non una replica polemica, poiché nel suo primo libro Montale non solo accoglie a volte la lezione retorica di D'Annunzio, ma vive esperienze sentimentali che hanno non poco di affine a quelle dannunziane, e in quei momenti i valori formali derivati dal D'Annunzio risultano voluti da ragioni più profonde di quelle che si fondano sulla retorica.

Il significato complessivo dell'*Alcione*, che non è solo il libro più felice del D'Annunzio lirico ma è quello del quale Montale più ha sentito la suggestione, nei limiti in cui è ragionevole parlare del significato complessivo di una raccolta di liriche, è quello di diario poetico d'una felice stagione marina, vissuta nel tratto di Toscana che sta chiuso tra la bocca d'Arno e la bocca di Magra, tra le Apuane e il Tirreno. Vivono in quel diario poetico il calore sensuale dell'estate e i presentimenti d'una vaga malinconia che subentra all'appressarsi dell'autunno, e alle forme e ai colori del paesaggio si uniscono le figure mitiche che gli danno una seconda vita, non propriamente spirituale, ma antropomorfica.

Anche gli *Ossi di seppia* sono in certo senso un diario marino; il paesaggio ligure, che si fa paesaggio d'anima, non ha però la lussureggiante bellezza del paesaggio tirrenico dell'*Alcione*; al contrario trova i suoi connotati più originali in luoghi e figure che portano il segno di un'implacabile corrosione. Né il paesaggio degli *Ossi di seppia* ha bisogno di popolarsi di figure di mito per esprimere una sua sostanza spirituale: l'ala del cormorano, il secco greto, i cimelli del canneto sono oggetti di una ben solida realtà ed insieme simboli trasparentissimi di una condizione sentimentale, nella quale le note più intense sono la rinuncia e la disperazione. È per questo che gli *Ossi di seppia* risultano una replica all'*Alcione*: replica che non va intesa come opposizione polemica, ché se l'interpretassimo in questo senso attribuiremmo a Montale un proposito inevitabilmente limitativo dei valori poetici. È la replica che una poesia nuova e originale dà alla poesia che l'ha preceduta, non negandola con un atto di riflessione ma contrapponendole in concreto altri valori.

C'era però al fondo del sentimento tormentato dell'esistenza, che è degli *Ossi di seppia* e non di *Alcione*, anche una carica di sensualità, un contrastato amore della vita e un desiderio di abbandonarsi alle sue gioie, che portarono Montale a un incontro con la poesia di D'Annunzio, il quale coinvolge non i soli valori linguistici e prosodici. Alessandro Parronchi, che è stato tra i primi più sensibili lettori di Montale, dichiara di avere sentito negli *Ossi di seppia* « una scoperta sensuale del mondo, non altrimenti che nell'*Alcione* », specificando: « più che gli attacchi coi Crepuscolari e col Pascoli ... sentivo operarsi in *Ossi di seppia* ... l'inversione dell'insopportabile edonismo e paganesimo dannunziano nella persona semplice e cristiana di Montale » [4]. Il che è molto giusto, tranne la definizione « persona semplice e cristiana ».

Segni evidenti di dannunzianesimo si riconoscono in *Riviere*, una delle poesie più antiche degli *Ossi di seppia*, una delle poche di cui il poeta ha potuto indicare l'anno preciso di composizione: 1920. Per le concessioni ai modi descrittivi, per il mescolarsi delle confessioni e delle fantasie adolescenziali, per essere sopra tutto, come ha scritto il poeta stesso, il documento, di « una sintesi e una guarigione troppo prematura » [5], *Riviere* accoglie in sé una materia confusa; e quel non so che di eccessivo, di non ben meditato che c'è nell'idea ispiratrice, si tradisce negli squilibri e nelle debolezze dello stile. Del resto l'unità di *Riviere* è garantita più dalla coerenza del contenuto che dagli esiti stilistici. Mengaldo ha riconosciuto in *Riviere* « l'esempio più complesso di affinità linguistico-tematiche » con D'Annunzio e ha indicato il momento di più scoperto dannunzianesimo nei versi centrali (26-34) [6]:

---

[4] Alessandro Parronchi, *Vecchia lettura di Montale*, « Fiera Letteraria » del 12 luglio 1953, p. 5.
[5] Cfr. *Sulla poesia*, p. 566.
[6] P. V. Mengaldo, *La tradizione del Novecento. Da D'Annunzio a Montale*, p. 42.

Oh allora sballottati
come l'osso di seppia dalle ondate
svanire a poco a poco;
diventare
un albero rugoso od una pietra
levigata dal mare; nei colori
fondersi dei tramonti; sparir carne
per spicciare sorgente ebbra di sole,
dal sole divorata ...

Attento ai fenomeni linguistici, Mengaldo ha anche indicato in D'Annunzio il modello immediato della serie degli infiniti, descrittivi e ottativi, che si susseguono in questi versi e poi nella chiusa[7]:

Potere
simili a questi rami
ieri scarniti e nudi ed oggi pieni
di fremiti e di linfe,
sentire
noi pur domani tra i profumi e i venti
un rifluir di sogni, un urger folle
di voci verso un esito; e nel sole
che v'investe, riviere,
rifiorire!

---

[7] P. V. Mengaldo, *op. cit.*, p. 43 cita da *Maia* 103-4:

E non più lottar volle il corpo
a nuoto ma *cedere* tutto
alla rapina sonora,
ma *essere* quella rapina,
ma *perdere* il limite umano,
espandersi fino all'alpestre
origine, *correre* a valle
dal monte, *ritorcersi* in lunghi
meandri, *polire* le rupi,
l'erbe *inclinare*, i campi
rodere, scalzar le radici,
detergere il gregge, di schiuma
fervere, tingersi di cielo,
splendere di raggi, *gonfiarsi*
di tributi limosi,
il limo *deporre, chiarirsi*
com'aere gelido, in ogni
goccia *crescére* impeto e brama,
contro il Mar che aguaglia *afforzarsi*
di rapidità, fiume eterno
persistere nell'amarezza.

Ma questi infiniti sono tutti retti da « volle ». Abbiamo visto e commentato (pp. 31-32)

Il fatto è rilevante, certo più rilevante che osservare, come fa altrove lo stesso critico, che « l'emblematico ed eponimo *osso di seppia* di *Riviere* ... aveva già ricevuto cittadinanza nell'*Alcione, Ditirambo* III, 28: "e *l'osso della seppia* tra le brune carrube / biancheggiar sul lido"; *Il Novilunio, 79:* "tu vedi ancora / nella sabbia ... gli *ossi delle seppie*" ». È abbastanza naturale infatti che nella descrizione di un paesaggio marino ci si possa imbattere anche negli ossi di seppia; ed è evidente che l'osso di seppia sballottato dalle onde è del tutto diverso dagli ossi di seppia da natura morta dei due passi dannunziani. Si consideri poi che quando compose *Riviere* Montale non aveva ancora pensato al titolo ossi di seppia nemmeno per la serie dei componimenti brevi; quando raccolse per gli amici i primi « ossi » nei manoscritti mise come titolo generale *Rottami*. Fra i prestiti dannunziani di *Riviere* mi sembra che Mengaldo abbia più ragione di registrare i « fremiti d'olivi » del v. 13, per i quali cita, da *Canto novo, Canto del sole,* IV, 33 sgg.: « *fremiti* novi *de gli alberi* su le colline », e d'indicare un antecedente dei « rami ... pieni di fremiti e di linfe » (vv. 58-60) in questo brano del *Canto dell'Ospite* I, 10 sgg., in *Canto novo:*

Di sotto a i cortici
per tutte le fibre salire
senton la linfa conquistatrice:

senton da l'ime gemme prorompere
viva *la forza de' rami*, l'anima
de' pollini senton ne gli imi
ovuli scendere de le antère.

Il dannunzianesimo profondo si riconosce però non nella lingua ma nel sentimento che si esprime sopra tutto nei versi 26-34, sottolineati dal Mengaldo, come desiderio di confondere la propria natura umana in natura arborea, in pietra, in tramonto, in sorgente ebbra di sole; e poi nel sogno di essere come i rami che disseccati dall'inverno rivivono carichi di linfe (vv. 58 sgg.).

Nella lingua di *Riviere* più degli apporti dannunziani risultano notevoli, a mio avviso, altri fenomeni, che stanno a indicare tendenze proprie del lessico montaliano nel suo originale impasto di elementi di provenienza diversa: neologismi attinti dal dialetto o da altre lin-

---

una serie di infiniti descrittivi e ottativi, affine a quella di *Riviere*, in *Meriggiare pallido e assorto*.

gue, uso di parole in un significato volutamente discosto da quello corrente, parole arditamente inventate, arcaismi letterari. Notiamo sul principio (v. 2) « stocchi d'erbaspada ». Stocco propriamente è lo stelo delle graminacee, e come parola del linguaggio scientifico ha qualche cosa di anomalo nella lingua della lirica; ma è sopra tutto singolare erbaspada, che i lessici dell'italiano non registrano, ed è traduzione, molto felice, di *erba spà*, in Liguria denominazione dell'aloe americana. Più avanti (v. 11) leggiamo « asserpano » che il *Dizionario* del Battaglia registra riferendo il solo esempio di *Rivere*; asserpare è infatti un verbo formato dal poeta, che l'ha ricavato da serpe, quasi « avvolgersi in spire come serpi ». Antico e letterario, sebbene non del tutto estraneo all'uso moderno, « spicciare » (v. 33), nel significato di scaturire, come in Dante: « Tacendo divenimmo là 've spiccia Fuor de la selva un picciol fiumicello » (*Inf.* XIV, 76-77) e « Come sangue che fuor di vena spiccia » (*Purg.* IX, 102). Rileviamo infine « ramure » (v. 41) che è preso dal francese, ma non di sana pianta, in quanto il singolare *ramure*, che ha il suo equivalente nell'italiano ramatura, è qui usato al plurale con un effetto espressivo apprezzabile[8].

Peraltro il gusto visivo di D'Annunzio, la carica di colore che c'è nella sua poesia e specialmente nella poesia dell'*Alcione*, rivive nella ricchezza descrittiva del paesaggio di *Riviere*, sebbene in Montale sia già evidente l'amore per una natura meno lussureggiante, più asciutta: « pochi stocchi d'erbaspada », « due camelie pallide », « un eucalipto biondo », i « varchi Di labili ramure », il « frecciare di rondoni Vagabondi » sono tutti tocchi di pittore che sa fare un uso generoso del colore, ma che non fa ricorso a elementi decorativi e mitici, quelli attraverso i quali molto spesso D'Annunzio esprimeva il suo sensualismo panico. Del resto *Riviere*, nascendo dal ritorno della memoria al paesaggio dalle cui forme e dai cui colori il poeta adolescente aveva bevuto una sorta di filtro inebriante, tende a conciliare l'inclinazione ad arrendersi ai ricordi con una quasi eroica volontà di fare, che, a dire il vero, è enunciata ma non vive come vero sentimento: è quella che il poeta chiama « volontà nuova », che egli vorrebbe veder congiungersi ed equilibrarsi con le lusinghe dei ricordi, per raggiungere « un porto sereno di saggezza ». E qui si vede che la guarigione, come

---

[8] *Ramure* tornerà in *Mediterraneo*, quarto movimento, vv. 22-24: « o l'informe rottame Che gittò fuor del corso la fiumara Del vivere in un fitto di ramure e di strame ».

ha poi riconosciuto il poeta stesso, era troppo prematura, o meglio illusoria, in quanto consisteva in una saggezza desiderata ma non ancora raggiunta. E si constata pure che, dove viene enunciato il raggiunto equilibrio, il linguaggio poetico s'infiacchisce.

Non sto a dire quanto sia frusta l'immagine del porto di saggezza, che si trova in Dante – nel *Convivio* e nel XXIII dell'*Inferno* –, in Petrarca e in non so quanti altri. Non credo di dover dare peso al proposito di «cangiare in inno l'elegia» – un proposito nel quale Francesco Flora faceva consistere un nucleo della poetica di Montale, riconoscendovi una « preziosa confessione », in quanto « l'elegia in Montale è più profonda e più poeticamente operosa che non l'inno; ma senza questo deluso richiamo, che non è un genere letterario ma una tendenza del sentire, la sua parola elegiaca non avrebbe tanta intensità »[9]. È piuttosto vero che forse Montale non ha mai scritto versi brutti come in questo punto in cui parla dell'elegia e dell'inno:

> Ed un giorno sarà ancora l'invito
> di voci d'oro, di lusinghe audaci,
> anima mia non più divisa.

Le voci d'oro e, peggio, le lusinghe audaci se le avessi trovate in un brandello di carta con la sola indicazione della data 1920 confesso che non le avrei attribuite al poeta degli *Ossi di seppia*, ma probabilmente a un paroliere di tanghi e di slow-fox dell'altro dopoguerra. Non mi piace nemmeno il « fanciullo antico Che accanto ad una rósa balaustrata Lentamente moriva sorridendo »: è uno dei rari momenti del gusto crepuscolare in Montale. Il meglio di *Riviere* sta effettivamente nei versi di più schietto stampo dannunziano e, in genere, nelle impressioni di paesaggio, nelle quali si riconosce qualche cosa della lezione di D'Annunzio.

È nell'*Agave sullo scoglio*, e non in *Riviere*, che il dannunzianesimo degli *Ossi di seppia* raggiunge la sua maggiore complessità e dà i risultati più apprezzabili. L'*Agave sullo scoglio* può essere definito un poemetto. Con una linea più gracile è infatti costituito, come gli *Accordi* e come *Mediterraneo*, da brani o momenti lirici distinti,

---

[9] Francesco Flora, *Eugenio Montale*, in *Scrittori italiani contemporanei*, Nistri-Lischi, Pisa, 1952, pp. 134-135.

ma collegati fra loro: tre in tutto intitolati *Scirocco, Tramontana, Maestrale.*

L'*Agave sullo scoglio* è nato sulla scia del simbolismo, sia per il significato attribuito all'agave, ai venti di scirocco, di tramontana, di maestrale – tutti emblemi trasparenti di una condizione umana –, sia, ancor più, per la sostanza musicale dei tre frammenti; e se è vero quello che ha scritto Valéry sul simbolismo come una poesia che ha per tratto comune di prendere il proprio bene dalla musica, D'Annunzio nel simbolismo entra di pieno diritto. Non propongo questa deduzione: D'Annunzio è un poeta simbolista; l'*Agave sullo scoglio* è una poesia simbolista; dunque l'*Agave sullo scoglio* è dannunziana. Sillogismi di questa specie servono poco e male nella critica letteraria e artistica. È da un'analisi dei temi lirici e della partitura prosodico-musicale che risulta evidente il dannunzianesimo dell'*Agave sullo scoglio.*

Simbolismo e dannunzianesimo, per così dire, tematici sono più evidenti e più superficiali del simbolismo e del dannunzianesimo inerenti alle strutture metriche e prosodiche del poemetto. Ma preciso che la distinzione vale più come strumento di analisi critica che non come un'incontrovertibile verità matematica.

L'agave è la pianta che a tratti il soffio di vento sconquassa e quasi minaccia di svellere dalle radici, e che a volte invece la brezza sfiora come una carezza consolatrice; ma nell'agave non si trovano rispecchiati stati d'animo del poeta in forza di quell'adesione diretta dello spirito a una forma di pensiero naturalmente figurata, nella quale Marcel Raymond riconosce il vero simbolismo; l'identificazione del poeta con la pianta è posta dalla dichiarazione che si legge in *Scirocco*:

> ora son io
> l'agave che s'abbarbica al crepaccio
> dello scoglio ...

L'identificazione del poeta con l'agave è un segno palese di dannunzianesimo, sebbene, nel momento in cui l'identificazione viene dichiarata, Montale, anziché abbandonarsi a un sensualismo di tipo dannunziano, sottolinei la tensione drammatica che c'è nella pianta, la quale, per sottrarsi all'abbraccio minaccioso del mare, più tenacemente si abbarbica allo scoglio. È vero peraltro che l'identificazione enunciata in *Scirocco* non cessa di farsi sentire in tutto il poemetto, e più insistentemente dove s'intensificano le note drammatiche: in particolare quando si scatena la furia della tramontana, e nel finale «come ami Oggi le tue radici» la voce del poeta e quella dell'agave non si distinguono. Nonostante l'identificazione del proprio soffrire e del proprio gioire col soffrire e col gioire dell'agave, e forse proprio per questa identificazione, il simbolismo del poemetto è assai semplice. Come tema questo simbolismo si svolge nei tre precisi momenti di una vaga ansia, della resistenza contro lo scatenarsi di forze nemiche, del ritorno alla calma. Ma il tema trova una consistenza poetica nella sua orchestrazione.

Scirocco è un movimento musicale in crescendo. Due endecasillabi aprono con un ritmo pacato una lunga serie di versi brevi, dalle rime rade e, tranne *eventi-commovimenti*, non ravvicinate. La serie, che arriva al v. 15, è costituita in prevalenza di settenari con l'inserzione dei quinari «di smorte luci» (v. 5) e «ora son io» (v. 15), e delle dipodie «bruci» (v. 3) e «luci» del v. 12 (quest'ultima va letta separatamente dal settenario «ombre, commovimenti»). La seconda parte, costituita da sei endecasillabi intrammezzati dal quaternario «dello scoglio» (v. 17) e dal quinario «e nel fermento» (v. 20), porta a un ritmo largo, disteso, armonizzato solo sulla fine dalle rime *rocce-bocci* (imperfetta) e *fermento-sento-tormento*. Singolare l'endecasillabo che fa da chiave tra le due parti «l'agave che s'abbarbica al crepaccio», regolare negli accenti, ma anomalo per la cesura che cade dopo la terza sillaba.

La struttura metrica di *Scirocco* è valorizzata dalla struttura metrica di *Tramontana*, che ne capovolge lo schema. Infatti fino al v. 14 *Tramontana*, tranne il settenario «che discolora e muore» (v. 4), presenta una serie di versi lunghi: endecasillabi regolari, un dodecasillabo costruito come doppio senario, un novenario *faux-exprès*, un decasillabo, e versi dalle dodici alle quindici sillabe, che portano un andamento esametrico. Dal verso 15 alla fine si ha una serie di versi più brevi: un senario, tre settenari, tre novenari, un endecasillabo (v. 19) che ha accenti eccezionali di seconda, quinta, ottava e decima. Quando si legge in D'Annunzio la lode che il poeta fa della strofa lunga di *Alcione* come di una delle sue più geniali invenzioni, si è portati a pensare a quella di versi brevi che realizza la musica più mossa e rarefatta nella *Pioggia nel pineto*. Ma la strofa lunga dell'*Alcione* non ha solo schemi molto liberi; si avvale anche del verso lungo. Fra tutti, il testo forse più degno di essere citato è il *Ditirambo III*, nel quale la prima strofa è una serie di versi lunghi interrotta sapientemente dall'inserzione di tre versi brevi e chiusa da un settenario (preso da Dante), e la seconda si apre con una serie di dodici versi di misura superiore all'endecasillabo:

> O grande Estate, delizia grande tra l'alpe e il mare,
> tra così candidi marmi ed acque così soavi
> nuda le aeree membra che riga il tuo sangue d'oro
> odorate di aliga di resina e di alloro,
> laudata sii,
> o voluttà grande nel cielo nella terra e nel mare
> e nei fianchi del fauno, o Estate, e nel mio cantare,
> laudata sii
> tu che colmasti de' tuoi più ricchi doni il nostro giorno
> e prolunghi sugli oleandri la luce del tramonto
> a miracol mostrare!
>
> Ardevi col tuo piede le silenti erbe marine,
> struggevi col tuo respiro le pioggie pellegrine,
> tra così candidi marmi ed acque così soavi
> alzata; e grande eri, e pur delle più tenui vite
> gioiva la tua gioia, e tutto vedeva la tua pupilla
> grande: le frondi delle selve e i fusti delle navi,
> e la ragia colare, maturarsi nelle pine
> le chiuse mandorlette e la scaglia che le sigilla
> pender nel fulvo, e l'orme degli uccelli nell'argilla
> dei fiumi, l'ombre dei voli su le sabbie saline
> vedea, le sabbie rigarsi come i palati cavi,
> al vento e all'onda farsi dolci come l'inguine e il pube
> amorosamente ...

È evidente che questi versi lunghi altro non sono che la combinazione di versi più brevi, e che in più di un caso queste combinazioni potrebbero essere modificate, spostando qualche a capo e qualche cesura. Ma la ragione di questi versi lunghi sta nella volontà di accogliere e gustare un'ampia materia descrittiva.

La struttura metrica di *Scirocco* e *Tramontana* convalida i debiti verso D'Annunzio, debiti che risultano dal simbolismo, dal particolare antropomorfismo dei due frammenti e, come ha detto Mengaldo, specialmente per i versi 8-10 e 15-19 di *Scirocco,* dall'« acuta percezione sensuale, quasi tattile, degli eventi »[10]. Meno profonde sono le influenze dannunziane sulla lingua. Mengaldo si sofferma sull'aggettivo *alido* (arido, secco) anche per osservare come «alide ali dell'aria» sia un approfondimento della figura sonora del verso di *Maia* che

---

[10] Pier Vincenzo Mengaldo, *op. cit.*, p. 34.

Montale aveva nella memoria[11]. Ma a un gusto dannunziano risponde la scelta di espressioni, rare come « rabido ventare », tese come « inafferrati eventi », estenuate come la coppia « discolora e muore ». Accanto a queste però vanno sottolineate le parole che risultano tipiche già di un personale linguaggio poetico. Osserviamo « gialloverde », come aggettivo che risponde a quell'amore delle mezze tinte che si constata anche altrove negli *Ossi di seppia*: nella « *grigiorosea* nube » di *Falsetto* (v. 2), nelle « frecciate *biancazzurre* » delle due ghiandaie di *Mediterraneo* I, v. 17, nell'« albero *verdecupo* » di *Crisalide*, v. 1, se si vuole sottolineare il fenomeno nel suo aspetto propriamente linguistico[12], ma è fenomeno che va messo in relazione con un valore della poetica degli *Ossi di seppia*. Si pensi all'« osso » *Portami il girasole*: oltre a incontrarvi il « volto *giallino* » del girasole (v. 4), le « *bionde trasparenze* » (v. 10) e la vita che « *vapora ... quale essenza* » (v. 11), vi leggiamo questi versi:

> Tendono alla chiarità le cose oscure,
> si esauriscono i corpi in un fluire
> di tinte: queste in musiche,

una frase questa – sia detto incidentalmente – che contiene quasi la definizione di quelli che sono i più felici risultati della poesia dannunziana, secondo Pietro Pancrazi: pittura che si dissolve in musica.

Osserviamo anche « biocco », del tutto eccezionale per indicare i fiocchi delle nuvole, invece di *bioccolo* (ma Montale ne ricava in *Quasi una fantasia* addirittura l'aggettivo « bioccoso »)[13].

Aggiungiamo alle parole del lessico personale quelle prese dall'inesauribile serbatoio della poesia di Dante, che, tra i grandi poeti italiani, è quello che più ha lievitato nella memoria di Montale « il lago del cuore » (*Inf.* I, 19-20: « la paura ... che nel lago del cor m'era durata ») e le « scerpate esistenze », per le quali si pensa a « perché mi scerpi » di *Inferno* XIII, 35, anche se il verbo *scerpare* era stato ripreso da D'Annunzio[14].

---

[11] Cfr. *Maia* 150: « per tutte le fibre *Alide dell'alidore* Celeste ».

[12] Col quale occorre sempre essere cauti. Per chi almeno appartiene alla mia generazione, i lunghi « anni perduti » in grigioverde, nelle guarnigioni, al fronte, nei *Lager*, *grigioverde* non porta affatto all'idea della mezza tinta!

[13] Anche nella *Bufera* la frangia dei capelli di Clizia sarà detta « biocco »: « ed ha uno scarto Altero della fronte che le schiara Gli occhi ardenti ed i duri sopraccigli Da un suo biocco infantile », *Voce giunta con le folaghe*, 14-17.

[14] Il *Vocabolario dannunziano* di G. L. Passerini registra – credo per difetto –

Questi dantismi si trovano in *Tramontana*, che dei tre frammenti dell'*Agave sullo scoglio* è quello in cui la poesia tocca la più forte drammaticità e nella cui lingua si danno gli accostamenti e i contrasti più arditi: il letterario e l'arcaico si compongono col moderno e il realistico, s'incontrano costrutti di sorprendente novità e la musica dei versi, sottolineata in rima, o in fine di verso senza rima, da parole di suono forte (*palmizi, subbuglio-muglio, schianta, tonfi-gonfi*) o, viceversa, da parole di morbida dolcezza (*cuore-muore, materia-aria, scava-bava, nemici-radici, sciami-ami*) compone in sé violenze e abbandoni in una maniera che definirei wagneriana.

« Circoli d'ansia » è una originalissima raffigurazione dello stato d'animo dominante in *Scirocco*, connessa anche alle impressioni del paesaggio marino, ma viene intensificata qui dall'immagine che i circoli d'ansia discorrano il lago del cuore – e non occorre quasi dire che *discorrere* per percorrere, solcare è del linguaggio poetico, e che alla memoria di tutti tornano almeno i versi del coro manzoniano di Ermengarda: « Quando da un poggio aereo, Il biondo crin gemmata, Vedea nel pian discorrere La caccia affaccendata »[15], e che « il lago del cuore » si colora d'un pathos che non c'è nel passo dantesco da cui deriva. C'è poi quel verbo « friggere », così estraneo alla lingua della poesia e così espressivo per l'inatteso accozzamento con la quasi estenuata figurazione della « materia che discolora e muore »[16]. Quindi il crescendo della violenza, sottolineato dal ritmo martellato che porta il costrutto paratattico dei vv. 5-8 e dal significato e dal suono delle parole: *ferro, divelle, arbusti, palmizi,* e *spazza-strapazza* col gioco della rima interna. È una violenza che continua e si esalta nei vv. 9-13, nei quali si danno i medesimi caratteri stilistici dei vv. 5-8, ma dove troviamo l'espressione più nuova e più bella di tutto il frammento:

> viaggiano la cupola del cielo
> non sai se foglie o uccelli – e non son più,

---

soltanto da *Forse che sì forse che no*: « Ella per vivere in lui, gli scavava il petto, glie lo scerpava, glie lo rodeva, senza dargli tregua ».

[15] Si può citare anche un esempio dantesco: « Quale per li seren tranquilli e puri, Discorre ad ora ad or sùbito foco » (*Par.* XV, 14). Montale rinnova peraltro il verbo facendolo transitivo qui, come lo fa transitivo nell'« osso » *Valmorbia, discorrevano il tuo fondo Fioriti nuvoli di piante agli asoli*, dove quelle che muovono al leggero soffio dei venti (*asoli*) sono nuvole simili ad alberi in fiore.

[16] Della stessa specie è l'accozzamento in « Solchi crestati di bava » (v. 8) del letterario *crestato* e del prosaico *bava*.

immagine fatta intensa dall'uso inconsueto del verbo *viaggiare* in forma transitiva, dal vedere il cielo come un'immensa cupola, dal non distinguere le foglie dagli uccelli in quello che la tramontana trascina e che in un attimo scompare.

Si noti infine come i versi 14-22 costituiscano un unico periodo sintattico, con pause nella maggior parte non coincidenti con le pause di fine verso. La serie dei versi brevi – brevi rispetto a quelli della prima parte di *Tramontana* – porta a sottolineare il pathos che c'è nell'amore della pianta per le proprie radici, che molto somiglia all'attaccamento alla vita, di cui diceva il Leopardi, che provano le persone più disperate quando li ha sorpresi il timore della morte, o li ha soltanto sconvolti lo scatenarsi minaccioso degli elementi.

I ricordi danteschi, l'originale fusione del letterario e del prosaico, i costrutti nuovi, l'intensità del ritmo e le modulazioni melodiche che gli si accompagnano sono gli aspetti di una poesia che non si oppone a quella di D'Annunzio, ma si pone dopo quella di D'Annunzio sopra tutto per la carica drammatica che scava ben più a fondo del sensualismo dannunziano. *Tramontana* è, a mio parere, una delle pagine di poesia dalle quali meglio risulta come Montale ha « attraversato » D'Annunzio e si è, al tempo stesso, staccato da lui.

Maestrale invece, per il tema stesso, che implica l'accordo ritrovato con le cose e quasi un abbandono al ritmo allettante della natura rifattasi calma, è più vicino al modello dannunziano. Nemmeno qui sono sintomatiche le parole isolate. Che, per esempio, « chiaria », per indicare la trasparenza del ciero sereno, sia parola frequente in D'Annunzio e presente anche in *Undulna* (« Il molle Settembre... Fa tanta chiaria con due ossi Di gru... ») non è grande indizio. Se mai è da considerare la preziosità di parole che, appartengano o no al lessico di D'Annunzio, sono di gusto dannunziano: « svetta », « disfiora », « lameggia », « ebrietudine »[17], e il bruttissimo « più in là », che si-

---

[17] In D'Annunzio c'è *svettare* per designare il muoversi tremolando delle vette di piante alte e sottili, agitate e scosse dal vento. Ed è questo, non l'altro di levare la vetta o la cima, il significato che il verbo ha in *Maestrale*. Per il significato di « recidere la vetta » si veda nelle *Occasioni* il mottetto *Non recidere forbice*, v. 5: « Duro il colpo svetta », dove però il poeta faceva osservare il significato equivoco del verbo: si veda *Sulla poesia*, pp. 79-80. *Disfiorare* non ha il significato che ha in Dante di disonorare, quale traslato di guastare il fiore (*Purg.* VII, 105: « morì fuggendo e disfiorando il giglio »), ma equivale al comune sfiorare, e in questo significato il *Grande Dizionario della Lingua Italiana* del Battaglia cita, con questo passo di Montale, uno di Salvatore Di Giacomo. *Lameggiare*, per indicare l'aspetto di scaglie o di lame che ha il mare in

gilla il frammento. Ma il fatto stilistico rilevante di *Maestrale* è la forma metrica: la serie di quartine costruite con versi di varia misura, ma strutturate in modo che tra il primo e il quarto brevi (la lunghezza massima è toccata da due ottonari irregolari, che hanno accento non sulla terza ma sulla quarta sillaba) stiano sempre chiusi il secondo e il terzo lunghi[18]. Questi versi lunghi, tranne un endecasillabo (v. 6) e un novenario (v. 14), sono versi composti. La regolarità dello schema della quartina vuole essere un'immagine fonica della calma rifattasi nell'aria. E poiché questa calma non è stanca immobilità, ma porta ancora segni di movimenti e di suoni dolcemente variati (« tra gli scogli parlotta la maretta ... una carezza disfiora la linea del mare e la scompiglia ... la vasta distesa, s'increspa, indi si spiana beata »), le quartine spezzano l'uniformità dello schema con le variazioni segnate dalla mutevole lunghezza dei versi e, per quelli composti, dalla diversa loro composizione. I versi composti non ripetono i pur molto vari schemi degli esametri carducciani; non rientra, per esempio, nelle forme dell'esametro carducciano un verso come « sulla costa quietata, nei broli, qualche palma » (v. 3), che, formato di due settenari, potrà, se mai, essere definito alessandrino o martelliano; e non vi rientra, per non dire d'altro, uno formato da settenario tronco più endecasillabo, come « né sosta mai; perché tutte le immagini portano scritto » (v. 19). Ma Carducci anche con la metrica barbara, e con gli stessi esametri sia che li usasse in serie continua, sia che li usasse accoppiati coi pentametri a formare il distico elegiaco, perseguiva il suo ideale delle forme chiuse; Montale anche dove adattava, un poco cerebralmente, uno schema metrico chiuso, lo dissolveva dall'interno, e in *Maestrale*, che dell'*Agave sullo scoglio* è il frammento meno felice, questo è forse il segno più vero della lezione appresa da D'Annunzio, che come sperimentatore di tutte le possibilità prosodiche aveva sempre mirato, più consapevolmente e più decisamente del Pascoli, alla dissoluzione delle forme metriche chiuse.

bonaccia, è un'invenzione da porre in rapporto con i vv. 10-11 di *Corno inglese*: « e il mare che scaglia a scaglia, Livido, muta colore ». Il *Dizionario* del Battaglia spiega semplicemente « risplendere » e cita come solo esempio il passo di Montale. *Ebrietudine* è abbastanza strano anche come latinismo: l'astratto di *ebrius* è infatti *ebrietas*. È formato peraltro in analogia con gli astratti in -*udine* (*inquietudine, solitudine* ecc.).

[18] Nella prima strofa però la scansione vera dei versi non è quella segnata dagli a capo. La lettura, secondo la metrica classica, porta a una quartina diversamente congegnata: decasillabo (« S'è rifatta la calma nell'aria »), endecasillabo (« tra gli scogli parlotta la maretta »), decasillabo (« Sulla costa quietata, nei broli »), ottonario (« qualche palma a pena svetta »).

« MEDITERRANEO »

Se Montale, staccandosi da D'Annunzio, rifiuta l'eccezionale, bandisce però dal suo mondo anche l'usuale, il quotidiano, quel prosaico che la poesia realistica del tardo Ottocento e, con maggiore successo, i crepuscolari avevano voluto valorizzare. C'è anzi nel Montale degli *Ossi di seppia* l'ambizione di cogliere il senso riposto delle cose, di leggere nel grande libro del mondo, che sarebbe impresa disperata voler conoscere a fondo ma del quale è possibile scorrere alcune pagine, per estrarre quel tanto di verità che ci abbisogna a vivere. Questo è sopra tutto evidente in *Mediterraneo*.

Mediterraneo è un poema moderno, le cui parti, diversamente da quello che avveniva nei poemi antichi, grandi o piccoli che fossero, non sono legate tra loro da nessi logici o narrativi. Si presenta infatti come una serie di frammenti collegati da un'identica ispirazione. A un poema di questa specie aveva pensato Foscolo nell'ideare quell'opera grande e incompiuta che sono *Le Grazie*. Ma Foscolo ebbe poi il torto di credere che il suo « carme » ottenesse vera dignità divenendo nella forma esterna simile ai poemi classici, si reggesse cioè su una struttura narrativa e didascalica ben definita. In effetti *Le Grazie* sono una serie di frammenti lirici, tutti intorno a un unico grande tema, ma il loro lirismo è compromesso dai legami fittizi che il Foscolo tentò di costruire.

Dopo Poe e dopo Baudelaire i poeti, quando erano veramente affiatati con la cultura moderna, hanno saputo che la poesia è sempre lirica, e che, quando anche aspira al grande volo, è poesia di frammenti lirici; hanno cioè rinunciato a quello a cui Foscolo ancora credeva e per cui *Le Grazie* sono rimaste incompiute, essendo stato impossibile conseguire quell'unità che il poeta si proponeva. A quel tipo di unità strutturale classicistica Montale ha rinunciato del tutto e ha scritto *Mediterraneo* come un musicista compone una *suite* intorno ad un unico grande tema. E come nella musica è segno di misura e d'arte non cominciare da toni troppo alti, ma consentire il crescendo col muovere da toni più dimessi, addirittura mormorati, il primo movimento di *Mediterraneo* (è più proprio parlare di movimenti che di frammenti avendo riguardo alla struttura musicale del poemetto) pone sì il tema fondamentale del rapporto dell'uomo col mare, del piccolo uomo col grande mare, ma in un modo che, senza dare in una narrazione pedestre, esclude tuttavia ogni enfasi:

> A vortice s'abbatte
> sul mio capo reclinato
> un suono d'agri lazzi.
> Scotta la terra percorsa
> da sghembe ombre di pinastri,
> e al mare là in fondo fa velo
> più che i rami, allo sguardo, l'afa che a tratti erompe
> dal suolo che si avvena.
> Quando più sordo o meno il ribollio dell'acque
> che s'ingorgano
> accanto a lunghe secche mi raggiunge:
> o è un bombo talvolta ed un ripiovere
> di schiume sulle rocce.
> Come rialzo il viso, ecco cessare
> i ragli sul mio capo; e via scoccare
> verso le strepeanti acque,
> frecciate biancazzurre, due ghiandaie.

Il tema generale del poemetto è enunciato in questi primi versi, contenendolo in una descrizione di bella essenzialità. Non lontano dal mare, il poeta vive un'ora di abbandono, e coglie una voce strana, un « suono d'agri lazzi », dei versi che sembrano scherzosi, comici e che hanno non so che di amaro, di aspro (ed è la prima espressione fortemente letteraria di questi versi). Mentre percepisce quei suoni strani sul suo capo, con perfetta lucidità ha la visione del paesaggio che gli si stende davanti: un paesaggio riarso, con una vegetazione stenta (« sghembe ombre di pinastri »), nell'ora della calura estiva, quando l'afa grava in modo che non si distinguono i contorni delle cose, tutto è avvolto in una foschia più densa dell'intreccio stesso dei rami, che si frappone tra il luogo in cui sta il poeta e il mare. Il senso di aridità è esplicitamente detto nel verso « dal suolo che si avvena ». I vecchi lessici, compreso il Tommaseo-Bellini, non registravano l'infinito *avvenare* o *avvenarsi*, ma soltanto la forma participale *avvenato* spiegando che si dice del suolo o del terreno disposto a strati o vene. Il Vocabolario del Battaglia è il primo, credo, che ha registrato il verbo *avvenarsi*, citando questo solo esempio di *Mediterraneo*, e dando la spiegazione: fendersi, screpolarsi a forma di vena. Il suolo si screpola dunque per la sua aridità; ma il mare stesso sembra che soffra dell'aridità e dell'immobilità che c'è nella terra; per il suo ripetersi sempre uguale, il movimento del mare equivale infatti all'immobilità: è inutilità, è meccanicità senza fine e senza scopo. Schiuma, ribollimento d'acque, il grande rimbombo che fanno le onde contro la scogliera, tutto è sempre uguale. Dal senso di immobilità che lo ha compenetrato il poeta e però improvvisamente distolto per il chiarirsi di quel suono che prima aveva avvertito, quegli « agri lazzi » che aveva sentito sul suo capo: due ghiandaie filano via ad un tratto come frecciate biancazzurre[1].

Il secondo movimento del poemetto è una ripresa del primo su di un tono più alto. Dell'alzarsi di tono avverte il ritmo lento e sostenuto dei primi quattro versi che non hanno pause alla fine e formano un solo periodo ampio e quasi solenne, e avverte, non meno, il vocativo iniziale. Il mare è chiamato infatti con un aggettivo che ne definisce la misteriosa immensità:

Antico, sono ubriacato dalla voce
ch'esce dalle tue bocche quando si schiudono
come verdi campane e si ributtano
indietro e si disciolgono.
La casa delle mie estati lontane
t'era accanto, lo sai,
là nel paese dove il sole cuoce
e annuvolano l'aria le zanzare.
Come allora oggi in tua presenza impietro,
mare, ma non più degno

---

[1] Dopo « agri lazzi » (v. 3) e « si avvena » (v. 8), che sono le punte degli ardimenti linguistici del primo movimento, sulla fine altre due parole fanno spicco e stanno a indicare un gusto dell'inedito: *strepeanti* e *biancazzurre*. Già *strepere* è verbo della lingua poetica, come tutti i latinismi letterari. Lo aveva usato il Pascoli nei *Canti di Castelvecchio* (*Le Rane*, vv. 40-42: « E sento nel lume sereno Lo strepere nero del treno Che non s'allontana. »). Ma *strepeante* è il participio di un verbo *strepeare* che Montale ha derivato da Ceccardo Roccatagliata Ceccardi (vd. Pier Vincenzo Mengaldo, *La tradizione letteraria del Novecento. Da D'Annunzio a Montale*, p. 135), attratto forse dalla ricchezza dei suoni. Per *biancazzurro* si ricordino le osservazioni di p. 76 sugli aggettivi coniati da Montale per dare l'idea delle mezze tinte.

mi credo del solenne ammonimento
del tuo respiro. Tu m'hai detto il primo
che il piccino fermento
del mio cuore non era che un momento
del tuo; che mi era in fondo
la tua legge rischiosa: esser vasto e diverso
e insieme fisso:
e svuotarmi così d'ogni lordura
come tu fai che sbatti sulle sponde
tra sugheri alghe asterie
le inutili macerie del tuo abisso.

Il mare aveva dato al poeta una grande lezione morale negli anni
lontani dalla fanciullezza; perciò al mare egli si sente legato da una
ragione profonda: non solo dai ricordi che rendono care le cose conosciute in un tempo lontano, ma dall'avere ravvisato e quasi materialmente toccato nel mare la più alta norma di vita: essere sempre
nuovo, e al tempo stesso sempre identico a sé; essere capace di eliminare dalla propria vita i ricordi inutili, le esperienze morte, esau-
rite, finite, come il mare getta sulla riva i suoi detriti: sugheri, alghe,
stelle di mare.

Ma quello che definirei non il simbolismo bensì il tema filosofico
del secondo movimento, ha un suo particolare accento poetico, riconoscibile nel vocativo « antico », che dà il senso della immensità del
mare meglio di un aggettivo che ribadisca l'idea della sua grandezza
spaziale, della sua quasi infinitudine. L'aggettivo in questa collocazione sarebbe piaciuto al Leopardi per la forza con la quale richiama
alla fantasia un tempo remoto, tanto remoto che non se ne potrebbe
fare la storia. Il mare è più vecchio dell'umanità e di ogni creatura,
è il progenitore della vita, in quanto nell'acqua vivono i germi di ogni
essere. L'origine che si perde nella notte del tempo costituisce la sua
nobiltà. Oltre l'immensità spaziale – nella quale, come in quella del
cielo, l'uomo percepisce l'idea altrimenti astratta dell'infinito –, il
mare ci rivela la grandezza dell'eterno, dell'atemporale. Perciò il poeta
sente di essere ubriacato dalla voce del mare, che da sempre ha parlato all'orecchio umano. La voce è quella della massa d'acqua che si
muove ondulando come immense campane verdi. Quest'idea dell'immensità e di una musica potente che si sprigiona dalle acque è spiegata col riportarne la suggestione a un'esperienza tutta personale.
All'antichità del macrocosmo mare, cioè di una memoria che si perde
in un tempo tanto remoto da identificarsi con l'eternità, quel micro-

cosmo che è il poeta si contrappone come una creatura dalla cui vita esula la nozione dell'eterno, e che, in forza della memoria, può solo ritrovare in sé come cose remote i ricordi dell'infanzia. Egli ripensa dunque alle « estati lontane », quelle della fanciullezza trascorsa a Monterosso, « nel paese dove il sole cuoce E annuvolano l'aria le zanzare »: un paese non decorato parnassianamente, né collocato fuori dal tempo come un luogo di idillio classico, eppure, nel suo realismo, amato con vera passione. Ora, a distanza di anni, di fronte all'immensità del mare, pensando alla lezione che il mare gli dà, il poeta prova uno sgomento che fa di lui un essere senza vita, una pietra. Il che è detto con un ardito dantismo: non c'è dubbio infatti che scrivendo « impietro », usando il meno comune *impietrare* anziché *impietrire*, per di più con costrutto intransitivo, Montale aveva nella mente il verso famosissimo del canto del conte Ugolino (*Inf.*, XXXIII, 49): « io non piangëa, sì dentro impetrai » [2].

Quel bisogno di razionalità e di chiarezza che caratterizza le analisi psicologiche di Montale negli anni degli *Ossi di seppia*, porta a specificare la lunga storia dei rapporti del poeta col mare, visto come maestro di vita. Ma più che l'andamento analitico che prende questo secondo movimento da « Tu m'hai detto... » a me dispiace la dissonanza che avverto nell'aggettivo « piccino », non tanto perché il fermento non era piccino (piccino se mai era il poeta), ma per la sfumatura sentimentale, quasi pascoliana, che esso comporta. In effetti la lezione che il mare dava al fanciullo era la stessa che ora dà all'adulto: arricchirsi attraverso l'esperienza senza tradire la propria natura, e trovare in sé la forza di liberarsi dagli errori. Nel mare che sa « essere vasto e diverso, E insieme fisso » si coglie qualche cosa di simile a quello che Valéry dice nel *Cimitero marino*:

> La mer, la mer toujours recommencée!

Ma per osservare come in Montale, nonostante qualche concessione ai modi discorsivi di un'alta didascalica, il pensiero tenda a risolversi nella concretezza delle immagini (non per istituire un confronto, che del resto sarebbe inopportuno, tra il nostro poeta meno che trentenne

---

[2] Che il verbo, fortemente espressivo, si sia impresso nella memoria del poeta è provato dal suo tornare nel quarto movimento, in un passo nel quale si dà un vero ricupero del significato originario di *impietrare*: « un ciottolo Ròso ... impietrato soffrire senza nome ».

e Valéry che era nel pieno della sua maturità di cinquantenne quando scrisse il *Cimitero marino*) c'è da precisare che nel verso di Valéry l'intuizione poetica si complica con elementi intellettuali e filosofici: « la mer toujours recommencée » diventa quasi un sorite da filosofo eleatico, come « la freccia che vibra, vola, e che non vola ». Valéry è affascinato dal prodigio dell'immobilità nel movimento, del fluire del tempo nell'eterno; Montale esalta invece la lezione di vita che il mare dà all'uomo.

Il secondo movimento, che si apre con il vocativo carico di suggestione e non privo di una bella enfasi, si chiude con un'endecasillabo ampio, formato da un settenario che fa quasi parte a sé e da un quaternario che dà un forte risalto alla parola solenne « abisso ». In quel misurato alternarsi di toni che è proprio dell'impianto musicale di *Mediterraneo*, il terzo movimento attacca su note basse, e si svolge nella prima parte con tono quasi narrativo. L'andamento narrativo non è soltanto nell'avvio « Scendendo qualche volta Gli aridi greppi », ma in tutta la rievocazione di una ben determinata stagione, l'autunno, momento della maturità, della pienezza vitale, quando i frutti hanno tutti i loro succhi e la natura ha portato a termine il processo di rinnovamento incominciato a primavera. Ma nell'autunno c'è il presagio della fine dell'anno, dell'imminenza di quella morte che saranno il gelo e l'immobilità dell'inverno. Perciò l'autunno, come lo sente il poeta, è stagione che ben s'intona ai moti alterni del mare, al suo pulsare e vivere ed essere sempre immobile, sempre uguale a sé.

Nello scendere pendii asciutti per l'arsura estiva – e perciò ben diversi (*divisi*) da quelli gonfi d'acqua visti in autunno – il poeta avvertiva la presenza del mare come una realtà grande e poderosa che gli faceva perdere la nozione del tempo, legata al ciclo delle stagioni. Percepiva il respiro del mare a poco a poco come un ansimare dell'aria che era sembrata fino allora immobile. Così gli si rivelava il rapporto drammatico tra le cose della terra e il mare che l'attrae, quasi che il mare voglia abbracciare la terra. La materia pesante, la pietra stessa si animano in questa tensione verso il grande e mostruoso abisso marino, e le canne avide (bellissimo questo aggettivo che dà un senso tutto umano alla sete delle canne) pare che diano un loro assenso alla legge del mare, alla sua vitalità, col desiderio di rivitalizzarsi per mezzo dell'acqua. La pietra e le canne infatti non sono simboli, ma creature che sentono e patiscono le loro sensazioni non diversamente dagli uomini.

Dall'avvio basso, narrativo, il tono si è rapidamente alzato. Il senso della poesia è cosmico, e qui si apre uno dei momenti più tipici del Montale metafisico, strettamente legato al Montale fisico:

Tu vastità riscattavi
anche il patire dei sassi:
pel tuo tripudio era giusta
l'immobilità dei finiti.

È questa l'interpretazione in chiave metafisica della fisicità: è quasi la dialettica della vita (bene-male; luce-tenebre; felicità-infelicità) ricavata dalla dialettica inerente al contrasto tra il mare (infinitudine e movimento) e la terra (senso del finito e immobilità). Dramma ed elegia, tensione quasi dolorosa e percezione di una felicità immensa, questo di riflesso lo stato d'animo del poeta che, mentre scende verso il mare, sente i soffi d'aria salmastra come qualche cosa che lo sommuove nell'intimo, e, giunto al cospetto del mare, ne osserva la superficie in bonaccia come « un giuoco di anella », un'increspatura che somiglia all'intricarsi degli anelli d'una o di molte catene. Questo ritorno dell'animo alla serenità dopo lo sconvolgimento è simile al ritrovarsi d'una fragile creatura in luogo sicuro. Certo nella così detta ornitologia montaliana merita un posto privilegiato la pavoncella (graziosissimo uccello dalle penne di color verde metallico e con un bel ciuffo sulla testa) colta nel momento in cui, salvandosi dalla convalle marina in cui s'era persa, si trova sulla spiaggia. Osservare che questa pavoncella entra quasi come entrano i paragoni nella poesia classica, in quanto la formula « con questa gioia » equivale a un *così*, potrebbe però ridurre il significato della chiusa felicissima. Troppo la natura, anche la più pesante natura (la pietra, le avide canne), è entrata nella poesia di questo movimento quale protagonista per non sentire anche la pavoncella come un personaggio della poesia. Ma sopra tutto differenzia dai paragoni della poesia classica l'immagine della pavoncella la natura di « scherzo », che essa ha nella partitura musicale di questo terzo movimento.

La gioia della persa pavoncella che si salva precipitando sulla spiaggia determina poi la giusta pausa musicale fra il terzo e il quarto movimento. Anche il quarto si apre su toni sommessi, ma un accento di affettività più intensa è sùbito avvertibile per l'articolarsi del discorso nei modi del colloquio. Non c'è un vocativo vero e proprio, ma in « t'assecondano » del secondo verso è ben implicito il vocativo, il quale sottolinea la disposizione sentimentale del poeta verso il mare, che col suo spettacolo gli ha fatto conoscere un mondo di pura immaginazione, lo ha esaltato sottraendolo alla mortificazione delle contraddizioni, al senso di corruzione in cui si consuma la nostra vita. Negli abissi del mare sta la « patria sognata », un luogo tutto bellezza e verità:

> Nasceva dal fiotto la patria sognata.
> Dal subbuglio emergeva l'evidenza.
> L'esiliato rientrava nel paese incorrotto.

Anche in questo momento in cui Montale più si abbandona a un'esaltata immaginazione c'è un graduale e lucidissimo procedere dal reale al fantastico. La definizione del padre Ceva a lui cara « la poesia è un sogno fatto alla presenza della ragione » si direbbe che trovi una conferma esemplare nel quarto movimento di *Mediterraneo*, dove la visione della città sommersa è ricostruita con la lucidità con la quale si spiegano soltanto i sogni fatti ad occhi aperti – i soli appunto da cui nasce la poesia –, ma tanta lucidità non ha il grigiore della prosa. Nella visione delle grotte marine « vaste O anguste, ombrose e amare » c'è già un respiro poetico, che si fa poi grandioso nelle « architetture Possenti campite di cielo ». Dalle sue grotte il mare offre alla vista un paesaggio irreale, fantastico, sullo sfondo azzurro del cielo. La potenza della poesia deve molto a quel « campite », parola tecnica che ha tuttavia la forza metaforica delle parole poetiche. *Campire* è dipingere a superficie unica, senza sfumature per creare lo sfondo, sopra tutto di un affresco; un denominale dunque che rafforza il senso traslato del nome da cui deriva: *campo* nel significato di sfondo, proprio del linguaggio dei pittori. Le possenti architetture campite di cielo sono il riflesso e l'indizio di più nascoste architetture che il mare cela nel suo fondo, di quella città che è la « patria sognata ».

Nel dettare i versi sulla città sommersa Montale è stato suggestionato non da altra poesia, ma ancora una volta, e non per quello che riguarda gli accordi e i valori musicali delle parole ma per il tema, da un brano famoso di musica impressionistica: la *Cathédrale engloutie* di Claude Debussy. Nell'opera del grande musicista francese occupano un posto di rilievo i *Preludi*, che vennero pubblicati in due quaderni, il primo nel 1910, il secondo nel 1913. La *Cathédrale engloutie*, alla quale Montale accennerà poi nella nota ad un mottetto, è il decimo dei *Preludi*[3]. Nel comporla Debussy si era ispirato a una leggenda bretone, che raccontava come la favolosa città di Is fosse stata sommersa dall'Oceano, e con la città la sua cattedrale. Nei giorni di tempesta, raccontava la leggenda, tra le onde sconvolte se ne vedevano spuntare le guglie; nei giorni di bonaccia, al mattino, sorgevano dal fondo suoni di campane e canti religiosi. Il modo nel quale Debussy svolge il suo preludio è un bellissimo esempio del suo impressionismo; c'è un grande movimento di campane in apertura, poi i suoni argentini si spengono in una musica lenta pervasa di malinconia, infine tornano a squillare i suoni delle campane. Nei versi del quarto movimento di *Mediterraneo* non c'è neppure il tentativo d'imitare la *Cathédrale engloutie* o, tanto meno, di entrare in gara con Debussy; ma l'idea – ed è superfluo insistere sulle date dei *Preludi* e sulla cultura musicale del nostro poeta – è sicuramente da porre in relazione con la *Cathédrale engloutie*.

Se la visione della città subacquea vuole essere il momento in cui viene esaltata la segreta e più prodigiosa bellezza del mare, questo sogno non è però un modo di evadere dagli impegni morali. Anzi il poeta riconosce ora più imperiosa ancora la «legge severa» che gli viene dal mare, quella enunciata nel secondo movimento «esser vasto e diverso E insieme fisso ...». Questa legge rende più acuta la sofferenza per il destino che grava su esseri e cose che soggiacciono, come l'uomo, alla inevitabile opera di corrosione della vita, al dolore, alla morte. Lontano sia dall'eroismo del superuomo sia dalla fuga in un mondo d'idillio, il poeta sente perciò come una pena sua propria la pena delle cose soggette a corrompersi e a morire: il «ciottolo Ròso» diviene per lui un «impietrato soffrire senza nome», e i relitti che la vita immancabilmente lascia dietro di sé sono

> l'informe rottame
> che gittò fuori del corso la fiumara
> del vivere in un fitto di ramure e di strame.

Ci si rivela così uno dei momenti più alti e più originali della poesia montaliana, nella pietà per il soffrire delle cose che il nostro razionalismo ci porta a considerare inanimate, e nel naturale e travolgente passaggio dalla comprensione per il dolore di un ben determinato

---

[3] Cfr. nelle *Occasioni* la nota al mottetto *Infuria sale o grandine?*: « Il rintocco subacqueo: molto probabilmente *La Cathédrale engloutie* ».

oggetto del mondo fisico alla riflessione sulla legge implacabile che grava su tutti gli esseri: quella che pretende l'annientamento di ciò che non è più vivo e vitale[4].

Fino al quarto movimento *Mediterraneo* svolge il tema del rapporto dell'uomo e delle cose terrestri col mare non in forma d'idillio, anzi con forte tensione drammatica, ma senza che tra l'elemento acqua e l'elemento terra si apra un contrasto. Il mare è il « padre » (v. 16 del quarto movimento), che per la sua antichità e per la sua potenza sterminata può scorare la debole creatura, ma gli si pone pur sempre davanti come un modello sublime, e attrae verso di sé le cose inanimate in uno spasmodico atto d'amore, come è detto nel terzo movimento:

> Or, m'avvisavo, la pietra
> voleva strapparsi, protesa
> a un invisibile abbraccio;
> la dura materia sentiva
> il prossimo gorgo e pulsava ...

Il mare è movimento; la pietra in particolare, ma anche tutti gli altri esseri terrestri sono condannati a una pesante immobilità. Non di meno tra il mare e la terra esiste un rapporto dialettico, in quanto l'immobilità della pietra e il moto del mare sono l'uno in funzione dell'altra:

> Tu vastità riscattavi
> anche il patire dei sassi:
> pel tuo tripudio era giusta
> l'immobilità dei finiti.

Quello che, specialmente nel terzo movimento, è visto come il manifestarsi della vita nel duplice esistere dell'elemento acqua e dell'elemento terra diventa però vero contrasto nel quinto movimento, che

---

[4] Il poeta pensa infatti alla « fiumara del vivere » e, nonostante la concretezza delle parole, il linguaggio è tutto metaforico. Per l'uso di *ramure* si vedano le osservazioni fatte a proposito dei versi di *Riviere* in cui si legge la medesima parola. *Fiumara* non sta qui a indicare i larghi corsi d'acqua ora asciutti ora a regime torrentizio che scendono dall'Appennino meridionale; ha il significato di *fiumana*, vale a dire la corrente di un fiume in piena. Non c'è nessuna improprietà linguistica, ma la ricerca di una consonanza con *ramure*. È facile osservare che mentre nella prima parte del movimento mancano le rime, la fine è costituita da una serie di versi legati fra loro da un fitto intreccio di rime e assonanze: *nome-rottame-strame*; *fiumara-prepara*; *sosta-incomposta*; *minaccia-bonaccia*.

enuncia nei versi iniziali il terrore dell'uomo di fronte al mare, il cui moto sembra ora ostile, la cui voce suona senza significato e forse paurosa:

Giunge a volte, repente,
un'ora che il tuo cuore disumano
ci spaura e dal nostro si divide.
Dalla mia la tua musica sconcorda,
allora, ed è nemico ogni tuo moto.
In me ripiego, vuoto
di forze, la tua voce pare sorda.

Lo sgomento che la disumanità e la mostruosità del mare gli infondono nell'animo fanno sì che il poeta ora ritrovi se stesso nella terra, in una terra scarsa di vegetazione, priva di ogni senso d'esuberanza, la quale si affaccia sul mare, ed è « metafora della propria vita presente che vi si risolve » [5]:

M'affisso nel pietrisco
che verso te digrada
fino alla ripa acclive che ti sovrasta,
franosa, gialla, solcata
da strosce d'acqua piovana.

Anche nel quinto movimento si dà l'incontro del linguaggio letterario con un linguaggio nuovo e realistico, che è proprio di tutto *Mediterraneo*. Come sa di letterario "spaura" del v. 3, verbo antico trecentesco, ma probabilmente suggerito qui dal Leopardi dell'*Infinito* (« Ove per poco Il cor non si spaura »), ha sapore letterario il latineggiante "ripa" e ben letterario è « acclive », che significa erto, ripido, e, secondo il Varchi, che lo prende in considerazione nell'*Ercolano*, è il contrario di *accline*, ossia digradante lentamente. Ma la poesia non sta nell'abile impasto linguistico, bensì nella energia con la quale è ritratta l'arida povertà di questo lembo di terra, nel significato che assumono contro il mare il terreno brullo e asciutto e la scarsa acqua piovana delle pozzanghere [6], così diversa da quella del

---

[5] Cfr. Sergio Antonielli, *Eugenio Montale*, in *Aspetti e figure del Novecento*, Guanda, Parma, 1955, p. 59. Per il significato degli « elementi » nella poesia di Montale, e non solo per questo, il saggio di Antonielli resta uno degli scritti più intelligenti dell'ormai vastissima bibliografia critica montaliana, tanto più notevole se si pensa all'anno in cui fu scritto: 1949.

[6] *Stroscia* nel significato di pozza d'acqua piovana, è attestato anche in testi letterari, ma del genere comico e realistico. Vive nell'uso parlato toscano.

mare, e che, proprio per essere l'antagonista dell'immensa massa di acqua salsa, porta a capire, come i poveri rigagnoli ricordati poco dopo, quale sia la segreta vitalità del « secco pendio » in cui il poeta riconosce la sua vera vita [7].

Ma nel « secco pendio » il poeta si riconosce veramente per i segni di sofferenza e di pietà che esso gli rivela. Nella « pianta Che nasce dalla devastazione E in faccia ha i colpi del mare ed è sospesa Fra erratiche forze di venti » (così simile all'agave dell'*Agave sullo scoglio*) si legge la lotta per la vita delle creature che non vogliono cedere ai colpi del destino avverso. Nel « pezzo di suolo non erbato » che « s'è spaccato perché nascesse una margherita » c'è un atto d'amore delicatissimo e generoso per la vita, ed è questo uno dei momenti più alti della poesia degli *Ossi di seppia*. Quando Pietro Pancrazi, infastidito dei poeti della doglia sismica che gli pareva avessero un modello in Montale, ma forse incapace per il suo gusto di capire quanta poesia ci sia anche nel paesaggio brullo e riarso della Liguria degli *Ossi di seppia*, augurava al nostro poeta di ritrovare spesso la felicità che gli aveva fatto inventare il volo del galletto di marzo in *Quasi una fantasia*, sbagliava segno. La grandezza di Montale sta in momenti come questo, che può far pensare anche alla ginestra leopardiana che « su l'arida schiena Del formidabil monte Sterminator Vesevo » effonde il suo profumo; al fiore del deserto del frammento manzoniano dell'*Ognissanti* che, al cospetto soltanto di Dio, spande « gli olezzi del calice e muor »; al verso di Gustavo Adolfo Bécquer che Montale mise poi come epigrafe ai Mottetti « Sobre el bolcán la flor ». Ma la poesia di Montale è nuova anche rispetto a così memorabili precedenti, perché il motivo che la ispira è il prodigioso senso di pietà della terra verso il fiore. Ed è questo atto d'amore che distoglie l'occhio del poeta dal mare, che ormai egli sente lontano, diverso, ostile, mentre la terra gli rivela una dolce bellezza:

---

[7] Riprendendo le osservazioni di Antonielli, Guido Almansi (*Earth and Water in Montale's Poetry*, « Forum for Modern Language Studies », vol. II, n. 4, Ottobre 1966) ha insistito sulla dialettica degli elementi, e specialmente degli elementi acqua-terra, nella poesia montaliana, e ha abbondantemente esemplificato la presenza dell'acqua nel suo significato simbolico. In particolare per il quinto movimento di *Mediterraneo* vale quello che egli osserva riferendo il pensiero di Gaston Bachelard (*L'eau et les rêves*, Corti, Parigi, 1942, pp. 16-17) sulla fondamentale ambiguità dell'immaginazione poetica di fronte alla materia: « una materia che l'immaginazione non può far vivere doppiamente non può assumere la funzione psicologica di materia originale ».

Guardo la terra che scintilla,
l'aria è tanto serena che s'oscura.

Stupenda nota di paesaggio che, per la percezione sensuale della luce, ricorda il più grande D'Annunzio, quello della *Pioggia nel pineto*, di *Bocca d'Arno*, sopra tutto della *Sera fiesolana*. Si pensi soltanto ad alcuni particolari bellissimi della prima strofa della *Sera fiesolana* («l'alta scala che s'annera Contro il fusto che s'inargenta»; la luna che «è prossima a le soglie Cerule e par che innanzi a sé distenda un velo»), e si vedrà con quale senso della misura Montale abbia tratto partito dalla migliore lezione di D'Annunzio.

Dopo questi momenti di grande poesia, la chiusa del quinto movimento non può essere che la confessione aperta del sentimento che il poeta prova ora verso il mare: un distacco quasi rancoroso, che è quello che il figlio nutre talvolta verso il padre[8].

Fino a questo punto, fra ammirato entusiasmo e sconcertato distacco, il mare è stato visto come valore morale. Solo nel sesto movimento è visto come il grande serbatoio della poesia; e la dolorosa previsione del buio e del silenzio che forse l'attendono porta il poeta a pensare che dalla memoria gli uscirà un giorno persino il ricordo delle rime. E questa è una pena per il poeta, che ha come obiettivo l'espressione giusta: la pena che nasce dal riconoscere l'inadeguatezza della parola di fronte alla cupa storia che non si racconta. La seconda parte del movimento è poi tutta sul rapporto tra la voce del mare e le parole della poesia, su ciò che di quella voce è passato e risuona nelle sillabe della poesia.

La coscienza del limite è il tema anche del settimo movimento, nel quale il poeta dichiara esplicitamente lo scacco subìto. Mentre aspirava alla sicurezza che si consegue quando ci si uniforma a una legge morale intransigente, egli non ha poi saputo vincere la propria

---

[8] *Rancura* è una bella parola antica, duecentesca, usata anche da Dante (*Purg.* X, 133). Era già disusata nel Cinquecento. Il Varchi nell'*Ercolano* trattava di *rancura* ed anche del verbo *rancurare* (usato da Dante in *Inf.* XXVII, 129), e faceva discendere il sostantivo dal provenzale, spiegandone rettamente il significato come «tristizia e doglienza» (cfr. *L'Ercolano e Lezioni quattro sopra alcune questioni d'amore*, Sonzogno, Milano, s. a., pp. 72-73). Bernardo Davanzati, in una nota alla sua traduzione di Tacito (*Annali* VI, 44), distingueva tra *rancore* che «significa odio, e si usa», e *rancura*, che vale propriamente «compassione; e oggi non s'usa». In Montale il significato è però se non identico assai simlie a quello di *rancore*. Ma già D'Annunzio aveva usato in questo significato arbitrario *rancura*, nella *Figlia di Jorio*: «Contro Lazzaro antica Rancura, odio antico nudrivo».

natura di essere perplesso e indeciso. Le contraddizioni e la debolezza che deve riconoscere in sé sono quelle proprie di un intellettuale che osserva, analizza, giudica, ma non sa decidere. A riassumere e a spiegare la confessione dei propri dubbi, entra una di quelle definizioni che assumono spesso nella poesia montaliana il tono perentorio delle massime di valore universale, dettate comunque da un moralista che non cessa di essere poeta grazie alla forza analogica e simbolica del suo linguaggio:

> e forse
> m'occorreva il coltello che recide,
> la mente che decide e si determina.

Il commento a questa conclusione e a tutto il settimo movimento, per la contrapposizione che si dà tra il poeta che vive nel mondo della sua fantasia e l'uomo pratico che sa compiere le semplificazioni delle quali si ha bisogno per agire, si trova nella *Intervista immaginaria*, dove Montale confessa: « pensai presto, e ancora penso, che l'arte sia la forma di vita di chi veramente non vive: un compenso o un surrogato » [9].

Nella lucidità con la quale egli ha vissuto questo dramma mi sembra d'altra parte che si debba riconoscere la prima ragione della sua simpatia per l'opera di Svevo. I personaggi di Svevo – e più di tutti Emilio Brentani, protagonista di *Senilità*, cioè del romanzo che Montale nei suoi primi sondaggi critici su Svevo apprezzò sopra gli altri – hanno, come l'autore stesso ebbe ad osservare, l'intelligenza tipica dei letterati, i quali sanno essere osservatori acuti delle cose, ma non sanno poi agire conformemente alla lucida visione dei fatti. È forse superfluo dire che della teoria della infelicità e degli errori dei letterati e della serenità soddisfatta degli uomini pratici Svevo ha dato dimostrazioni diverse nei romanzi e nei racconti, svolgendo il suo tema da narratore, con le analisi psicologiche e le motivazioni necessarie. Montale, mentre dichiara l'errore di essersi scelto un modello troppo alto e confessa che forse gli sarebbero occorsi altri libri e non la pagina rombante del mare, riconosce che quella lezione era però degna di venire ascoltata perché, non nel dominio della vita pratica ma in quello della vita contemplativa, il mare col suono stesso delle sue onde gli ha rivelato verità non altrimenti conoscibili. Questi versi,

---

[9] *Sulla poesia*, p. 562.

che contengono un appassionato esame di coscienza e presentano quasi una storia compendiosa delle personali esperienze morali del poeta, una volta che il pensiero è tornato ad affissarsi sulla grandezza sublime del mare, si chiudono con un endecasillabo veramente esaltante:

Il tuo delirio sale agli astri ormai.

La burrasca è un delirio, e con le onde sconvolte il mare aggredisce addirittura l'immensità del cielo, sfida il silenzio luminoso degli astri.

L'ottavo movimento, che si lega strettamente al verso finale del settimo (« vaneggiamento » del v. 3 è nettamente un sinonimo di « delirio ») riprende gli spunti del sesto, rendendoli più drammatici. Le concordanze sono evidenti. Se aveva detto infatti che una fiducia veniva dal sentire che un poco del dono del mare era passato nei suoi versi (« un poco del tuo dono Sia passato per sempre nelle sillabe Che rechiamo con noi, api ronzanti »; « serberemo un'eco Della tua voce »), ora il poeta formula questo augurio:

dato mi fosse accordare
alle tue voci il mio balbo parlare.

Se aveva pensato che le parole senza rumore educate ascoltando la musica del mare dovessero sembrare « sapide di sale greco » a un cuore fraterno, ora confessa di avere sognato di rapire al mare

le salmastre parole
in cui natura ed arte si confondono.

Ma nell'ottavo movimento tutto questo è detto in modo che più doloroso risulti il fallimento del poeta nella gara col mare:

non ho che le lettere fruste
dei dizionari, e l'oscura
voce che amore detta s'affioca,
si fa lamentosa letteratura.
Non ho che queste parole
che come donne pubblicate
s'offrono a chi le richiede;
non ho che queste frasi stancate
che potranno rubarmi anche domani
gli studenti canaglie in versi veri.

Non è solo di Montale l'aver riconosciuto il fallimento della parola poetica, che resta troppo al di sotto della voce che detta dentro, e sarebbe esercizio abbastanza ozioso accumulare confessioni di questa specie reperibili in altri poeti. Soltanto per capire meglio il tono dei versi montaliani merita di essere ricordato il passo bellissimo de *La Pietà* di Ungaretti:

> Ho popolato di nomi il silenzio.
> Ho fatti a pezzi cuore e mente
> per cadere in servitù di parole?
> Regno sopra fantasmi.

Quello di Ungaretti è uno straziante grido lirico. Montale tende invece a una riflessione sul suo scacco di poeta che lo porta ad assumere l'accento di colui che si confessa e quasi racconta, facendo entrare nel gioco letterario anche l'ironia, che si avverte sopra tutto dove vengono paragonate alle « donne pubblicate » le parole che si offrono a chi le richiede e dove sono di scena gli « studenti canaglie ».

Se la struttura di *Mediterraneo* è di natura eminentemente musicale, ricordiamo però la definizione della poesia più sopra menzionata: un mostro, musica fatta di parole e addirittura di pensieri. Qualche stonatura va dunque messa in conto della « mostruosità » propria della poesia, di ogni poesia. Nell'ottavo movimento, dopo l'abbassamento di tono portato dall'ironia – un abbassamento ben calcolato –, la chiusa forza un poco. La forzatura non è tanto nella nota paesistica (« Ed il tuo rombo cresce, e si dilata Azzurra l'ombra nuova ») quanto nell'ultimo verso:

> Sensi non ho; né senso. Non ho limite. [10]

Ma quella che è una stonatura nell'ottavo movimento, è un ponte di passaggio al nono ed ultimo. L'annientamento, il dissolversi quasi della persona nel flusso delle cose, enunciato nell'ultimo verso dell'ottavo movimento, consente l'avvio del nono, la naturalezza del tono che c'è nel nuovo colloquio col mare, nel chiedergli di cancellare addirittura il ricordo della propria presenza nel mondo, come la spugna cancella dalla lavagna il segno di gesso. Poiché ciò che si riprometteva dalla vita non si è realizzato, per il poeta tornare al mare è tornare al cosmo, annullarsi in un potente soffio vitale. La venuta dell'uomo

---

[10] La sproporzione o forzatura viene forse dalla ripresa di affini espressioni dannunziane, registrate dal Mengaldo ne *La tradizione del Novecento. Da D'Annunzio a Montale*, pp. 41-42.

sulla terra è segnata sempre dall'attesa di qualche avvenimento. Da sé il poeta attendeva di potere lasciare la testimonianza di qualche cosa di grande e di vero: invece è come se durante il viaggio della vita egli si fosse addirittura dimenticato di quello che avrebbe dovuto fare. Dentro la sua poesia, che è la parte più vera di lui, non si trova ciò che avrebbe voluto affidarle come un messaggio. La lezione del mare resta vera per la suggestione indefinita che il poeta prova al suo cospetto, per lo sbigottimento che lo prende, simile a quello che prova uno scemato di memoria quando si risovviene del suo paese: ed è pervasa da un senso di pietà altissima questa immagine dell'uomo che ha perduto la memoria – un fatto che si banalizza nella cronaca dei giornali – e che ritrova nel buio della sua coscienza una luce improvvisa, quando gli affiorano i ricordi dell'infanzia e del suo paese. Ma la bellezza dell'immagine deriva anche dall'occasione che la fa nascere: balugina nella mente dello scemato di memoria appena una luce, come al poeta per provare sbigottimento basta appena avvertire il suono della risacca sulle prode, anzi, come è detto con un verbo di singolare espressività, gli basta *traudire* quel suono.

Con coerenza che è al tempo stesso stilistica e psicologica, tra i vari aspetti che assume il mare « vasto e diverso E insieme fisso » (secondo movimento) ora è sentito come più suggestivo quello della bonaccia in qualche meriggio desolato, quando l'ansare della grande massa d'acqua quasi non dà suono e la sua forza è simile a quella del gigante in riposo, più minacciosa perché più misteriosa di quella che si manifesta nello scatenarsi delle tempeste.

Anche nel primo movimento dal mare veniva un'impressione di potenza gigantesca ma non sfrenata, e su tutto gravava l'atmosfera afosa di un giorno estivo. Ma, riconoscendo alla fine del poemetto nella bonaccia di un'ora meridiana la manifestazione più grandiosa della smisurata forza del mare, quella ch'era stata una percezione istintiva diventa una figurazione carica di valore simbolico. E l'augurio (e più che augurio constatazione), che non avrebbe senso in altro luogo del poemetto e tanto meno nel primo movimento, chiude convenientemente *Mediterraneo*. Accettare la propria condizione è sentirsi particella del tutto destinata alla consunzione, ad ardere come la « favilla di un tirso »[11].

---

[11] Questo tirso non ha nulla a fare con il bastone intrecciato di pampini che si diceva fosse stato inventato da Bacco e venisse usato dalle Baccanti. Certo i pampini verdi non bruciano. In piena coerenza con questa poesia « marina », il tirso è il palo usato dai marinai per le segnalazioni, che porta in cima globi e banderuole.

DALL'INGORGO DELLE COSE LE ILLUMINAZIONI LIRICHE

Nella Nota messa in fondo alle recenti edizioni degli *Ossi di seppia* Montale dà questa sommaria informazione: « *Mediterraneo* è del 1924: la serie *Meriggi e ombre* appartiene al periodo 1922-1924, eccettuandone le poesie aggiunte all'edizione del '28 (*Vento e bandiere, Fuscello teso dal muro, Arsenio, I morti, Delta* e *Incontro*), scritte tutte nel '26 e nel '27 ». A parte che, per l'esattezza, *Vento e bandiere* e *Fuscello teso dal muro* non appartengono alla serie *Meriggi e ombre*, risulta dall'informazione che, nell'ordinamento dato non casualmente al suo primo libro di versi, Montale ha considerato *Meriggi e ombre* una serie, per così dire, aperta, nella quale potevano entrare anche poesie posteriori, e per di più poesie che segnano un momento decisivo nella sua carriera.

Abbiamo staccato da *Meriggi e ombre* l'*Agave sullo scoglio*, e non con un'operazione artificiosa. L'*Agave sullo scoglio* si lega infatti a *Riviere*, e, in parte, anticipandolo, a *Mediterraneo*. Del resto la questione che interessa non consiste nel forse insolubile accertamento di date, bensì nel riconoscere il diverso significato di *Mediterraneo* e di *Meriggi e ombre*.

Mediterraneo non è un momento risolutivo della poesia di Montale, e non è nemmeno il momento più alto degli *Ossi di seppia*. Non tutti sono stati di quest'avviso. Gargiulo, per esempio, nella Introduzione agli *Ossi di seppia* scriveva: « Ma il lettore vedrà – dovunque nel libro, non solo nella più bella serie: *Mediterraneo* – che muove meglio di ogni altra cosa l'ispirazione di Montale, se pure attraverso reazioni a momenti non abbastanza placate, il mare ... ». E Sergio Solmi nel suo primo saggio su Montale (1926) scriveva « Questo mare, se non è certamente il tranquillo specchio decorativo delle cartoline illustrate, non è neppure un concetto, un supposto metafisico ... Quest'aperto soffio salino dà l'aroma a tutto il libro, ne evoca lo sfondo e gli dà una sorta di ideale unità culminante in *Mediterraneo*. Qui lo sfondo equoreo scende in primo piano, effonde nelle parole il suo rombo instante, e si rivela al pensiero del poeta come l'eterno *réservoir* delle forme ... ». Solmi tuttavia precisava meglio il suo giudizio col definire il carattere delle altre serie del libro, gli « ossi » e *Meriggi e ombre*, e coglieva nel segno dove, spiegando che cosa sia *Mediterraneo*, nell'intenzione oltre che nei risultati, ne definiva così il significato: « Certo il poemetto *Mediterraneo* rappresenta uno di quei tentativi che nella lirica contemporanea dovrebbero segnarsi a dito e chiamarsi più unici che rari. Tuttavia mi sembra che alla casta eloquenza in cui la vena del Montale qui si distende non siano per qualche punto estranei quei toni di alta e musicalissima retorica di cui la poesia moderna ha in qualche lirica di Leopardi e Baudelaire alcuni classici esempi »[1].

Per un diverso giudizio di valore bisogna arrivare all'*Introduzione a « Ossi di seppia »* di Contini (1933), che avendo presente quanto aveva scritto Gargiulo, ma probabilmente non il parere più sfumato di Solmi, ebbe a dichiarare una preferenza personale – ma del tutto da condividere – per la serie degli « ossi di seppia » rispetto a *Mediterraneo*: « alla serie *Mediterraneo* è da anteporre semmai quella che dà il titolo al volume »[2].

Non solo per la materia trattata, per l'intrecciarsi cioè di motivi autobiografici e dei ricordi alle impressioni del paesaggio marino, ma anche per la forma distesa, che accoglie modi narrativi e li contempera alla tensione lirica, le poesie di *Meriggi e ombre* sono nel libro le più vicine a *Mediterraneo*; ma mentre nel poemetto, nonostante il mutare della disposizione sentimentale, c'è un voluto convergere di tutta la poesia su un unico tema, in *Meriggi e ombre* si dà la manifestazione più imponente di quello che è tipico di Montale, almeno in *Ossi di seppia*: la ricchezza delle cose viste e nominate e la fitta rete di relazioni dentro la quale si pongono.

Anche qui Contini ha visto giusto. Avendo presente in particolare una delle liriche più ampie della serie, *Fine dell'infanzia*, che viene però assunta come esemplare di una tendenza propria di altra poesia

---

[1] Sergio Solmi, *Montale 1925*, in *Scrittori negli anni*, pp. 19-24.
[2] Gianfranco Contini, *Una lunga fedeltà. Scritti su Eugenio Montale*, Einaudi, Torino, 1974, p. 15.

montaliana, egli osservava: « Si ha innanzi una fase "descrittiva", un folto, un ingorgo d'oggetti: buona parte di questo mondo potrebb'essere tagliata via »[3]. Ma il poeta stesso si rese conto di questa profusione, intervenendo a distanza di anni, almeno in un caso, con decise potature. A *Meriggi e ombre* appartiene infatti *Vasca*, che più d'ogni altra poesia degli *Ossi di seppia* venne trasformata non con interventi sulla lingua o sulla sua forma prosodica, ma eliminandone addirittura un lungo troncone. Dalla quinta edizione degli *Ossi di seppia* (1942) *Vasca* è costituita da due stanze: la prima di otto versi senza rime (un ottonario, due endecasillabi, un ottonario con accenti irregolari, quattro novenari, due dei quali sdruccioli); la seconda di sei versi di cui i primi due (novenario e endecasillabo) a rima baciata e gli altri quattro (novenario tronco, ottonario, endecasillabo tronco, endecasillabo) a rima alternata:

> Passò sul tremulo vetro
> un riso di belladonna fiorita,
> di tra le rame urgevano le nuvole,
> dal fondo ne riassommava
> la vista fioccosa e sbiadita.
> Alcuno di noi tirò un ciottolo
> che ruppe la tesa lucente:
> le molli parvenze s'infransero.
>
> Ma ecco, c'è altro che striscia
> a fior della spera rifatta liscia:
> di erompere non ha virtù,
> vuol vivere e non sa come;
> se lo guardi si stacca, torna in giù:
> è nato e morto, e non ha avuto un nome.

La superficie della vasca appena increspata è uno specchio nel quale si riflettono i rami di una belladonna in fiore e tra i rami fiocchi di nuvole[4]; un sasso rompe d'un tratto quella specie di quadro diafano (« vista fioccosa e sbiadita »)[5]. Ma qualche cosa di più misterioso

---

[3] Ivi, p. 11. Il giudizio, contenuto nel saggio *Introduzione a « Ossi di seppia »*, del 1933, è ribadito e meglio specificato nel capitolo *Montale e « La bufera »* del 1956: *op. cit.*, p. 84.

[4] *Rama* è un toscanismo che sa di prezioso, ma deriva probabilmente da D'Annunzio: « rame spoglie » de *La sera fiesolana*, v. 7, in *Alcione*. Montale lo usa anche in *Flussi* (« e più dalla sua rama non dipende Il frutto conosciuto »).

[5] Per l'aggettivo *fioccoso* cfr. *Fine dell'infanzia*, v. 4: « un mare cresputo e fioccoso ».

attrae lo sguardo quando la superficie della vasca ritorna liscia: che cosa sia quello che pare voglia emergere e non ne è capace, il poeta non lo dichiara; può essere tanto una cosa reale quanto un'illusione ottica: la sua poeticità, che è poi il suo vero esistere, sta nell'essere, o creatura o fantasma, un nato e morto che non ha nemmeno avuto un nome. E su questa impressione volutamente indefinita la poesia si chiude.

Ma fino alla quarta edizione (1941) *Vasca* aveva questo sèguito:

Ancora nell'ingannevole anello
trapassano le carovane dell'aria
e allora vi si stemprano
che snello
il fugace zampillo in alto svaria.
Vanno e non lasciano segno
in codesto concluso mondo
anche le nostre giornate
di fronte a un altro regno;
poi che dov'aprono l'acque
un tondo, anche angusto,
tutte le vagheggiate
fantasime nel profondo
s'umiliano come l'arbusto
procace sotto il vento —
e le ore ambigue
ti crescono nel petto, e minacciate. [6]

La definizione metaforica delle nubi « carovane dell'aria » riporta il pensiero alle « Nuvole in viaggio, chiari Reami di lassù! D'alti Eldoradi Malchiuse morte », di *Corno Inglese*, a *Fine dell'Infanzia* (« Eravamo nell'età verginale In cui le nubi non son cifre o sigle Ma le belle sorelle che si guardano viaggiare »), alle « isole dell'aria migrabonde » di *Casa sul mare*, e oserei dire che la definizione di *Vasca* è la più bella delle quattro. Ma non si ha da rimpiangere il sacrificio che il poeta ha voluto fare; importa piuttosto capire che il taglio è stato portato perché nella terza strofa si dava quasi un commento di quello che si legge nelle prime due, con un'amplificazione che enfa-

---

[6] Il testo è quello della terza edizione (Carabba, Lanciano, 1931), che corregge in qualche punto la prima. I vv. 10-11 della terza strofa si leggevano così nella I edizione: « ché dove s'apre un tondo D'acque, come che angusto »; al v. 14 si leggeva « tale » (invece di « come »); il penultimo verso era diviso dalla lineetta ma scritto su una sola riga.

tizza l'impressione dalla quale è nata la poesia e il pensiero che ne è scaturito.

Il tema dello specchio d'acqua, con l'improvviso riaffluire di ricordi e il loro rapido sparire nella lontananza del passato aveva per di più trovato un'espressione più limpida in uno degli « ossi »:

> Cigola la carrucola del pozzo,
> l'acqua sale alla luce e vi si fonde.
> Trema un ricordo nel ricolmo secchio,
> nel puro cerchio un'immagine ride.
> Accosto il volto a evanescenti labbri:
> si deforma il passato, si fa vecchio,
> appartiene ad un altro ...
> Ah che già stride
> la ruota, ti ridona all'atro fondo,
> visione, una distanza ci divide.

È evidente quanto più di vita poetica ci sia in *Cigola la carrucola* per l'indefinitezza inafferrabile dell'immagine che ride nel ricolmo secchio, e il suo sparire in una distanza che è quella del pozzo buio e, ancor più, quella del passato. La più intensa poeticità nasce dal sentimento tragico di cui si carica l'immagine riflessa nell'acqua, in quanto quest'acqua è quella di un pozzo; e in proposito, meglio di un commento specifico, valgono osservazioni acutissime di Gaston Bachelard. « Il pozzo – ha scritto il filosofo francese – è un archetipo, una delle immagini più gravi dell'anima umana. – Quell'acqua nera e lontana può segnare un'impronta definitiva su un'infanzia. Ha rispecchiato un volto attonito. Il suo specchio non è quello della fontana. Un Narciso non vi si può compiacere. Già nella sua immagine vivente sotto terra il fanciullo non si riconosce. Una nebbia è sull'acqua, piante troppo verdi inquadrano lo specchio. Un soffio freddo respira nella profondità. Il volto che ritorna in questa notte della terra è un volto d'altro mondo. Ora, se un ricordo di tali immagini riflesse viene alla memoria, non è il ricordo d'una preesistenza? »[7].

---

[7] Gaston Bachelard, *La poétique de la rêverie*, Presses Universitaires de France, Parigi, 1960, p. 98. Un'interpretazione di tipo strutturalistico di *Cigola la carrucola*, acuta nonostante qualche forzatura, in Angelo Marchese, *Visiting Angel. Interpretazione semiologica della poesia di Montale*, SEI, Torino, 1977, pp. 21-25. Anteriore è la lettura di Giorgio Barberi Squarotti intesa a scoprire « celato nel linguaggio aneddotico o oggettuale » il mito di Orfeo e Euridice: vd. *Gli Inferi e il Labirinto*, Cappelli, Bologna, 1974, pp. 211-214.

Studiando il tema dello specchio nella poesia montaliana l'Avalle ha preso in esame anche le due poesie degli *Ossi di seppia*[8]. Per la correzione radicale portata a *Vasca*, pensando a *Cigola la carrucola*, si potrebbe concludere con la citazione di una massima dello stesso Montale: «Non bisogna scrivere una serie di poesie là dove una sola esaurisce una situazione psicologica determinata, un'occasione»[9]. Ma, a parte il significato che ha nella psicologia del profondo il pozzo, la questione merita una risposta più esauriente.

Nel saggio più volte ristampato *Gozzano, dopo trent'anni*[10], citando, dai *Colloqui*, *L'assenza*, Montale isolava due quartine – la prima e la sesta –, per indicare un momento in cui si trova «un Gozzano più lirico, ma già somigliante ad altri "armonisti in grigio e in silenzio" del primo Novecento»:

Un bacio. Ed è lungi. Dispare
giù in fondo, là dove si perde
la strada boschiva, che pare
un gran corridoio nel verde.
. . . . .

Lo stagno risplende. Si tace
la rana. Ma guizza un bagliore
d'acceso smeraldo, di brace
azzurra: il martin pescatore ...

Edoardo Sanguineti, che ha ingegno da vendere ma che ha il torto di preoccuparsi qualche volta più di apparire intelligente che di dire cose giuste, e che perciò semplifica anche l'interpretazione della poesia per adattarla a sue tesi preconcette, ha osservato che con quella citazione Montale riusciva a inventare una specie di Gozzano premontaliano, un poeta capace di quelle scorciatoie che riducono al minimo l'occasione da cui nasce la poesia, e che intensifica i momenti puramente lirici, con l'affidarsi al potere evocativo delle parole e delle immagini. Ed è quasi superfluo avvertire che Sanguineti non mancava

---

[8] Vd. D'Arco Silvio Avalle, *Tre saggi su Montale*, Einaudi, Torino, 1972, pp. 31-32 e 74. Ai passi registrati da Avalle sul tema dello specchio, anzi di una superficie d'acqua nella quale le cose si rispecchiano, è da aggiungere per gli *Ossi di seppia* la prima quartina di *Ripenso il tuo sorriso*: «Ripenso il tuo sorriso, ed è per me un'acqua limpida, Scorta per avventura tra le petraie d'un greto, Esiguo specchio in cui guardi un'ellera i suoi corimbi ...». Sulle suggestioni dannunziane presenti nei corimbi dell'ellera, cfr. Mengaldo, *op. cit.*, p. 35.

[9] *Intenzioni (Intervista immaginaria)*, in *Sulla poesia*, p. 563.

[10] Ora in *Sulla poesia*, pp. 55-62. Per il passo qui discusso vd. pp. 60-61.

di riconoscere nei versi di Gozzano una figura del mondo marino degli *Ossi di seppia* in quel martin pescatore, che dovrebbe somigliare al martin pescatore che « voltegga s'una reliquia di vita » di *Gloria del disteso mezzogiorno*[11].

Le osservazioni di Sanguineti, che hanno peraltro una loro parte di verità, nascono da una forzatura, in quanto puntano sull'ipotesi che la poesia di Montale sia quella degli « ossi », dei mottetti, delle liriche più folgoranti fino alla *Bufera*. Invece vistosamente negli *Ossi di seppia*, e ancora più tardi, Montale è un poeta che ha anche il gusto dei grandi affrescatori rinascimentali, i quali non si stancavano d'infoltire di oggetti i loro dipinti, e in *Meriggi e ombre* il suo stile descrittivo, e a volte addirittura narrativo, tocca il suo estremo. E se in *Vasca* egli ha avuto il coraggio di fare una forte potatura, si è ben guardato dal compiere questa operazione in altre poesie che appartengono alla stessa stagione creativa.

Nella *Nota sul linguaggio di Montale: l'elencazione ellittica*[12] Angelo Jacomuzzi ha scritto osservazioni molto giuste, sulle quali si ha da riflettere. L'elencazione ellittica, secondo Jacomuzzi, ha in Montale un significato diverso che in altra lirica del Novecento, nella quale essa è il modo « tipico di una poetica che affida le sue suggestioni all'iniziativa e alla prosecuzione lirica del lettore ». In Montale la designazione delle cose per ellissi, al contrario, « mira, cancellando l'alone evocatorio delle vibrazioni soggettive, a una perentoria presentazione dell'oggetto ... *non ha, insomma, il valore semantico dell'incompiutezza* ». A parte il solo esempio, ma ancora indeciso, di *Caffè a Rapallo*, l'elencazione ellittica è però vista da Jacomuzzi come un fenomeno tipico delle *Occasioni* e ancora, non senza qualche differenza, della *Bufera*, non degli *Ossi di seppia*. E anche questo è vero; senonché se non l'elencazione ellittica, negli *Ossi di seppia* può esserci l'elencazione, come uno dei modi in cui si manifesta il folto, l'ingorgo di oggetti di cui ha detto Contini. Collabora a questo tipo di elencazione un'operazione della memoria, che si direbbe non liberamente mossa, ma accompagnata da un voluto controllo logico. Così in *Egloga*, poesia folta di immagini e di ricordi, i quali più nell'intenzione del

---

11 Vd. Edoardo Sanguineti, *Da Gozzano a Montale*, in *Tra Liberty e Crepuscolarismo*, Mursia, Milano, 1961, pp. 28-29.

12 Vd. Angelo Jacomuzzi, *La poesia di Montale. Dagli « Ossi » ai « Diari »*, Einaudi, Torino, 1978, pp. 3-13.

poeta che non nell'effettivo risultato dovrebbero formare una «storia» ben individuata.

C'è in *Egloga* una specie di contrapposizione tra la felicità del passato e il presente nel quale non si vede più il «cerulo marezzo», cioè il cielo striato di nubi leggere, e le cose portano tutte, diversamente, un'impronta di violenza o di distruzione. Le immagini del presente si susseguono appunto in una elencazione, ma non ellittica; anzi, nonostante la contrapposizione dei due diversi tempi, c'è un elemento comune che segna l'accordo tra la rievocazione idillica del passato e quel tanto di drammatico che sconvolge il presente, ed è un elemento proprio dello stile impressionistico.

Per ottenere quella sorta di dissoluzione della figura nella luce che è dell'impressionismo pittorico, i poeti simbolisti privilegiano il sostantivo astratto, in modo che quello che nel linguaggio comune si esprime con un sostantivo concreto specificato da un aggettivo indicante il colore, il suono, ecc. viene detto, anche ricorrendo ad ardite sostantivazioni, con l'invertire il normale rapporto logico tra nome e attributo. «Bigio ondoso», «cerulo marezzo», «un rombo di treno» sono in *Egloga* i modi più evidenti di questa maniera stilistica; ma ad essa si riportano anche l'«aria di troppa quiete», che sarebbe in prosa «un'aria troppo quieta»; la «grigiura», per il dissolversi addirittura del colore in atmosfera, e l'ardita ma astratta «bracciata di amara... scorza» dell'istante.

Viceversa, uno stile tutt'altro che impressionistico, di una singolare forza realistica, s'inserisce a tratti in questi versi: «brucia una toppa di cielo In alto»; «strepita un volo come un acquazzone». La presenza di modi stilistici assai diversi tra loro, quasi opposti, non porta proprio a qualche cosa di stridente; sta a provare che in questa poesia, abbastanza facile, l'unità è più apparente che vera: la sovrabbondanza di materia viene dal fondere e confondere il presente e il passato, e i particolari vivono quasi tutti per sé, non si ordinano in una visione che li unifichi. Però la fantasia è presa da quelli di più forte sostanza realistica. Quella scelta che il poeta, si direbbe, non ha saputo o voluto fare, la fa poi il lettore, che è portato a cancellare dalla sua memoria i versi:

> S'è ricomposta la fase che pende
> dal cielo, riescono bende
> leggere fuori
> . . . . .

Non serve più rapid'ale,
né giova proposito baldo, [13]

e non dà molto credito alla parvenza di donna, che il poeta ci assicura
non essere una Baccante, o alla mal spiegabile «frenesia durata Il po-
meriggio», e ricorda piuttosto il «fitto di fagioli», lo spicchio di
luna al primo crepuscolo, con quell'ardito verbo *corneggiare* («Sul
tardi corneggia la luna»), e quello che è il momento di poesia più
semplice e più bello di tutta *Egloga*:

Nei miei paesi a quell'ora
cominciano a fischiare le lepri.

E così facendo il lettore, se ci si vuol lasciar passare il paragone, non
compie un'operazione più arbitraria di quella che si fa quando, valen-
doci magari delle riproduzioni fotografiche, isoliamo in un quadro
troppo fitto di oggetti quei particolari nei quali risplende veramente
il genio creativo del pittore.

«Elencazione non ellittica» potrebbe dunque essere definito il
folto descrittivismo delle poesie di *Meriggi e ombre*, e la definizione
vale se viene messa in relazione con l'elencazione ellittica della più
matura poesia montaliana, e, nonostante le patenti differenze, viene
vista come una sua anticipazione. Un grammatico, che non avesse
molto rispetto per la poesia, potrebbe compiere questa pericolosa operazione di verifica: eliminare, nelle serie delle elencazioni di alcune
poesie di *Meriggi e ombre*, se non tutti, quasi tutti i verbi. Otterrebbe
un testo molto più vicino di quanto non si potrebbe prevedere a quelli
caratterizzati dalla elencazione ellittica. Chi rifiuta come una profanazione simili esercizi non ci si provi; ma a chi volesse fare l'esperimento
suggerirei di tentarlo sui versi 12-26 di *Egloga*.

Per *Meriggi e ombre* in particolare, come per gli *Ossi di seppia* in
generale (o meglio, per gli *Ossi di seppia* nell'edizione del 1925) non
vale dunque l'osservazione, peraltro acuta di Sanguineti: «la poesia
di Montale ... è sempre scritta come in margine a una strofa alla quale
il poeta abbia poi, in qualche modo, rinunciato» [14], e non vale nemmeno la correzione o precisazione portatale da Jacomuzzi, che in luogo

---

[13] C'è però differenza tra i vv. 28-30 e i vv. 32-33: i primi descrivono in forma
immaginosa il tornare della calma nel cielo striato di nubi; i secondi alludono un po'
enfaticamente alla rinuncia morale.

[14] Edoardo Sanguineti, *Tra Liberty e Crepuscolarismo*, p. 28.

di *poi* (« abbia poi ... rinunciato ») scriverebbe *prima*, per « indicare una consapevole rottura » [15].

Come una lunga serie di strofe di uguale misura si presenta una delle poesie più riccamente descrittive di *Meriggi e ombre*, *Marezzo*. Sedici quartine rimate, la cui regolarità è volutamente spezzata però con vari accorgimenti. Infatti le rime sono ora alternate (ABAB) ora incrociate (ABBA), e questi cambiamenti portano già una sorta di frattura nelle strofe. Per di più le rime hanno alcune irregolarità: nella terza strofa *s'arresta* rima con *estua*, nella settima *ruvido* con *diluvio*, nella decima *gonfio* con *tonfo*. Ci sarebbe anche da notare l'acceleramento che qua e là portano le rime sdrucciole: *morbida intorbida* nella sesta strofa, *gravano-oscillavano* nella quindicesima, e l'irregolare *ruvido-diluvio* della settima. Le variazioni dentro lo schema della quartina sono però portate sopra tutto dall'uso di versi di disuguale lunghezza. Dopo le prime due quartine di endecasillabi, il poeta alterna liberamente all'endecasillabo il settenario, l'ottonario, il novenario *faux-exprès*, il decasillabo, l'endecasillabo ipermetro (« Guarda il mondo dal fondo che si profila », « Forse vedremo l'ora che rasserena »). Il risultato è ben diverso da quello ottenuto, per esempio, dal D'Annunzio nelle quartine di novenari di *Undulna*, che con il loro movimento regolare sembrano ripetere il movimento sempre uguale dell'onda che s'infrange sulla riva [16]. La studiata irregolarità delle strofe di *Marezzo* serve ad accogliere una materia descrittiva varia e a dare alla poesia un'articolazione o, sarebbe meglio dire, una disarticolazione di tipo narrativo, in cui s'innestano con tutta naturalezza le parentesi meditative.

Il titolo *Marezzo*, per cui si pensa al « cerulo marezzo » di *Egloga*, v. 12, allude alle mezze tinte, quasi alla variegatura di questo paesaggio marino, la cui descrizione parte da note forti, avvertibili, più che nei particolari paesistici in sé, in certa violenza verbale. Si osservi già quell'« aggotti » isolato, in principio, duro termine del linguaggio marinaresco (*aggottare* significa toglier l'acqua che è entrata nella barca per mezzo della cucchiaia di legno detta *gottazza*); ma si osservino ancor più le parole in rima *sbilancia*, *smeriglia*, *rancia*, *scompiglia*, *sparpaglia*, *scandaglia*, *s'arresta*, *fiammeggia*, *estua*, *scheggia*, e, non

---

[15] Angelo Jacomuzzi, *La poesia di Montale*, p. 10.
[16] Comunque il rapporto con *Undulna*, nonostante le rilevanti differenze, mi sembra l'aspetto più significativo del dannunzianesimo di *Marezzo*. Per qualche possibile prestito verbale dannunziano si veda Mengaldo, *op. cit.*, p. 37.

ultimo indizio di ricercata tensione espressiva, l'inversione nella frase « lo sciame che il crepuscolo sparpaglia Dei pipistrelli », che rischia di essere un'anfibologia.

I particolari del paesaggio nelle strofe che seguono, dalla quarta alla settima, hanno una più dolce pacatezza e, presi ad uno ad uno, sono molto belli. Si è specialmente affascinati dalla semplicità con la quale sono rese le vibrazioni quasi impalpabili della luce e dei colori:

> Guarda il mondo dal fondo che si profila
> come sformato da una lente
> . . . . .
> è l'aria un'ala morbida
> ... la troppa luce intorbida.

Ma la larga trama descrittiva di *Marezzo* a tratti s'interrompe per accogliere ed esaltare impulsi più profondi, nei quali c'è l'indizio di tendenze che troveranno espressione più sicura nella poesia delle *Occasioni*. Ha evidentemente un suo peso l'insistente ritornare del « tu », che carica di affettività tutto il discorso; ma sopra tutto le verità d'ordine morale, che si fissano nella forma breve, essenziale dell'epigramma portano alla tensione lirica più forte: si osservi almeno l'epigramma che chiude l'ottava quartina: « La vita cresce a scatti », che è molto di più che il commento ai cambiamenti che si osservano nel paesaggio: è una definizione della vita, e forse più della vita morale, delle nostre esperienze psicologiche e conoscitive che non della vita della natura. Ma la dissipazione della fantasia e del pensiero che è intrinseca a questa fase della poesia montaliana porta anche in *Marezzo* a contraddizioni vistose tra momenti di enfasi di stampo dannunziano e momenti in cui una concezione della realtà drammatica e sofferta trova accenti di alta passione morale. Separate da una quartina di sobria misura descrittiva sono, per esempio, la strofa undicesima, tutta enfasi:

> (Un astrale delirio si disfrena,
> un male calmo e lucente.
> Forse vedremo l'ora che rasserena
> venirci incontro sulla spera ardente)

e la tredicesima, nella quale l'ipotesi, tanto consona al sentire di Montale, formulata in *Limoni*, dello sbaglio di natura che dovrebbe metterci nel mezzo di una verità, quando pur si verifica, non libera dai dubbi e dalle perplessità, anzi si configura come uno stupore tinto di rimorso:

> Oh la vendemmia estiva,
> la stortura nel corso
> delle stelle! – e da queste in noi deriva
> uno stupore tinto di rimorso.

Del tutto diversamente da *Marezzo, Flussi* non attacca con note alte. Ha un avvio pacatamente narrativo, ma con intarsi di immagini e parole letterariamente preziose, che portano nei versi d'esordio un sapiente contrappunto.

Colto dal vero è il quadretto dei fanciulli che con i loro archetti spaventano gli scriccioli nei buchi: una di quelle scene degli anni di Monterosso che torneranno, ripensate con affettuosa ironia, in alcune prose della *Farfalla di Dinard*. Ma i versi che seguono portano ben al di sopra del bozzettismo. Non è solo la rarità e la letterarietà delle parole che segna uno stacco dopo il secondo verso (*cola* però è in questo punto ben più espressivo che il troppo ovvio *cala*, che il poeta usa poi nel penultimo verso: « cala un'ora »; *riale*, invece di rigagnolo, è un arcaismo che fa spicco, e nettamente letterario è *sorrade*); ben più allontana dal bozzettismo dei primi due versi il sentimento, per nulla idillico, che s'insinua nella visione di momentanea calma, sentita come una

> pausa che gli astri donano ai malvivi
> camminatori delle bianche strade.

In questi viandanti malvivi destinati a percorrere strade bianche di polvere, bruciate dal sole, se non interviene una sovrapposizione della nostra memoria di lettori, c'è più che l'eco del tema caro a Dino Campana del viaggio sentito come esperienza essenziale di vita. Certamente l'immagine, per il modo nel quale definisce una condizione di pena, un destino, è un'anticipazione di alcuni momenti di *Arsenio* (« il tuo viaggio, anello d'una Catena, immoto andare ... »).

Un più complesso intreccio di realistico e di letterario si riconosce nella « statua dell'Estate Fatta camusa da lapidazioni », sulla quale cresce « un roggio Di rampicanti ed un ronzio di fuchi ». La statua consumata dalle intemperie e da altri guasti in un giardino abbandonato era tema caro alla poesia simbolista e decadente. In un sonetto di Verlaine, tra gli oggetti che il poeta ritrova intatti a distanza di tempo tornando nel giardinetto dei suoi ricordi, leggiamo qualche cosa di simile:

> Même j'ai retrouvé debout la Velleda,
> Dont le plâtre s'écaille au bout de l'avenue,
> – Grêle, parmi l'odeur fade du réséda. [17]

C'è nella statua rappresentata da Verlaine, la cui corrosione trova una specie di compenso e di consolazione nel molle profumo della reseda, il senso di una dolce malinconia. La statua dell'Estate di *Flussi*, testimone consapevole ma distaccata dello spettacolo della vita, è un'anticipazione, probabilmente, della « statua nella sonnolenza del meriggio » dell'« osso » *Spesso il male di vivere ho incontrato*; ed ha in sé una repressa tensione drammatica che invano si cercherebbe in Verlaine. Non pretendo di proporre una «fonte» diversa, fornita per di più d'un buon marchio nazionale; dico soltanto che una statua mutilata, muta e cieca testimone dello spettacolo della vita è una delle più forti invenzioni di Campana. E non penso tanto alle « bianche statue a capo i ponti Volte » di *Giardino autunnale*[18], quanto al busto d'imperatore che nella prosa poetica di *Piazza Sarzano*, uno dei capolavori dei *Canti Orfici*, sta come una presenza ossessionante. Con le ripetizioni proprie del suo stile Campana nomina prima « il busto di un savio imperatore », poi « il busto cieco di un savio imperatore romano » e « la statua del pagano imperatore »: testa mozza che guarda con occhi vuoti (« in mezzo alla piazza, mozza la testa guarda senz'occhi »; « Accanto il busto dagli occhi bianchi rosi e vuoti »)[19].

---

[17] Paul Verlaine, *Après trois ans*, vv. 12-14, in *Poèmes Saturniens* (*Oeuvres poétiques complètes*, Texte établi et annoté par Y.-G. Le Dantec, Bibliothèque de la Pléiade, 1940, p. 46). Non importa molto che la statua descritta nei *Poèmes Saturniens* sia quella di Velleda, la druidessa che si mise a capo della rivolta dei Batavi contro i Romani al tempo di Domiziano, alle cui vicende Chauteaubriand dedicò un episodio dei *Martyrs*; e nemmeno che la statua di Velleda sia di gesso, e che l'erba che la ricopre sia la reseda dal profumo dolciastro, e non il rampicante che in *Flussi* risulta poi essere una « accesa edera ». In Verlaine c'è una estenuazione di gusto simbolista; Montale anche qui, partendo dal simbolismo, si pone oltre il simbolismo. È tuttavia di quell'impressionismo che appartiene alla poesia simbolista il « roggio (rosso intenso) di rampicanti » e il « ronzio di fuchi » (e i fuchi saranno vespe).

[18] Dino Campana, *Canti Orfici e altri scritti*. Quinta edizione a cura di Enrico Falqui, Vallecchi, Firenze, 1960, p. 35. In *Giardino autunnale* poi Campana, con una delle sue tipiche ripetizioni nomina « le statue immortali nel tramonto ».

[19] Si veda nell'ed. cit. dei *Canti Orfici* pp. 117-119. A Montale dobbiamo uno degli scritti critici più acuti su Campana: *Sulla poesia di Campana* (1942), ora in *Sulla poesia*, pp. 248-259.

La tenerezza che resta esclusa dalla figura della statua dell'Estate affiora di nuovo, nella prima parte di *Flussi*, nella contemplazione della « flottiglia di carta » che non può non ricordarci le navicelle di carta versicolori dell'*Epigramma* per Camillo Sbarbaro. Ma ancora il letterario fa da contrappunto, e in modo felicissimo, alle impressioni dal vero, nell'immagine inattesa della freccia. La freccia che va a conficcarsi su un palo e oscilla è un'immagine nella quale sta racchiuso il senso del destino di ogni creatura, con la sua tensione verso un fine, e con il risultato di avere consumato la propria esistenza nel raggiungimento del fine e di serbare soltanto, quale ricordo della vita, un moto meccanico e doloroso. Diversamente da Valéry, che nel *Cimitière marin* s'interroga sul significato della « flêche ailée Qui vibre, vole, et qui ne vole pas », Montale risolve in pura immagine il dramma delle creature, e non per questo inventa un simbolo, ma carica piuttosto di essenza spirituale un oggetto, che diventa emblema della condizione esistenziale. La freccia, in una natura che fa spreco di energie vitali, convalida l'idea di una realtà che ci resta inesplicabile. Questa verità si fa però esplicita in una frase, che nella memoria dei lettori si è fissata come espressione di un pessimismo senza enfasi:

> La vita è questo scialo
> di triti fatti, vano
> più che crudele.

Vasco Pratolini, come tutti sanno, ha messo questi versi a epigrafe del romanzo *Lo scialo*. Forse isolandoli si rischia di caricare quanto hanno di pessimistico. Letti infatti nel loro contesto sono sì una confessione amara, ma anziché un rifiuto della vita vogliono significare che lo scialo di fatti triti non cessa di affascinare il poeta. E quell'infoltirsi degli oggetti, che è uno dei tratti caratteristici della poesia degli *Ossi di seppia* nella serie *Meriggi e ombre*, trova qui una sua spiegazione. Se al tempo degli *Ossi di seppia* Montale avesse esercitato quell'autocritica severa che seppe poi esercitare sulla sua opera, probabilmente avrebbe interrotto *Flussi* a questo punto. Interrotta qui la poesia, nonostante qualche preziosità linguistica, reggerebbe il confronto con liriche tra le più ammirate delle *Occasioni*. Ma quello che segue riprende la materia poetica della prima parte in una forma descrittiva larga, indugiando nello spiegare il senso dell'inutile flusso del tempo. Lo scialo delle cose vane viene esemplificato senza uscire dalla realtà descritta nella prima parte della poesia, accentuando quella che potrebbe essere definita la particolare vena didascalica che forse ogni poeta metafisico porta dentro di sé.

I fanciulli dunque venendo nei loro giochi a contatto della vita o ritrovano le cose come già le hanno viste o, al contrario, devono constatare l'azione logoratrice del tempo; ed è evidente la sproporzione – si passi il termine, perché dire incoerenza sarebbe troppo forte – tra i soggetti attivi di queste conoscenze e gli oggetti conosciuti, una sproporzione che risulta anche dalle parole rare usate dal poeta: il toscanismo *rama*, che già si è visto in *Vasca* e, forse suggerito da esigenze di rima, il latinismo *diruto*. E qualche sproporzione c'è anche nei versi che seguono. È in tutto consona a un sentimento drammatico della memoria l'idea che un giorno le immagini del passato tornino nitide ma immobili come quelle di una lanterna magica; l'immagine però nasce *ex abrupto*, non bene connessa alla ripresa « Ritornano i fanciulli ... ». Si tratta veramente di uno scatto lirico improvviso dentro il tessuto tra didascalico ed elegiaco. Ma è sopra tutto da v. 33 in avanti « E ancora si distende Un dòmo celestino ... », che la poesia si svolge come una serie di motivi che pare abbiano la funzione di portare a una conclusione, rendendoli espliciti, e quasi commentandoli, i motivi fissati con stile più incisivo nella prima parte. Il « pigro sereno » del terzo verso diventa dunque un « dòmo celestino ed appannato », l'immobile statua dell'Estate è la sola che sa la legge del tempo, la « flottiglia di carta », divenendo una « flottiglia di piccoli sciabecchi » implica forse, nella nuova definizione, una venatura tra ironica e affettuosa, che però non coglie bene nel segno[20]. Il verso che segna invece una ripresa forte, proponendo un punto di vista del tutto diverso da quello prima enunciato, è l'ultimo:

e la vita è crudele più che vana.

Contro lo « scialo Di triti fatti, vano Più che crudele » si pone questa opposta verità, la quale porta anche a riflettere sul valore che può avere una variazione nella poesia di Montale. Si pensi più che alla

---

[20] Altrove Montale usa termini precisi della marineria per designare tipi di imbarcazioni, ma con motivazioni evidenti: si pensi, per esempio, al « trealberi » di *Fuscello teso dal muro*, al « burchiello » di *Crisalide*. Lo sciabecco è propriamente una nave sottile a tre alberi inclinati verso la prora, che oltre che dai pescatori, fu usata per la sua velocità dai pirati barbareschi. Suppongo però un'intenzione ironica nei versi « fanno naufragio, i piccoli sciabecchi Nei gorghi dell'acquiccia insaponata », perché correntemente, specie in Liguria, sciabecco si dice di una navicella mal costruita o in cattivo stato.

ripresa delle antiche ballate, a D'Annunzio, a « La favola bella Che ieri T'illuse, e che oggi m'illude » e a « La favola bella Che ieri M'illuse, e che oggi t'illude ». Nella *Pioggia nel pineto* la sola cosa che cambia è la musica della pioggia, più leggera prima più fitta poi. Non c'è dramma e quindi non c'è un effettivo mutare dei sentimenti: la variazione della medesima frase ripetuta sulla fine della *Pioggia nel pineto* ha un valore puramente fonico, musicale. In Montale la variazione risponde a una controversa disposizione verso due opposte tendenze; perciò cambiando radicalmente il giudizio sulla vita, cambiano le parole e il ritmo.

Nella seconda parte di *Flussi* l'idea che la vita sia uno scialo di triti fatti comporta anche un sentimento deluso della memoria. Il passato che ritorna come stampato

> sopra immobili tende
> da un'ignota lanterna

propone una « filosofia » ben diversa dalla concezione leopardiana della memoria consolatrice: quel « rimembrar delle passate cose » che è sempre grato « ancor che triste, e che l'affanno duri ». Per Montale si è parlato troppo alla leggera di memoria di tipo proustiano. In Montale la memoria è a volte consolazione a volte addirittura colpa. La consapevolezza della vanità delle mille cose di cui è fatta l'esistenza per un verso implica una specie di gara della poesia con la ricchezza illusoria della vita: di qui il folto descrittivismo. Per un altro verso il poeta è tentato dall'idea di una perfezione che non può darsi che fuori dal tempo, dalla storia, dalla stessa realtà. Un'idea che assilla la fantasia del poeta degli *Ossi di seppia* è perciò l'immobilità delle cose, legata a una specie di abolizione del flusso del tempo. La sua espressione più pura si trova probabilmente nell' « osso » *Forse un mattino andando*. In *Flussi* essa non è *l'idea* della poesia, ma *una delle idee della poesia*.

In una forma più semplice e più vicina ai modi di una poesia dell'evasione e della rinuncia questo stato d'animo si è espresso in una lirica probabilmente anteriore per composizione, *Quasi una fantasia*, che fa parte della sezione *Movimenti*. Il momento che segna la ripresa della vita, quello in cui il sole risveglia la natura vi è intuito più che visto:

114

Raggiorna, lo presento
da un albore di frusto
argento alle pareti ...

Ma la prima strofa vuole essere sopra tutto una festa di suoni. C'è infatti un fitto gioco di rime, di assonanze, di consonanze nei sette versi (cinque settenari e due endecasillabi), che sembra annunciare un divertimento musicale[21]:

Raggi*orna*, lo pres*ento*
da *un* albore di fr*usto*
arg*ento* alle pareti:
lista un barl*ume* le finestre chi*use*.
T*orna* l'avvenim*ento*
del sole e le diff*use*
voci i consueti strepiti non porta.

Dove cessano rime e assonanze è come se si spegnesse la festa dei suoni; o meglio, la musica si fa tutta interiore, astratta, senza suoni. Il passaggio però alla vera e propria fantasia è segnato dal prosaico « Perché? », e l'incantesimo che il poeta, « incosciente mago », vuol compiere abolendo le « giostre d'ore troppo uguali » e inventandosi un paesaggio intatto, fuori dal tempo, è enunciato in una forma nettamente discorsiva. In un paesaggio poi, che dovrebbe avere le linee

---

[21] Laura Bellucci nel saggio *Di là dalla metafora in quattro poesie del primo Montale*, « Atti della Accademia delle Scienze dell'Istituto di Bologna », Classe di Scienze Morali, Anno 71°, Memorie vol. LXIX (1976-1977), vede nelle quattro liriche dei *Movimenti* (*I limoni, Corno inglese, Quasi una fantasia, Falsetto*) gli « andamenti di uno stesso sviluppo musicale », e pensa che « come quattro sono i movimenti delle sinfonie romantiche di stampo canonico, quattro sono qui le poesie raccolte a modulare in quattro tempi un unico tema » (p. 6 dell'estratto). Intenzione comunque *post eventum*, che riguarda l'ordinamento delle liriche non la loro nascita. Ma la Bellucci vede nel titolo *Quasi una fantasia* (scrivendo un po' arbitrariamente Fantasia con la maiuscola) l'allusione al « nome di due sonate di Beethoven, per non accennare nemmeno alla *Sinfonia Fantastica* di Berlioz ». Almansi e Merry escludono invece qualsiasi rapporto con la sonata per pianoforte n. 8 di Beethoven, che ha per titolo vulgato *quasi una fantasia* (vd. Guido Almansi and Bruce Merry, *Eugenio Montale. The private Language of Poetry*, Edinburgh University Press, 1977, p. 22). Nel titolo c'è probabilmente il doppio significato: di un momento felice di abbandono alla fantasia e di componimento musicale libero, estroso, perché, nel variare del significato dai virginalisti inglesi ai tempi nostri, intrinseco al termine fantasia è rimasto il concetto di libertà compositiva. Se poi Montale pensò a una precisa composizione, è da presumere che questa fosse la *Fantasia in sol* per pianoforte e orchestra (1919) di Gabriel Fauré, esponente con Debussy e Ravel dell'impressionismo musicale, verso il quale il poeta ha dichiarato il proprio debito.

essenziali di un quadro astratto, le cose s'infoltiscono, in modo da fondere e confondere elementi attinti dalla realtà, ma volutamente resi esangui e atemporali: «intatte nevi», un «tardo raggio» che scivola dal cielo bioccoso (che è aggettivo formato su *biocco* e ci ricorda «qualche biocco Di nuvola» di *Scirocco*), selve e colline gremite d'«invisibile luce» (un ossimoro molto ardito, il solo elemento che dia indizio di quella astrazione figurativa che in questi versi ci si aspetterebbe ben più recisa). La fantasia anche qui non può fare dunque a meno di profondersi, di sprecarsi. Eppure anche qui scattano, dopo la delicatissima prima strofa, i momenti della magia poetica. Ne riconosciamo uno nei versi:

> Lieto leggerò i neri
> segni dei rami sul bianco
> come un essenziale alfabeto,

che contengono una visione quasi allucinata di paesaggio invernale, di un cielo che ha il biancore gelido di una pagina intatta, e i rami neri vi si stampano sopra come le lettere di un alfabeto che non porta alla conoscenza del disgregato mondo fenomenico, ma fornisce un prodigioso strumento di conoscenza delle ragioni profonde della vita. Un altro lo riconosciamo nel guizzo degli ultimi versi, nel volo del galletto di marzo – l'upupa di un «osso» famoso –, che tanto piacque a Pietro Pancrazi. Diffidando di ciò che nella poesia montaliana gli sembrava più facilmente imitabile, e ammirando i prodigiosi segni di vitalità che vi scattano dentro improvvisi, Pancrazi concludeva il suo saggio su *Montale poeta fisico e metafisico* con queste parole: «Forse il grande asciuttore era proprio nell'aria, e lui stesso ne fu un po' la vittima. Piuttosto gli auguriamo più frequente la sua Musa amabile e ancora molti e molti " galletti di marzo "»[22]

Quasi una fantasia letta dopo *Flussi* aiuta a vedere più a fondo il contrasto tra quella vena elegiaca e l'aspirazione alla purezza lirica che, in termini abbastanza rigidi, Montale stesso confessava nel passo fin troppo famoso di *Riviere*: «Pensa: Cangiare in inno l'elegia». Del resto, cercando di riconoscere nella sezione dei *Meriggi e ombre* come il più alto lirismo montaliano nascesse, almeno nella stagione

---

[22] Pietro Pancrazi, *Ragguagli di Parnaso*, II, p. 599.

degli *Ossi di seppia*, da una ricca vena descrittiva ed elegiaca non si pretende di sostituire all'ordinamento dato da Montale alle sue poesie un ordinamento meglio motivato, né, tanto meno, di proporre uno schema rigido. Come sempre, fare critica vuol essere soltanto cercare di capire meglio.

Leggendo ora *Clivo* come la conclusione della serie di *Meriggi e ombre* nella quale Montale più si effonde come descrittore, si pensi a una « conclusione provvisoria ».

Clivo drammatizza il contrasto, che è nelle cose e si rispecchia nell'animo del poeta, fra una natura che porta in sé i segni della vitalità e una imponderabile e inarrestabile forza distruttrice. La drammaticità di *Clivo* è suggerita dal paesaggio: un paesaggio marino, non simile a quello di *Marezzo*, tutto vibrante di sensualità, bensì a quello di *Mediterraneo*, e in particolare del quinto movimento, dove alla potenza terrificante del mare si contrappone, con i segni della devastazione e della pietà, la ripa acclive che sovrasta il mare. Come e più che in *Mediterraneo* gli elementi descrittivi di *Clivo* si elevano tutti a significato metafisico.

A un esame statistico (il quale comporterebbe anche un calcolo della lunghezza di questa poesia, del numero delle parole che la costituiscono e di quant'altro sanno specificare nei loro bilanci i nuovi contabili della critica letteraria) può anche darsi che *Clivo* conceda alla descrizione del paesaggio qualche cosa di meno di altre poesie di *Meriggi e ombre*. Il quadro comunque è di una notevole ricchezza, anche se non tale da dare il senso della profusione e dell'eccesso di oggetti, e l'ordine nel quale il quadro vuole essere contenuto è, in certo modo, garantito dalla concordanza tra l'apertura e la chiusa: tra il suono di buccine che viene dal greppo e l'ululo dei corni. Le due immagini comportano elementi visivi: il suono di buccine è per se stesso evocatore di un paesaggio marino (la buccina è la conchiglia che antiche popolazioni rivierasche usavano come strumento da segnalazioni e richiami, ed è l'attributo di divinità marine, quali i Tritoni); l'ululo dei corni è il suono stesso che dà il « crollo di pietrame che dal cielo S'inabissa alle prode ». Ma le impressioni che suscitano le buccine e i corni sono innanzi tutto uditive, e *Clivo* è, in certo modo, il geniale svolgimento di tutta la poesia che sta implicita nella parola *gola* quando essa viene usata per designare una valle stretta e profonda. Il senso metaforico di gola allude infatti alla forma della valle, ma è evocatore altresì del suono che dà il vento quando s'incanala nelle sue stretture. All'etimo metaforico di gola Montale si rifà dove dice:

Cala nella ventosa gola
con l'ombre la parola
che la terra dissolve sui frangenti ...

Sulla « chiave » di pronuncia indicata dal suono di buccine la metafora musicale della gola ha il suo svolgimento nel gioco insistente di rime, assonanze e consonanze che contrappunta tutta la poesia: *scoscende-discende-fende; cala-ventosa-gola-parola; stanza-speranza; mattino-vicino; aduna-cruna; sega-catena-lega; frana-divalla-allontana; crepacci-lacci; pendie-vie; mani-rami-nani; trema-scema; districa-infinita-fatica; cielo-sfacelo; prode-s'ode.*

L'ora di *Clivo* è fra l'imminenza del crepuscolo e la sera; un'ora che si contrappone a quella del mattino quando

con le barche dell'alba
spiega la luce le sue grandi vele
e trova stanza in cuore la speranza. [23]

L'ora crepuscolare si percepisce nelle ombre che scendono (« Cala nella ventosa gola Con l'ombre la parola ... »), e la suggestione del paesaggio – di questo «greppo che scoscende», così simile alla «ripa acclive» del quinto movimento di *Mediterraneo* – si affida innanzi tutto al prodigio di una possibile rinascita della vita da una condizione di oblio: « si dismemora il mondo e può rinascere ». Il poeta non descrive ma allude e carica di significato spirituale le cose. Note puramente descrittive per questo crepuscolo che si annuncia drammatico non si hanno nemmeno dopo: è bellissimo il raccoglimento che si nota nelle cose sotto la luce che si va spegnendo, tutto condensato in una sola impressione: « tutto è più raccolto e più vicino Come visto a traverso di una cruna ». Così, in questa atmosfera, si ha prodigiosamente l'idea del fluire del tempo come una corrosione della nostra vita, anzi – detto con immagine carica di significato tragico – del-

---

[23] Per il v. 11 « e trova stanza in cuore la speranza » P. V. Mengaldo, *La tradizione del Novecento. Da D'Annunzio a Montale*, pp. 300-301, ha indicato come modello, avvertendo che si tratta di « niente più di una curiosità »: « Ma il furto non m'accora, Perché v'ha preso stanza La dolce speranza » della *Bohème* di Puccini.

l'inarrestabile logorio della « catena che ci lega », in quanto esistere è soffrire del limite, riconoscere quei legami che forse ci salvano, ma che implicano pure una condizione di schiavitù.

Il dramma è un dramma esistenziale, che si rispecchia nelle cose, nei loro sommovimenti e nei loro fremiti di creature. Un verbo molto poetico, di probabile derivazione dantesca, *divallare*[24], esprime il discendere del suono di buccine verso il mare, nel quale si disperde. Ma il senso di una vita delle cose non diversa dalla nostra di creature umane è più intensamente espresso nei versi che seguono:

> Con questo si disperdono le accolte
> voci dalle volute
> aride dei crepacci;
> il gemito delle pendìe,
> là tra le viti che i lacci
> delle radici stringono.

Le voci sono il suono confuso che provoca il vento fischiando tra i sassi e i tralci[25]; è un suono che pare un gemito strappato ai ramicelli, che si aggrappano disperatamente alle loro radici.

Ma questa è la traduzione in una brutta prosa di razionalista o di naturalista di un fatto che nella poesia tocca note addirittura tragiche, perché quella che il poeta vive è una sofferenza che le cose patiscono non diversamente da come la patiamo noi uomini. Non antropomorfismo, quell'antropomorfismo che, pur senza esaltarsi in una sensualità di specie dannunziana, si riconosce ancora nell'*Agave sullo scoglio*. Quello che la poesia di Montale ci fa conoscere qui è la sofferenza delle cose che l'opinione comune chiama inanimate. Ed è così simile a quella umana questa sofferenza che noi ci guardiamo dal materializzare poi quelle « mani che s'afferrano ai rami », tutti presi dal senso di angoscia che emana da una luce non si sa se da acquario

---

[24] *Inf.* XVI, 94-98: « Come quel fiume ... Che si chiama Acquacheta suso, avante Che si divalli giù nel basso letto ».

[25] *Pendìa* è il tralcio della vite che pende, nella lingua dei contadini toscani. È parola così immediatamente espressiva da non conservare nessun residuo di grezza dialettalità. Per il motivo delle radici si ricordi *L'agave sullo scoglio* e in particolare la chiusa di *Tramontana*: « come senti nemici Gli spiriti che la convulsa terra Sorvolano a sciami, Mia vita sottile, e come ami Oggi le tue radici ». Per una consonanza, non per una derivazione, sovvengono poi i versi 19-20 di *The Waste Land* di T. S. Eliot (1922): « What are the roots that cluth, what branches grow Out of this stony rubbish? » (Quali radici si abbarbicano, quali rami crescono su queste macerie?).

o da eclisse e dalla lotta silenziosa de

> le cose che non chiedono
> ormai che di durare, di persistere
> contente dell'infinita fatica,

mentre «un crollo di pietrame», un «ululo di corni» portano all'idea dell'annientamento in «uno sfacelo».

Forse prima di *Arsenio* Montale non ha espresso tanto intensamente quanto in *Clivo* il dramma dell'esistenza, la lotta tra l'inspiegabile soffrire che è il destino di ogni creatura e la disperata volontà di vivere.

LA « MEMORIA STANCATA » E L'« AVARA SPERANZA »

L'ingorgo di cose anche secondo Contini, che per primo ne fece oggetto di giudizio critico, si faceva più imponente dove la poesia di Montale, anziché nascere dall'evento che sommuove la fantasia, tendeva a dispiegarsi come rievocazione del passato e a istituire un confronto tra ciò che è stato e il presente, a tradursi in atto di riflessione sul proprio destino. Contini aveva ragione perciò di citare *Fine dell'infanzia* come la poesia di *Meriggi e ombre* nella quale gli oggetti più si accumulano e s'infoltiscono.

Il tempo di *Fine dell'infanzia* è il passato, anzi quell'imperfetto che, secondo grammatica, significa la continuità o il ripetersi delle azioni del passato:

> Rombando s'ingolfava
> dentro l'arcuata ripa
> un mare pulsante ...

Fine dell'infanzia non nasce da uno scatto della memoria; è un racconto disteso, come lo può scrivere chi vuole farsi cronista scrupoloso del passato e sa che la felicità delle scoperte e delle esperienze di cui parla è irripetibile. Manca in un così ricco accumularsi di ricordi il fatto che si ponga come elemento propulsore e li enuclei. Non agisce qui la memoria che sa inventare quasi un tempo diverso da quello degli accadimenti reali, e crea tra le cose lontane rapporti che le illuminano a vicenda. Checché ne pensi qualcuno, quella di Montale non è la memoria proustiana; è una « memoria stancata » (v. 38). Perciò *Fine dell'infanzia* segue un filo logico che, nel suo rigore, risulta abbastanza impoetico, in quanto pretende di riepilogare, mettendovi ordine, ciò che è accaduto in tempi e circostanze diversi.

La prima strofa dà il quadro del mare « sbarrato da solchi, Cresputo e fioccoso di spume ». La seconda sposta la visuale verso la terra, alle case e alle piante. La terza si allarga alla cerchia delle colline lontane e vi coglie i più appariscenti segni di vita. La quarta racconta l'esplorazione del mondo che si apriva al di là delle colline, e con bella essenzialità disegna un quadro del selvaggio e vario Appennino ligure. Seguono tre stanze nelle quali al racconto si mescola e si sovrappone la riflessione che porta a staccare ancor più il passato dal presente e a far sentire l'irripetibilità delle emozioni della fanciullezza. Solo l'ultima stanza, con un movimento molto felice, svolge una rievocazione di pura fantasia, e sia l'idea del rapido volo della fanciullezza sia la nozione dell'impatto con una diversa e drammatica realtà sono espressi in una forma essenziale che fa di questi versi quasi un frammento a sé, da aggiungere alla serie degli « ossi ».

Quella specie di riepilogo di varie esperienze che vuole offrirci *Fine dell'infanzia* comporta naturalmente che vi si trovino, non identiche, ma assai somiglianti, per squarci e per frammenti, impressioni di altre pagine degli *Ossi di seppia*, che sarebbero state riprese più tardi in prose della *Farfalla di Dinard*.

Non c'è bisogno di raccogliere prove per la scena d'apertura del mare che rombando sembra penetrare nell'arco del golfo: da *Riviere* a *Mediterraneo*, dall'*Agave sullo scoglio* a *Marezzo*, il motivo è dei più tipici del primo libro di Montale. Il torrente che sfocia con acque giallicce in mare riporta poi il pensiero al rigagnolo d'acqua insaponata di *Flussi* e al botro melmoso di *Il bello viene dopo* della *Farfalla di Dinard*. E alghe (qui « alighe » nella forma cara a D'Annunzio) e tronchi d'alberi alla deriva sono pure particolari che ne richiamano di simili d'altre poesie: si pensi almeno al mare che sbatte « sulle sponde Tra sugheri alghe asterie Le inutili macerie del *suo* abisso » nel secondo movimento di *Mediterraneo*.

Nella seconda stanza le case « di annosi mattoni, scarlatte » sono un evidente ricordo di Monterosso; e con minore indulgenza al descrittivo in *Fuscello teso dal muro* Montale ricorderà ben più incisivamente il « tonaco Che imbeve la luce d'accesi Riflessi ». Per non insistere in una lettura che rischierebbe di diventare un esercizio di pedanteria, osserviamo soltanto che lo stesso gioco dei cannibali nel canneto, nel quale si sente un vero scatto della memoria, è non senza rapporto con l'allegra baraonda dell'« osso » *La farandola dei fanciulli*. Che però temi presenti in altre pagine degli *Ossi di seppia* subiscano in *Fine dell'infanzia* la riduzione intrinseca a un atto di riflessione, che si fa tanto esplicito da darci insieme la poesia e il suo commento, mi sembra che risulti sopra tutto dall'apertura della sesta stanza:

> Eravamo nell'età verginale
> in cui le nubi non sono cifre o sigle
> ma le belle sorelle che si guardano viaggiare.

Non so dire quanto Montale, come ogni lettore che sa cos'è poesia, sia stato impressionato da quella cosa stupenda che è *L'étranger* di Baudelaire (« Eh! qu'aimes-tu donc, extraordinaire étranger? – J'aime les nuages... les nuages qui passent... là-bas... là-bas... les merveilleux nuages! »). Per chi ricorda altri luoghi degli *Ossi di seppia* – « Nuvole in viaggio, chiari Reami di lassù! D'alti Eldoradi Malchiuse porte! » di *Corno Inglese*; le fantasiose « carovane dell'aria » della parte soppressa di *Vasca*; « l'isole dell'aria migrabonda » di *Casa sul mare* – è evidente che i versi di *Fine dell'infanzia* sono quelli in cui l'idea delle nuvole in viaggio ha meno di fascino poetico, per il prevaricare del pensiero sulla fantasia.

Ogni possibile riscontro dimostrerebbe comunque che non solo rispetto a un testo databile come *Fuscello teso dal muro*, ma anche rispetto a passi di *Mediterraneo* e degli « ossi », *Fine dell'infanzia* costituisce una sorta di « brogliaccio ». Nella terza stanza, tutta di particolari che stanno a provare un felicissimo senso pittorico, una viva sensibilità per le vibrazioni che hanno gli oggetti nella luce (dote istintiva questa, che si è peraltro affinata nella lettura del migliore D'Annunzio) si osservino gli ultimi versi:

> un uomo
> che là passasse ritto s'un muletto
> nell'azzurro lavato era stampato
> per sempre – e nel ricordo.

A una valutazione condotta secondo la logica comune, che è poi la sublimazione del buonsenso, questa è la più gratuita delle impressioni; eppure è proprio quella che aveva avuto un'evidenza impressionante e perciò è rimasta stampata per sempre nel ricordo[1].

---

[1] « L' " azzurro lavato " è quello del cielo luminoso, ma è anche quello della " memoria stancata ", nella quale il passato non esercita più alcuna funzione attiva (cfr. *Marezzo*, 54: " La memoria ti appare dilavata ") ». Giuseppe Savoca, *Chiarimenti*

La « memoria stancata » in *Fine dell'infanzia* trova il suo conforto nel rimpianto di anni volati « corti come giorni », nei quali il poeta non s'interrogava sulla ragione delle cose, ma godeva della felicità che gli procurava lo scoprire il mondo: dell'instabile vicenda d'ignoti aspetti sfuggiva il ritmo che li governava, « vivere era ventura troppo nuova Ora per ora, e ne batteva il cuore », « rispondeva A ogni moto dell'anima un consenso Esterno, si vestivano di nomi Le cose, il nostro mondo aveva un centro ». Eppure, dentro questo lungo idillio, le note più alte sono forse nei rari momenti in cui vengono intuite – quasi presagio di più mature esperienze – non le gioie ma le sofferenze misteriose della natura: le tamerici pallide con le loro scarse capellature che danno un invincibile senso di pena a chi le guarda (« Non era lieve guardare Per chi leggeva in quelle Apparenze malfide La musica dell'anima inquieta Che non si decide »); il recesso appenninico

> dove ogni umano impulso
> appare seppellito
> in aura millenaria.

Questi momenti portano anch'essi a ripensare ad altri simili, nei quali il poeta ha confessato le sue più sofferte pene. C'è un'evidente corrispondenza tra « la musica dell'anima inquieta Che non si decide » e la riflessione del settimo movimento di *Mediterraneo*:

> e forse
> m'occorreva il coltello che recide,
> la mente che decide e si determina,

non per sola consonanza di parole. Il recesso madido di muffe, coperto d'ombre e di silenzi, non per i tratti fisici, ma per il senso di immobilità che vi si esprime è persino troppo somigliante ai molti squarci di paesaggio nei quali la vita sembra pietrificata. Ed è in momenti come questi che Montale trovava in *Fine dell'infanzia* il linguaggio più suo. Basti citare i due versi che seguono a quelli sul muffoso recesso appenninico:

> Rara diroccia qualche bava d'aria
> sino a quell'orlo di mondo che ne strabilia,

per gli « Ossi di seppia », « Siculorum Gymnasium », n. s., a. XXV, n. 1, Catania, Gennaio-Giugno 1972, p. 91.

nei quali così proprio del suo modo di drammatizzare la vita delle cose è il verbo *dirocciare*, che ha un precedente in Dante (« Lor corso in questa valle si diroccia », *Inf.* XIV, 115), ma si scosta dall'uso dantesco sia per il significato (nel passo dantesco le lacrime dell'umanità, simboleggiate nella statua del Veglio di Creta, che formano i fiumi infernali dirocciano in quanto precipitano da una rupe all'altra dell'inferno; in Montale dirocciare è detto del soffio di vento che pare scenda dalle rocce appenniniche) [2], sia per l'uso propriamente intransitivo e non intransitivo pronominale che c'è in Dante. Ma del più sintetico Montale è anche « quell'orlo di mondo che strabilia », per la definizione non descrizione che si dà delle sperdute zone appenniniche e per « strabilia », evidenziato dalla collocazione in fine di verso in modo che rimi con « meraviglia » (v. 45).

> Ma riaddotti dai viottoli
> alla casa sul mare, al chiuso asilo
> della nostra stupita fanciullezza,
> rapido rispondeva
> a ogni moto dell'anima un consenso
> esterno ...

Luogo di affetti e di certezze era stata la casa di Monterosso, il cui ricordo Montale ha però fissato più incisivamente che in *Fine dell'infanzia* sullo sfondo del paesaggio realistico del secondo movimento di *Mediterraneo*:

> La casa delle mie estasi lontane,
> t'era accanto, lo sai
> là nel paese dove il sole cuoce
> e annuvolano l'aria le zanzare.

La poesia che si intitola *Casa sul mare* non fa nessuna concessione al descrittivo; bisogna anzi prendere il titolo come elemento connotativo della poesia, perché all'indicazione di luogo, che si ripete di strofa in strofa con l'insistenza di un ritornello, venga attribuita tutta la sua implicita risonanza sentimentale: « Il viaggio finisce qui ... » (v. 1), « Il viaggio finisce a questa spiaggia ... » (v. 8), « Il cammino finisce a queste prode ... » (v. 34).

---

[2] Il dantismo era già stato ripreso dal Pascoli in *Temporale*, v. 27, dei *Canti di Castelvecchio*.

C'è in questo l'indizio di uno stile diverso, quasi opposto a quello di *Fine dell'infanzia*. Montale in *Casa sul mare* non descrive, e persino gli scarsi riferimenti a un luogo ben preciso si risolvono in note di pura fantasia. Già il « qui » del v. 1, il quale indica la casa in cui il poeta è tornato dopo le sue deludenti esperienze, per cancellare quanto di materialmente preciso c'è nell'indicazione che offre, viene subito corretto col sovrapporre al dato fisico uno stato d'animo: « nelle cure meschine che dividono L'anima ». E la nozione stessa del tempo è tutta ideale, o meglio metafisica: è il tempo che scorre senza variazioni, con la monotonia di una macchina – la pompa dell'acqua che ripete un identico moto e un identico suono. Da grande artista Montale ha per di più espresso il meccanico ripetersi del giro di ruota della pompa esasperando la monotonia dei suoni, ha descritto con la tecnica dell'impressionismo musicale anziché con quella dell'impressionismo pittorico:

> Un giro: un salir d'acqua che rimbomba.
> Un altro, altr'acqua, a tratti un cigolio.

Citando questi versi in un saggio giovanile, notavo che il loro ritmo spezzato aveva un precedente nella poesia di D'Annunzio, e ricordavo in particolare i versi forse più carichi di malinconia della *Pioggia nel pineto*, quelli sul canto della cicala che si spegne[3]:

> Più sordo e più fioco
> s'allenta, si spegne.
> Sola una nota
> ancor trema, si spegne,
> risorge, trema, si spegne.

Quell'impressione era giusta. Preciserei ora che anche nei mezzi che usa Montale dimostra di mirare ad una maggiore sobrietà e a una compostezza classica. D'Annunzio faceva spreco di invenzioni prosodiche eccezionali: a due senari faceva seguire un endecasillabo diviso solo graficamente nei suoi due emistichi, e chiudeva con un ottonario dagli accenti irregolari. Montale costruisce due endecasillabi regolari, ma per mezzo di cesure molto forti obbliga il lettore a pronunciarli segnando dialefi che ne frangono il ritmo; fa quello che

---

[3] Ettore Bonora, *Crisi e rinascita del verso*, ne *Gli ipocriti di Malebolge e altri saggi di letteratura italiana e francese*, Ricciardi, Milano-Napoli, 1953, p. 188.

si direbbe sia stato un punto d'onore di tutti i nostri grandi classici, e che Giovanni Pascoli ancora aveva ribadito nella lettera a Filippo Tommaso Marinetti quando questi promosse l'inchiesta sul verso libero: « [I francesi] avevano forse necessità d'uscire dall'eterno alessandrino e dalle solite rime. Quanto a noi, un verso libero dai mille atteggiamenti, capace con i suoi accavallamenti delle più imprevedibili sorprese ritmiche, l'avevamo e da un pezzo: il verso endecasillabo sciolto » [4].

Le note di colore locale, peraltro discretissime, si addensano nella seconda stanza. Senza i nomi della « Corsica dorsuta » e della Capraia, che fa pensare inevitabilmente a un passo dantesco famosissimo, il mare descritto in questi versi è soltanto il mare in bonaccia, il quale s'incontra in diversi altri luoghi degli *Ossi di seppia*, e non per caso torna qui, come una pennellata da buon maestro, il ben noto motivo delle nuvole vaganti per il cielo: « l'isole dell'aria migrabonde » [5]. Ma le prime due stanze sono un preludio della terza, ben più complessa, che si svolge come un colloquio con la donna amata, aperto dal « tu » che porta in tanta poesia montaliana una nota d'intensa partecipazione sentimentale. Qui i limiti tra il fisico e il metafisico sono cancellati, non in forza di allegorie e di simboli, ma per l'identità che si stabilisce tra la condizione sentimentale di chi ha ormai rinunciato al tumulto felice delle speranze e i pigri fumi della marina. Immagini e parole stanno a dire questa identità con l'ambivalenza dei loro significati: « nebbia di memorie », « ora che torpe », « sospiro del frangente ». Alla donna che gli è vicino il poeta deluso, nel luogo in cui finisce per lui il viaggio, vorrebbe poter dire che si apre per lei il varco a una vita al di là del tempo, e in questo pensiero si ha il primo indizio, nella poesia di Montale, di quelle ipotesi religiose che Giovanni Getto ha definito con una formula esatta quando ha parlato di « una religione spoglia di virtù teologali » [6]. Religiosità laica, si potrebbe anche dire, ma accessibile a pochi privilegiati se « forse solo chi vuole s'infinita » [7], ed è abbastanza singolare che in questo pensiero

---

[4] Lettera da Barga del 10 aprile 1906, in « Poesia » II (1906), n. 1-2.

[5] Non forse senza un ricordo dannunziano, da *Meriggio* dell'*Alcione*, vv. 18-22: « E più lontane, Forme d'aria nell'aria, L'isole del tuo sdegno, O padre Dante, La Capraia e la Gorgona ».

[6] Vd. Giovanni Getto, *Poeti del Novecento e altre cose*, Mursia, Milano, 1977, p. 68.

[7] *Infinitarsi*, che rende con singolare vigore l'idea intrinseca al *passare di là dal tempo*, entrare cioè in una vita che non sia più costretta dentro i limiti della nostra

si trovi, detto in forma meno recisa come pretende il tono dell'intera lirica, qualche cosa di molto simile a quello che, con la sua magnifica prepotenza, Goethe vecchio dichiarava al fidato Eckermann: « In me la convinzione della nostra sopravvivenza scaturisce dal concetto dell'attività. Poiché, se io, sino alla fine, non ho mai un momento di riposo, la natura è obbligata ad assegnarmi un'altra forma di esistenza, quando quella presente non è più in grado di trattenere il mio spirito »[8].

Se ai più è negata la salvezza è perché manca la volontà di sopravvivere e di trovarsi in quello stato di perfezione che non è regolato dall'imperscrutabile arbitrio di Dio, ma consiste nell'adempimento pieno del proprio destino: « Qual volle si ritrovi ». E perché alla donna amata possa toccare questo privilegio il poeta, con un rito propiziatorio che si fonda su un generoso atto di carità ma che non mi sembra in nessun modo spiegabile coll'ideale religioso cristiano, è pronto a sacrificare la debole speranza nella propria salvezza:

> Ti dono anche l'avara mia speranza.
> A' nuovi giorni, stanco, non so crescerla:
> l'offro in pegno al tuo fato, che ti scampi.

Tra la « memoria stancata » di *Fine dell'infanzia*, che faticosamente cerca di trovare nel passato il proprio eden, ma non può dare vera consolazione perché ciò che resta è soltanto « questa poca nebbia di memorie », e « l'avara speranza » donata alla sua donna sta chiuso il senso della vita, che è forse una solitudine senza scampo[9]. Nemmeno la creatura amata può liberare da questo destino. Malinconica consolazione è pensare che per questa solitudine un altro si salvi:

> Il tuo cuore vicino che non m'ode
> salpa già forse per l'eterno.

---

esistenza terrena, è una di quelle invenzioni per le quali Montale sembra si sia educato alla scuola di Dante. Altri neologismi felici in questa lirica sono *migrabondo* (formato in analogia con *vagabondo*) e *dorsuto*.

[8] Johann Peter Eckermann, *Colloqui con Goethe* traduzione di Eugenio Donadoni, Laterza, Bari, 1912-1914, vol. I, pp. 305-6 (conversazione sotto la data 4 febbraio 1829).

[9] Il dono dell'avara speranza per la salvezza della donna sta in relazione con la preghiera in fondo a *In limine*: « Va, per te l'ho pregato, — ora la sete Mi sarà lieve, meno acre la ruggine ». Come si è detto, la destinataria delle due poesie è la stessa; e anche *In limine* prende spunto da promesse di rinascita spirituale legate al rinascere della natura: « ... il vento ch'entra nel pomario Vi rimena l'ondata della vita », « il frullo ... non è un volo, Ma il commoversi dell'eterno grembo ».

Il tema dell'incomunicabilità, diventato purtroppo banale nella divulgazione che ne ha fatto un'arte di consumo, in questi versi, non posteriori al 1924, ha un'espressione personalissima, per le lucide motivazioni psicologiche che Montale gli dava.

Non c'è dubbio che *Fine dell'infanzia* sia anteriore a *Casa sul mare*, e che, se non la prima, sia tra le prime liriche di *Meriggi e ombre*. Nella incertezza delle date l'ipotesi è avvalorata da dati interni. Per questa poesia, che è tra le più lunghe degli *Ossi di seppia* (109 versi) ho usato la definizione « brogliaccio poetico ». Risulta infatti abbastanza evidente che vi sono stati riordinati artificiosamente dei veri e propri appunti tratti forse da un quaderno di lavoro, o, se un simile quaderno non è esistito materialmente, ricavati da tutt'altro che improbabili registrazioni mentali, e insieme con appunti abbastanza ovvi vennero a trovarsi alcune impressioni che non tardarono a decantarsi nella memoria, sinché ne venne fuori qualcuna delle idee poetiche più belle degli *Ossi di seppia*.

Restando alle ipotesi, dato che di più e di meglio non si può fare, credo che la terza del gruppo di liriche di *Meriggi e ombre* che svolgono il tema della memoria stancata e dell'avara speranza, *Crisalide*, sia come concezione anteriore – ma non di molto – a *Casa sul mare*, e che sia stata sottoposta a correzioni molto rilevanti dopo che fu scritta *Casa sul mare*.

Quasi incidentalmente ci è occorso di dire che della donna di *Crisalide* conosciamo il nome e qualche cosa di più che il nome [10], e, per dichiarazione del poeta, sappiamo che è la stessa di *Casa sul mare*. Anche un piccolo *lapsus* di Montale offre un'indicazione preziosa. « Il "tu" di *Casa sul mare* e di *Crisalide* è indirizzato a una donna splendida ... », ha detto il poeta. Veramente «tu» è il pronome di *Casa sul mare*, «voi» quello di *Crisalide*, ma se a distanza di tempo i due pronomi si sono identificati, l'inganno della memoria si spiega col considerare che le due poesie sono nate appunto nel medesimo tempo, occasionate dal medesimo incontro sentimentale. Il « voi » di *Crisalide* denota però un momento anteriore, in cui la confidenza voleva essere corretta da una nota di galanteria: « ...il famoso "tu" montaliano – ha scritto Maria Corti – ...in *Crisalide* è ancora un

---

[10] Vd. p. 7 col rinvio a Giulio Nascimbeni, *Eugenio Montale*, p. 74.

dolce e ottocentesco-novecentesco "voi" »[11]; e io penso sopra tutto al suono che dà il « voi » usato da D'Annunzio in liriche d'amore tra le sue più delicate, della *Chimera* e del *Poema paradisiaco*:

> or vi sovviene de 'l lontan mattino?
> Voi sceglieste le rose nel giardino
> ove un tempo convenne Raffaele ...
> Così la prima volta io vi guardai
> con questi occhi mortali. Voi, signora,
> siete per me come un giardino chiuso ...

Crisalide, che è già di per sé una poesia notevole, è diventata un testo privilegiato nella storia della poesia montaliana, da quando se ne conosce – ed è acquisizione recentissima – la stesura primitiva che reca in calce l'indicazione « Primavera-Estate 1924 » e, da una lettera del poeta a Paola Nicoli del 24 agosto 1924, si ha la conferma della data di composizione. Diversamente da *Fine dell'infanzia* e più esplicitamente che *Casa sul mare*, *Crisalide* è una poesia d'amore, non perché il poeta vi celebri la donna amata e le chieda di ricambiare il suo affetto, ma per il sentimento che sta sotteso all'augurio che il destino della donna possa essere diverso dal suo destino di uomo deluso dal passato e sfiduciato di fronte all'avvenire. A questo stato d'animo vengono chiamate a partecipare le cose, siano esse oggetti di una ben individuabile realtà oppure le incarnazioni delle emozioni e dei pensieri del poeta; nell'un caso e nell'altro – per quanto è lecito distinguere – non con la pesantezza di oggetti materiali, ma senza essere ridotte a puri simboli. Montale è ormai lontano dal simbolismo che, anche per la mediazione di D'Annunzio, l'aveva suggestionato al suo esordio ed è lontano anche dalle suggestioni dell'impressionismo musicale e pittorico, che sono i grandi fenomeni artistici contemporanei ed affini al simbolismo. La poesia di *Crisalide* attinge la sua forza dall'allusività delle immagini e delle parole, dal loro spessore semantico. La stessa denominazione della donna, che dà il titolo alla poesia, ha questa forza allusiva, una profondità di significati che si proietta se non su tutta la poesia su alcuni suoi momenti, a cominciare dalle piante in succhio della prima stanza, perché la donna tende, come le piante, a una vita nuova e più ricca. Nella redazione

---

[11] *Autografi di Montale.* Fondo dell'Università di Pavia, a cura di Maria Corti e Maria Antonietta Grignani, p. X.

130

originale, dove era più fortemente sottolineata la diversità dei destini della donna e del poeta, questo veniva detto esplicitamente in versi poi soppressi:

> Forse non vincerete l'ombra oscura
> che da ogni parte tenta di rinchiudervi;
> forse non sorgerà dalla crisalide
> la creatura del volo.

Nella redazione a stampa il significato è meno esplicito, non per una correzione stilistica, ma per il farsi più doloroso della impossibilità d'una rinascita (vv. 36-41):

> M'apparite
> allora, come me, nel limbo squallido
> delle monche esistenze; e anche la vostra
> rinascita è uno sterile segreto,
> un prodigio fallito come tutti
> quelli che ci fioriscono d'accanto.

L'idea che si riassume nell'epiteto di crisalide si svolge in tutt'e due le prime stanze in modo che la rinascita della natura a primavera si carica di un senso spirituale. La vitalità che c'è nelle cose diventa l'attesa di un prodigio nei due spettatori, ma in modo che il loro animo resta preso da una trepidazione che non consente un abbandono pieno. Non è da leggere come un dato materiale né l'« ombra » (v. 8) da cui il poeta guarda un'altra vita che riverdica – ed è quella della donna –, né l'« oscuro canto » dal quale egli si protende al « solare avvenimento », bensì come la condizione di chi contempla stupito senza potere essere in tutto coinvolto nello spettacolo che la natura gli dispiega dinanzi. Anche l'« estremo angolo d'orto », che può forse essere messo in relazione con l'« ortino » nel quale « svolacchia il gufo » dell'« osso » *Arremba su la strinata proda* [12], non ha

---

[12] L'« osso » *Arremba su la strinata proda* fu inviato a Paola Nicoli con la lettera citata del 24 agosto 1924. Nel volumetto degli *Autografi di Montale* è riprodotta la prima redazione dell'« osso » nell'autografo e nella trascrizione (la quale aggiunge inspiegabilmente un trisillabo *Arremba* tra l'undicesimo e il dodicesimo verso). Rispetto alla redazione a stampa — già la prima del 1925, alla quale non sono state portate modifiche — le varianti sono minime: v. 3 « tu non oda » invece di « non oda »; v. 4 « gli spiriti malvagi » invece di « tu i malevoli spiriti ». A giudizio di Maria Corti, che ha il merito di aver fatto conoscere anche questo « inedito », *Arremba su la strinata proda* è da accostare a *Casa sul mare* e a *Crisalide*, « *osso* che sugli indizi sia dell'invio

i connotati di un paesaggio definito dentro contorni realistici. Ma il passaggio dalla realtà fisica a una conoscenza spirituale, che non si appaga delle parvenze, anzi, alla luce del proprio dramma interiore, scopre nelle cose stesse una pena segreta simile a quella umana, è nei versi bellissimi nei quali la donna, vedendo le zolle da cui nasce la nuova vita, è sopraffatta dai suoi ricordi. I ricordi che minacciano di sommergerci sono invero per noi quello che nel travaglioso rinascere della natura – se la natura avesse coscienza di ciò che opera – è il complicato processo di riportare la vita là dove pareva fossero i segni della morte:

> Lo sguardo ora vi cade su le zolle;
> una risacca di memorie giunge
> al vostro cuore e quasi lo sommerge.
> Lunge risuona un grido: ecco precipita
> il tempo, spare con risucchi rapidi
> tra i sassi, ogni ricordo è spento ...

Il passo risulta profondamente rimaneggiato rispetto alla prima stesura. A parte notevoli cambiamenti prosodici e verbali, sono stati soppressi sei versi che facevano da raccordo tra la prima e la seconda stanza, ed erano lo svolgimento, nella forma di un lungo vocativo, dell'immagine del cespo che riverdica, che chiudeva la prima stanza:

> Mia pianta voi, che invano
> strinò scirocco e declinò garbino,
> bell'albero proteso [13]
> al crescer della luce,
> germoglio che ci dà testimonianza
> d'un lontano mattino che non vedremo.

Nel lungo vocativo era dato come fatto certo il rinascere della donna ed era dichiarata la sorte diversa del poeta, al quale non sarebbe toccato di vedere quel portento.

Anche la variante di maggior peso della terza stanza risponde al farsi più intenso della consapevolezza dell'inganno che c'era nel cre-

---

epistolare sia di corrispondenze di luogo tematico-simboliche (ci si limita qui a citare il *chiuso dell'ortino* che è l'*estremo angolo d'orto* di *Crisalide*) accosteremmo ai già collegati *Casa sul mare* e *Crisalide* appunto »: *op. cit.*, p. XI. Il *chiuso dell'ortino* è troppo poco per le corrispondenze di luogo; le corrispondenze tematico-simboliche io non le vedo.

[13] Variante alternativa segnata in margine: « alberella protesa».

dere alla possibilità per la donna amata di rinascere con la natura. La variante consiste infatti nella soppressione dei quattro versi in cui, dopo aver detto l'emozione per il felice incontro sentimentale, per il « tremore » che esso gli dà, il poeta insisteva sulla rinuncia a cercare per sé la felicità che augurava alla donna:

> E nessuno farà che non sia nato
> un gergo d'iniziati tra le nostre
> deboli vite: l'una che ricerca,
> l'altra, la mia, che addita e si ritrae.

Nella prima redazione la poesia risulta insomma rigidamente divisa in due parti: una prima che, nonostante l'accordo sentimentale delle due creature, mirava a contrapporre l'attesa della rinascita per la donna e la disperata rinuncia del poeta; una seconda che riconosceva illusoria la speranza anche per la donna. Al principio della quarta stanza si dava perciò un raccordo che rendeva esplicito il cambiamento di situazione:

> Forse non vincerete l'ombra oscura
> che da ogni parte tenta di rinchiudervi;
> forse non sorgerà dalla crisalide
> la creatura del volo.

Poiché nella nuova redazione i messaggi che la natura sembra esprimere con la sua energica ripresa di vitalità si rivelano immediatamente illusori all'occhio disincantato del poeta, questi versi sono stati soppressi, ma sostituiti con altri che, attraverso un rapido scorcio di paesaggio, segnano in forma ben più forte il contrasto tra vitalismo ed inerzia, tra la luce e l'ombra intese non come valori del mondo fisico, ma anche e sopra tutto come un modo di essere spirituale:

> Così va la certezza d'un momento
> con uno sventolio di tende e di alberi
> tra le case; ma l'ombra non dissolve
> che vi reclama, opaca.

Mi sembra in tutto coerente con la chiarificazione raggiunta nella nuova redazione che la quinta stanza sia stata sottoposta a una profonda rielaborazione essenzialmente formale e che la sesta non muti nulla della sostanza, nonostante le trasformazioni del linguaggio e della prosodia. Qualche cambiamento volle rispondere senza dubbio al criterio retorico della *variatio*. Per lo stretto rapporto esistente fra *Crisalide* e *Casa sul mare* probabilmente l'attacco «Vorrei seguirli, dirvi...» che dovrebbe trovarsi dopo il quarto verso della quinta stanza, venne soppresso per evitare una somiglianza troppo forte con «Vorrei dirti che no...» di *Casa sul mare* (v. 20), e la correzione va iscritta tra le prove interne sulle quali si fonda l'ipotesi che la prima stesura di *Crisalide* sia anteriore a *Casa sul mare*, e la seconda non di molto posteriore. Ma nell'insieme i cambiamenti hanno come risultato di portare una scansione distesa, che si regge su frasi e ritmi più ampi. Valga un particolare sintomatico: nella prima redazione il ritmo della quinta stanza correva rapido per le parole sdrucciole («immobili», «trepida», «strepita»), le quali cadevano o a fine di verso o a fine di periodo, dove, essendoci una pausa, assumevano un rilievo forte. L'arte rischiava così di diventare artificio, si faceva troppo scoperta, contravvenendo alle buone norme degli antichi maestri di retorica. Quell'accelerazione di ritmo portata dagli sdruccioli era però intonata alla trepidazione degli animi, e il poeta, anziché rinunciare a questo artificio, lo rinforzò nella nuova redazione. Ma «fondono», «profugo», «strepiti», pur essendo in fine di verso, per ragione di senso si legano strettamente alle prima parole del verso seguente, con un *enjambement* che riassesta, smorzandolo, il ritmo troppo corrente. L'altro sdrucciolo «trepida» è invece al centro del verso, isolato in modo che la sua funzione, non di attributo ma di predicato nominale preposto al verbo, obbliga a una forte pausa. Così il fonosimbolismo si attua come espressione di una sorta di dinamismo interno, che risponde alla trepidazione dell'attesa e porta in questo paesaggio marino – uno dei più poeticamente veri di tutti gli *Ossi di seppia* – una nota di commossa spiritualità.

La conferma di quanto si è detto sulla piena chiarificazione del tema poetico di *Crisalide*, raggiunta quando il poeta non vide come stati d'animo diversi l'attesa della donna e il suo personale disincanto, è lampante nella sesta stanza. Le correzioni portate alla prima redazione sono minime: «Ah crisalide» invece di «Ah mia crisalide»; «tortura» invece di «passione»; «andremo» in luogo di «andiamo»; «della gran muraglia» in sostituzione di «dalla gran muraglia». Nulla venne cambiato nella struttura prosodica e sintattica. Ma, a questo punto, già nella prima redazione, l'identità dei due destini era vista con perfetta lucidità. Mentre, nella stanza precedente, la prima stesura serbava un indizio della diversa condizione delle due persone della donna e del poeta nella formula « Vorrei seguirli, dir*vi* ... », e col sopprimerla il poeta rispettò sì il principio della *variatio*, ma venne altresì a ribadire l'indissolubilità dei due destini, nella sesta stanza, fin dalla redazione originaria, i pronomi e gli aggettivi pronominali erano solo quelli di prima persona plurale (*ci, nostro, noi*).

Già nella prima stesura questa stanza esprimeva del resto quanto di più tormentoso Montale sentiva nell'intimo della sua coscienza e portava netta l'impronta di quello che c'era di più nuovo e di più personale nel suo stile. La vana attesa del miracolo che venga a rompere l'ordine meccanico della vita è la « tortura senza nome » che si risolve in un fantasticare purtroppo vano, dal quale null'altro esce che il vuoto della delusione. A significare questo tormento sta non un paesaggio reale, il quale potrebbe almeno illudere i sensi, bensì un paesaggio metafisico, di cui si coglie tutto il significato nell'immagine « e poi non restano Neppure le nostre orme sulla polvere » e in quella figura della « gran muraglia », che ha in sé la potenza di un incubo kafkiano.

In altri passi degli *Ossi di seppia* è detta l'attesa del miracolo che potrebbe forse salvare dalla condanna di un ordine nel quale tutto è prestabilito. Si pensa, in particolare, al « fantasma che ti salva », alla « maglia rotta nella rete Che ci stringe » di *In limine*, allo « sbaglio di Natura ... che finalmente ci metta Nel mezzo della verità » dei *Limoni* e alle suggestioni che su Montale, da giovane, poté esercitare la filosofia di Boutroux. Ma i versi di *Crisalide*:

> e forse tutto è fisso, tutto è scritto,
> e non vedremo sorgere per noi
> la libertà, il miracolo,
> il fatto che non era necessario!

riprendono quel motivo in un contesto che ne potenzia il significato, facendone addirittura un tema tragico.

Questa intensità veniva, in certo modo, contraddetta dalla stanza finale nella prima redazione. Nell'attacco, innanzi tutto, c'erano non so che di discorsivo che abbassava troppo il tono (« Che posso dirvi? ») e una prosaica ovvietà d'immagini, che la sostenutezza letteraria si sforzava di riscattare:

> Torcersi le dita
> per fati inesorabili d'altrui
> è mio destino: al mondo

> ci ha luogo per chi sperpera e per quegli
> che raccatta i rottami abbandonati.

La nuova redazione, col riportare alla contemplazione del paesaggio, fa chiudere la poesia nella forma perfetta del cerchio, in quanto il paesaggio torna ad essere come al principio ben reale, sebbene carico di quei significati che l'anima sensibile vi coglie immediatamente come segni di una verità d'ordine noumenico. La stessa morbidezza e il sensualismo di marca dannunziana, per me evidenti nella « proda Dianzi raccolta come un dolce grembo », e nelle labbra che « non s'aprono per dire Il patto », anziché stonature, sono indizio di un'arte grande[13]. Ma in quest'ultima stanza si compie quasi prodigiosamente l'assunzione nel cielo della poesia di ciò che, nella prima redazione, era soltanto la formulazione di un voto. La rinuncia all'avara speranza dichiarata in *Casa sul mare* (« Ti dono anche l'avara mia speranza. A' nuovi giorni, stanco, non so crescerla ») portò il poeta a sentire più profondamente il valore di tale sacrificio, e vederne gli esempi più commoventi e significativi nella vita degli uomini come nella vita delle cose. Aveva dunque scritto prima:

> Il silenzio ci lega col suo filo,
> e le labbra non s'aprono per dire
> l'estremo patto ch'io vorrei fermare
> col torbido destino: di scontare
> la vostra gioia con la mia condanna.
> È il voto che mi fruga ancora il petto
> – poi finirà ogni moto –;
> nel rogo della vostra
> vita foss'io il paletto
> che si getta sul fuoco e cresce l'ilare
> fiamma d'attorno!
>   E forse non m'è dato.

---

[13] Senza troppo cercare, perché non si tratta affatto di fonti, ma di un certo tono o accento riportabili a D'Annunzio, cito da *Alcione* per la « proda dianzi raccolta come un dolce grembo », prima di tutto i versi delle *Ore marine* (15-22) nei quali c'è l'immagine delle « vergini Ore Che mansuefecero col solo Silenzio il mar selvaggio Quasi che accolto Se l'avessero in grembo Come un fanciullo torvo Per blandire il suo duolo Sorridendo »; ma altri passi da ricordare sono i vv. 26-29 dell'*Onda*: « Altra onda s'alza Nel suo nascimento Più lene Che ventre verginale! »; da *La corona di Glauco*, VII: *A Gorgo*, vv. 3-4: « Fra l'ombelico e il depilato pube Il ventre appare quasi onda che nasce »; dal *Ditirambo II*, vv. 21-24, le sabbie che si fanno « al vento e all'onda ... dolci come l'inguine e il pube ». Per le « labbra che s'aprono per dire » mi tornano a mente le « labbra che un divieto Chiuda », della *Sera fiesolana*, vv. 41-42.

Per nessun poeta forse l'ampliarsi di un testo da una redazione alla successiva comporta *ipso facto* la conquista di valori più alti. Per Montale certamente no; e quelle che potrebbero sembrare delle aggiunte, almeno a uno di quei lettori che si sono dati a studiare i poeti per soddisfare un'invincibile vocazione alle indagini statistiche, sono in effetti qualche cosa di più e di diverso che aggiunte.

Credo che non occorra dimostrare quanto lo stile si sia fatto più fermo per queste correzioni: « il patto ch'io vorrei stringere Col destino » in luogo di « l'estremo patto ch'io vorrei fermare Col torbido destino »; « È il voto che mi nasce ancora in petto » in sostituzione di « È il voto che mi fruga ancora il petto ». Ma la correzione di grande rilievo è negli ultimi versi: dove infatti la prima redazione introduceva un'immagine che s'inseriva, secondo un modulo proprio del classicismo, nella forma ottativa, insinuando poi il dubbio che il sacrificarsi per la donna amata potesse avere effetto, nel testo definitivo sono suscitate vere e proprie figure emblematiche del sacrificio che si compie per la salvezza di altri:

> Penso allora
> alle tacite offerte che sostengono
> le case dei viventi; al cuore che abdica
> perché rida un fanciullo inconsapevole;
> al taglio netto che recide, al rogo
> morente che s'avviva
> d'un arido paletto, e ferve trepido.

C'è una voluta indefinitezza negli *exempla* sia delle « tacite offerte che sostengono le case dei viventi » sia del « cuore che abdica perché rida un fanciullo inconsapevole »: un'indefinitezza che vale come invito, per chi legge con vera partecipazione, a spiegarsi gli esempi valendosi della sua personale esperienza. « Il taglio netto che recide » poi è il gesto coraggioso dell'uomo pratico, di colui che non soffre le inibizioni dell'intellettuale: colui « che se ne va sicuro ... E l'ombra sua non cura » dell'« osso » *Non chiederci la parola*. Ma, anche per evidenti consonanze verbali, si pensa sopra tutto ai versi 17-19 del settimo movimento di *Mediterraneo*:

> e forse
> m'occorreva il coltello che recide,
> la mente che decide e si determina.

Ma nella nuova redazione viene sublimata l'immagine stessa del paletto, nella cui morte l'idea del sacrificio si esprime con l'evidenza che c'è nei ben visibili fenomeni della natura. Caduto l'*utinam* di gusto classicistico (« nel rogo della vostra Vita foss'io il paletto ... »), diventa soggetto logico della frase il « rogo morente », e, attraverso il pronome relativo, rogo è pure soggetto di «ferve trepido»: un modo di dire molto più carico di significato spirituale che non « cresce l'ilare Fiamma d'attorno » della prima redazione, ed evidenziato per mezzo della forte pausa che lo separa dalla prima parte del verso.

Nella redazione di *Crisalide* data alle stampe non c'è correzione che faccia rimpiangere qualche cosa della prima stesura; ma il punto altissimo è toccato da questi versi finali, che sono tra i più belli che Montale ha scritto, stupendi per il sentimento di pietà che si esprime non meno che nelle azioni e nei gesti degli uomini nella consunzione dell'arido paletto [14].

---

[14] Citati perciò come versi esemplari da chi riconosce nella pietà la corda segreta di quel grande concerto che è la poesia montaliana: cfr. Luigi Capelli, *Il segno della pietà*, « La Fiera Letteraria » del 12 luglio 1953, p. 4. Per una spiegazione delle due redazioni di *Crisalide*, condotta con criteri sostanzialmente diversi dai miei, si veda ora: Laura Barile, *Le varianti di Crisalide*, in AA. VV., *Letture Montaliane* in occasione dell'80° compleanno del Poeta.

« OSSI DI SEPPIA »

Nonostante la scarsezza di notizie sul tempo di composizione delle poesie del primo libro montaliano, nella serie degli « ossi » si possono stabilire con buona approssimazione le date di *Meriggiare pallido e assorto*, il primo (1916), e di quello che si ha ragione di considerare il più tardo, *Arremba su la strinata proda*. La lettera a Paola Nicoli del 24 agosto 1924 è infatti lo « strumento d'invio » di quest'ultimo [1], e a quella data Montale giudicava concluso l'intero suo libro di poesie.

Anche seguendo nell'interpretazione del primo libro di Montale il criterio di leggerlo per grandi blocchi tematici, i riferimenti agli « ossi » propriamente detti sono venuti naturali per le implicazioni che questa serie, stendentesi per l'intero arco degli anni 1916-1924, ha con tutte le altre serie. Ma più che la questione delle date, non trascurabile, da valutare tuttavia senza nessuna superstizione, importa che in non pochi degli « ossi » si trovano condensati, in forma originalissima, i motivi forse più nuovi della poesia di Montale giovane. Molto scoperto è prima di tutto il bisogno di rendere esplicite le ragioni della propria poesia, la volontà di accompagnare alla poesia una poetica, che già abbiamo riconosciuta come propria di un artista nel quale l'atto creativo è sempre stato assistito da una lucida intelligenza, da quel « tormento critico » che purtroppo era mancato ai poeti della illustre triade di fine Ottocento [2].

---

[1] Cfr. *Autografi di Montale* a cura di Maria Corti e Maria Antonietta Grignani, p. XI. Nella lettera (ivi, p. 27) il poeta scriveva: « È un po' difficile ch'io riesca a lavorare per ora; il mio genere è tutta *un'attesa del miracolo*, e di miracoli in questi tempi senza religione se ne vedono pochini. Finito il libro — e finito può quasi dirsi — o sposterò la visuale, mutando genere, o silentium. Non ho nessuna voglia di autovivisezionarmi di più ».

[2] Si veda l'articolo *Stile e tradizione* pubblicato su « Il Baretti » II, n. 1 (15 gennaio 1925), ristampato in *Auto da fé*, pp. 15-19.

Proprio in apertura della serie degli «ossi», prima del più antico *Meriggiare pallido e assorto*, Montale volle dunque mettere, significativamente, *Non chiederci la parola*, una poesia che è una dichiarazione fatta al lettore (il famoso «tu» quella volta chiamava in causa il *candido lettore*) di quello che si poteva attendere da una poesia che non nasceva da un atto di fiducia nella vita e nella parola. *Non chiederci la parola* è una dichiarazione di poetica, non è la poetica o, tanto meno, l'*ars poetica* di Montale; e la confessione che vi si trova è solo in parte usufruibile per una lettura corretta degli *Ossi di seppia*.

Dalla constatazione della propria irresolutezza psicologica Montale deduceva in questo «osso» l'incapacità di tentare il canto spiegato e di scoprire sopra tutto la parola definitiva, chiara, che trasmetta un messaggio positivo. La confessione, tradotta in questi nostri termini prosaici, rischia di avvicinare Montale ai crepuscolari, a quei rinunciatari che trovavano la loro salvezza nel negare la poesia stessa, facendone un tutt'uno con gli abbandoni sentimentali e operando deliberatamente una riduzione ironica dei propri drammi morali. Anche in *Non chiederci la parola* Montale era invece ben diverso da Corazzini che cantava:

> Perché tu mi dici: poeta?
> Io non sono un poeta.
> Io non sono che un piccolo fanciullo che piange. [3]

E nel porre la distanza tra la propria irresolutezza d'intellettuale e la decisione dell'uomo pratico era ben diverso da Gozzano, che, mentre si rappresentava trasognato corteggiatore della signorina Felicita, veniva accordando «le sillabe dei versi Sul ritmo eguale dell'acciottolio». In Montale c'è pur sempre la nostalgia della parola definitiva, e l'immagine del giallo splendente del croco perduto in mezzo a un polveroso prato risponde all'idea, quasi assillante per lui, della poesia che nasce, come il fiore del deserto, dove pare che la vita abbia disseccato ogni sua linfa. Persino l'immagine di «qualche storta sillaba e secca come un ramo» a me sembra che non significhi la rinuncia alla poesia, che fu propria dei crepuscolari; esprime invece quanto di sofferto, di doloroso addirittura c'è al fondo della parola poetica che esprime senza enfasi un travaglio interiore. E sui simboli trasparenti del croco per-

---

[3] Sergio Corazzini, *Desolazione del povero poeta sentimentale*, in *Poesie edite e inedite* a cura di Stefano Jacomuzzi, Einaudi, Torino, 1968, p. 117.

duto in mezzo a un polveroso prato e delle parole simili a rami storti e secchi deve battere l'accento più che su quel non so che di enfatico che c'è nell'epigramma finale:

Codesto solo oggi possiamo dirti,
ciò che *non* siamo, ciò che *non* vogliamo.

Se osservo che in questi due versi la poesia decade, non è perché io provi insofferenza per il farsi esplicito del contenuto psicologico. Per quella psicologia, della quale giustamente Saba si lagnava che i critici italiani tanto poco si occupassero nell'interpretare la poesia, non nutro nessuna avversione: tutt'altro. Se mai guardo con sospetto coloro che oggi applicano schemi psicologici scientifici, per lo più mal digeriti, nell'interpretare i poeti. In questi due versi mi dispiacciono sia la genericità con la quale è formulata la poetica del negativo sia la scarsa rispondenza che ha questa dichiarazione con la ricca tematica montaliana.

Ben altra cosa è l'«osso» *Mia vita, a te non chiedo*. Esso svolge sì un tema assai simile a quello di *Non chiederci la parola*; ma qui il poeta non sovrappone un linguaggio da critico che discute sul valore della parola; confessa soltanto uno stato d'indifferenza che rende quasi inafferrabile la realtà, e gli fa sembrare uguali di sapore il miele e l'assenzio. Eppure mentre tiene a vile ogni moto (e si pensa, leggendo questi versi, al Leopardi di *A se stesso*, corretto da una segreta vena elegiaca), il cuore è preso da improvvise emozioni: più che da gioiosi ritorni alla vita, da sussulti e smarrimenti, definiti poeticamente dall'immagine bellissima del colpo di fucile che esplode nel silenzio della campagna.

Che il dramma interiore qui confessato si leghi per molte fila al senso della vanità o della inadeguatezza della parola risulta da altri luoghi della poesia montaliana. Basterebbe ricordare, nell'ottavo movimento di *Mediterraneo* (*Potessi almeno costringere ...*), la confessione dello scacco subìto dal poeta nel tentativo di accordare il suo «balbo parlare» alla voce del mare: dopo aver sognato di rapire al grande amico «le salmastre parole In cui natura ed arte si confondono», il poeta aveva invece dovuto riconoscere di non possedere che «le lettere fruste dei dizionari», delle parole «che come donne pubblicate S'offrono a chi le richiede ...». E in *Mediterraneo* il fallimento del poeta era non senza rapporto con il fallimento confessato nel settimo movimento: quello dell'uomo che si era smarrito nell'analisi della realtà, e che forse si sarebbe salvato se al momento giusto avesse usato « il coltello che recide, La mente che decide e si determina » (motivo ritornante, come abbiamo avvertito a proposito della seconda stanza di *Fine dell'infanzia*).

Come in genere in tutti i luoghi degli « ossi » nei quali tornano temi noti, anche in *Mia vita, a te non chiedo* si ha non il ripetersi di cose risapute, bensì il farsi più intenso e più drammatico di stati d'animo profondamente vissuti. Qui, in una poesia che per la chiarezza delle definizioni somiglia a un epigramma, sono resi compresenti due opposti stati d'animo: l'indifferenza e quell'emozione che fisicamente si avverte a un tratto come un acceleramento delle pulsazioni cardiache.

Siffatta drammaticità si trova anche al fondo di poesie nelle quali l'intonazione sembra più pacata, quasi elegiaca, quale *Portami il girasole*. Il girasole è visto come l'emblema di una prorompente gioia vitale: il suo « volto giallino » non dice veramente questa gioia, ma la dice bene il « girasole impazzito di luce » che suggella la poesia ed è fratello del « croco Perduto in mezzo a un polveroso prato » e ci fa pensare alla frenesia di gialli dei girasoli di Van Gogh: figure di sconvolgente vitalità, eppure pervase da un indefinibile senso di corrosione e di morte. (Ma il « volto giallino » è un indizio, tra gli altri, della fase sperimentale che Montale stava attraversando con la sua lingua nella stagione degli *Ossi di seppia*, quando l'aulico e il prosaico cozzavano tra loro ma non davano sempre scintille[4]. Qui, disturbato da *salinità* e rifiutando *salsedine*, sebbene D'Annunzio la avesse consacrata alla poesia in *Undulna*, v. 3, Montale ha preso dall'uso dialettale il sostantivo « salino », prosaico, mentre per l'azzurro del cielo, non contento nella nobilitazione retorica che comporta l'uso del plurale al posto del singolare, ha applicato agli « azzurri » l'attributo « specchianti », che nel significato di lucenti è aulicissimo; ma il risultato non è stato felice). In una intuizione del paesaggio che si drammatizza per il contrasto fra il terreno reso arido dalla salsedine e la traboccante forza vitale del girasole si esprime dunque quanto di più sofferto c'era nell'esperienza morale e intellettuale del poeta, e, con una naturalezza che non c'è nell'« osso » *Non chiederci la pa-*

---

[4] « Infallibile nella scelta delle parole (il primo che abbia dato scintille facendo cozzare l'aulico col prosaico), l'ultimo Guido [Gozzano] ebbe l'istinto e la fortuna di saper restare quello ch'era ... »: *Sulla poesia* p. 57.

rola, risulta definito il gusto del Montale giovane in quanto aveva saputo derivare dal simbolismo.

Ma a questo punto si vorrebbe aggiungere una precisazione che può sembrare banale: il simbolismo che riconosciamo in questi versi è quello intrinseco ad ogni vera poesia, la quale, per la forza allusiva del suo linguaggio, è sempre simbolica. Tuttavia se ci si riferisce al simbolismo come a una ben definita esperienza artistica di fine Ottocento, i debiti verso di esso, in quanto valori di stile, sono riconoscibili dove l'emozione poetica è avvertita come il dissolversi delle percezioni sensibili in un'atmosfera che le esalta e, al tempo stesso, le vanifica in un ordine sensorio diverso da quello in cui sono state conosciute. Significativi in questo senso sono sopra tutto i versi:

> Tendono alla chiarità le cose oscure,
> si esauriscono i corpi in un fluire
> di tinte: queste in musiche. Svanire
> è dunque la ventura delle venture.

Montale però ha attraversato il simbolismo, come, in pittura, Cézanne aveva attraversato l'impressionismo. Il valore della luce e delle sue vibrazioni non era passato invano per Cézanne, ma la sua pittura aveva mirato a riconquistare il senso della compattezza, della corposità degli oggetti. E nella sua pittura luce e atmosfera erano suggerite, non ritratte.

Nel paesaggio degli « ossi » gli oggetti stanno sì a significare una condizione umana, ma hanno una consistenza che ne fa delle realtà viventi per se stesse. Il poeta rivela la loro vita segreta, la loro essenza noumenica; nelle cose sa riconoscere quella spiritualità che una filosofia, forse troppo fiduciosa nella forza della ragione, crede propria solo dell'uomo. Immagini e figure esistono allora in sé e per sé; sono ben precise realtà sia le cose condannate alla sofferenza sia quelle che godono la sola felicità nella quale già la concezione pessimistica degli epicurei faceva consistere la beatitudine che è riservata agli dei, spettatori lontani e indifferenti delle pene degli uomini. Leggiamo l'« osso » bellissimo e famoso *Spesso il male di vivere*:

> Spesso il male di vivere ho incontrato:
> era il rivo strozzato che gorgoglia,
> era l'incartocciarsi della foglia
> riarsa, era il cavallo stramazzato.

Bene non seppi, fuori del prodigio
che schiude la divina Indifferenza:
era la statua nella sonnolenza
del meriggio, e la nuvola, e il falco alto levato.

Che in questi versi riecheggi la concezione degli antichi epicurei non
è l'ipotesi di un lettore che si compiaccia di sovrapporre ai versi di
un moderno poco peregrini ricordi di poeti antichi. Montale però non
disserta sulle sue verità e nemmeno le asserisce: le vede nelle cose.
Perciò le immagini di questi versi nella loro nudità hanno una pregnanza di significato tanto forte; in esse si attua quello che Gaston
Bachelard riconosceva come proprio della immagine poetica nuova:
essere un'origine assoluta dell'universo[5]. Non sono simboli del male
di vivere il rivo strozzato, la foglia incartocciata, il cavallo stramaz-
zato: sono il male di vivere; la statua nella sonnolenza del meriggio,
la nuvola, il falco alto levato non sono emblemi di quel bene che
schiude la divina Indifferenza: sono creature che godono la prodigiosa
e sola felicità concessa agli esseri viventi come agli dèi. Sorprendente
essenzialità della poesia! Gli oggetti soltanto perché nominati rivelano tutta la loro vita psichica. Nei vari altri luoghi degli *Ossi di seppia* in cui Montale si perde nella contemplazione delle nuvole, non
può far a meno di descriverle per quello che in esse proietta delle sue
fantasie. Qui gli basta dire « la nuvola »: molto meno persino di
quello che Baudelaire mette nella frase stupenda dell'enigmatico stra-
niero: « J'aime les nuages... les nuages qui passet... là-bas... là-bas...
les merveilleux nuages! ». Gli basta dire « il falco alto levato », e nel-
l'immagine del falco con le ali ferme e aperte noi riconosciamo un
altro dei rari prodigi che schiude la divina Indifferenza.

Nella seconda quartina di *Spesso il male di vivere* non solo la
statua ma tutti gli oggetti sono calati in un paesaggio meridiano. Per
ragioni di coerenza interna e per l'intrinseco significato delle figure
si collocano nella immobilità di un meriggio estivo anche la nuvola
e il falco librato nell'aria. L'ora meridiana arsa dal sole, nella quale
la vita appare come pietrificata, è tema ricorrente della poesia degli
« ossi »[6]. Non privo di precedenti illustri, questo tema porta la me-

---

[5] Gaston Bachelard, *La poétique de la rêverie*, pp. 1 e 7.
[6] Cfr. G. Contini, *Una lunga fedeltà*, p. 12: « C'è un mito in Montale, che riesce
proprio centrale alla sua poesia: ben più che il mare; è l'ora del meriggio ... ». E non
è questo il mito della più antica lirica degli *Ossi di seppia*, *Meriggiare pallido e assorto*?

moria del lettore al D'Annunzio dell'*Alcione*. Si pensa ai versi finali di *Furit aestus*:

> Terribile nel cuore del meriggio
> pesa, o Mèsse, la tua maturità,

ma, nonostante la diffusa vena descrittiva, si pensa sopra tutto a *Meriggio*, di cui basta citare l'esordio:

> A mezzo il giorno
> sul Mare etrusco
> pallido verdicante
> come il dissepolto
> bronzo degli ipogei, grava
> la bonaccia. Non bava
> di vento intorno
> alita. Non trema canna
> su la solitaria
> spiaggia aspra di rusco,
> di ginepri arsi. Non suona
> voce, se ascolto.

L'immobilità e il silenzio dell'ora meridiana erano state anche una delle prime grandi intuizioni poetiche del Leopardi. Nel giovanile *Saggio sopra gli errori popolari degli antichi* un capitolo, il settimo, s'intitola *Del meriggio*. Senza del tutto rinunciare alla petulanza che, messosi alla scuola degli illuministi, portava nel registrare la superstizioni popolari, il Leopardi vi lascia trasparire il suo stupore al pensiero delle favoleggiate apparizioni in terra del dio Pan nel silenzio del meriggio:

Gli antichi tremarono al solo immaginarsi di poter vedere un Essere di cui non conoscevano la figura, e del di cui potere avevano una spaventosa idea. Raccontavasi che Pane si era fatto qualche volta vedere agli agricoltori, i quali dopo la sua apparizione erano stati sorpresi da morte improvvisa...

Leopardi però non ricostruiva leggende, ma fantasticava su sue personali impressioni dove, al principio del capitolo, scriveva questo brano tutto pervaso da un sentimento poetico:

Tutto brilla nella natura all'istante del meriggio. L'agricoltore, che prende cibo e riposo; i buoi sdraiati e coperti d'insetti volanti, che, flagellandosi colle code per cacciarli, chinano di tratto in tratto il muso, sopra cui risplendono interrottamente spesse scintille di sudore, e abboccano negligentemente e con pausa il cibo sparso innanzi ad essi; il gregge assetato, che col capo basso si affolla, e si rannicchia sotto l'ombra, la lucerta, che corre timida, a rimbucarsi, strisciando rapidamente e per intervalli lungo una spiepe; la cicala, che riempie l'aria di uno stridore continuo e monotono; la zanzara, che passa ronzando vicino all'orecchio; l'ape, che vola incerta, e si ferma su di un fiore, e parte e torna al luogo donde è partita: tutto è bello, tutto è delicato e toccante.

Non mancano precedenti di queste fantasie nella letteratura preromantica; ma non è questo che qui interessa. Merita piuttosto d'essere ricordato lo svolgimento, e l'approfondimento, che ebbe questa intuizione del Leopardi diciassettenne in pagine della maturità. Per non dire di altri luoghi, e in particolare di una terzina dell'ancora giovanile *Appressamento della morte*[7], il tema del silenzio meridiano, a lungo conservato nella memoria, tocca le vette della poesia nella seconda stanza della *Vita solitaria*, una lirica in cui le impressioni personali si intrecciano a ricordi libreschi con risultati poetici necessariamente discontinui:

> Talor m'assido in solitaria parte,
> sovra un rialto, al margine d'un lago
> di taciturne piante incoronato.
> Ivi, quando il meriggio in ciel si volve,
> la sua tranquilla imago il Sol dipinge,
> ed erba o foglia non si crolla al vento,
> e non onda incresparsi, e non cicala
> strider, né batter penna augello in ramo,
> né farfalla ronzar, né voce o moto
> da presso né da lunge odi né vedi.
> Tien quelle rive altissima quiete;
> ond'io quasi me stesso e il mondo obblio
> sedendo immoto; e già mi par che sciolte
> giaccian le membra mie, né spirto o senso
> più le commova, e lor quiete antica
> co' silenzi del loco si confonda.

Confrontando il momento contemplativo rappresentato in questi versi con l'*Infinito*, Mario Fubini ha scritto che qui il Leopardi « intende esprimere ... il venir meno di tutti i moti vitali in una quiete antica

---

[7] *L'appressamento della morte* (1816), IV, 70-72: « Qual da limpido ciel su questo lago Cinto di piante in ermo loco il sole Versa sua luce e sua tranquilla imago ».

146

e obliosa all'unisono con la quiete universale del meriggio »[8]. Da queste impressioni il Leopardi fu portato poi, nella prosa stupenda del *Cantico del gallo silvestre*, alla visione di un paesaggio che ha il suo nucleo nel silenzio del meriggio, ma che diviene raffigurazione della immobilità assoluta di un mondo in cui le cose conservano le loro parvenze ma sono come pietrificate nel silenzio:

Se il sonno dei mortali fosse perpetuo, ed una cosa medesima colla vita; se sotto l'astro diurno, languendo per la terra in profondissima quiete tutti i viventi, non apparisse opera alcuna; non muggito di buoi per li prati, né strepito di fiere per le foreste, né canto di uccelli per l'aria, né sussurro d'api o di farfalle scorresse per la campagna; non voce, non moto alcuno, se non delle acque, del vento e delle tempeste, sorgesse in alcuna banda; certo l'universo sarebbe inutile ...

Chi dalla lettura di Leopardi torna a *Meriggio* di D'Annunzio vede gli esiti diversissimi di due poesie tra loro molto lontane. Non solo alla castità del linguaggio di Leopardi si oppone la profusione di colore della lirica dannunziana; ma in *Meriggio* il sensuale gusto pittorico si muta in vera lussuria, in un prorompente desiderio di possedere le cose più ancora che di confondervisi:

> E la mia forza supina
> si stampa nell'arena,
> diffondesi nel mare;
> e il fiume è la mia vena,
> il monte è la mia fronte,
> la selva è la mia pube,
> la nube è il mio sudore.
> E io sono nel fiore
> della stiancia, nella scaglia
> della pina, nella bacca
> del ginepro; io son nel fuco,
> nella paglia marina,
> in ogni cosa esigua,
> in ogni cosa immane,
> nella sabbia contigua,
> nelle vette lontane.

---

[8] Giacomo Leopardi, *I Canti* con Introduzione e commento di Mario Fubini. Edizione rifatta con la collaborazione di Emilio Bigi, Loescher, Torino, 1976, II edizione nuovamente riveduta e accresciuta, p. 133.

Con queste osservazioni non si vuole fare questione di fonti o di imitazioni, ma si riconosce l'appartenenza di Montale alla famiglia di poeti nella quale sta Leopardi e non a quella in cui sta D'Annunzio.

Del tema del meriggio dentro la serie degli « ossi » è peraltro consentito di abbozzare una storia, la quale prova anche che se il punto di partenza fu abbastanza dannunziano, leopardiano fu il punto di arrivo. Oltre la data sicura di *Meriggiare pallido e assorto* è possibile stabilire anche l'anno di *Non rifugiarti nell'ombra*: il 1922[9]. Ispirato al medesimo tema della calura del meriggio, *Non rifugiarti nell'ombra* si direbbe che abbia importanza più che come prodotto perfettamente riuscito, come impegnata prova d'artista, ché se per un verso sta a dimostrare la ricerca di mezzi espressivi meglio adeguati alla situazione poetica, per un altro risulta quasi un serbatoio di spunti che avrebbero fruttato di lì a poco in altri « ossi ».

Non diversamente che in *Meriggiare pallido e assorto* sembra che il poeta voglia allontanare da sé l'insidia di abbandoni all'elegia; ma mentre nell'« osso » più antico l'asprezza e l'arsura del paesaggio venivano rese con una mimesi musicale abbastanza corriva, in *Non rifugiarti nell'ombra* l'arte si fa più sapiente. Innanzi tutto il senso di violenza che c'è nell'arsura del paesaggio viene reso con un'operazione stilistica raffinata, scartando le parole più usuali a vantaggio delle meno consuete: dunque, « caldura », antico e ripreso da D'Annunzio, e non calura; « s'addorma » e non s'addormenti; « s'impigra » e non s'impigrisce; « sfilacciarsi » e non sfilacciarsi. Una non diversa tensione si esprime attraverso verbi quali « strapiomba » e « si sgretola », e nel singolarissimo ma per nulla cerebrale ossimoro « aride onde ». In tutta la poesia si avverte però la ricerca di un equilibrio non perfettamente raggiunto. Si osservi la metrica. Nelle prime tre strofe e nelle ultime due c'è una netta prevalenza di ottonari, la cui cantabilità è smorzata dalle frequenti irregolarità di accenti e dalla serie degli *enjambements*. La quarta strofa, nella quale il discorso tende a certa sostenutezza eloquente, allarga il ritmo con tre versi ampi e anomali chiusi da un ottonario. Ma a compromettere l'apparente regolarità delle quartine porta sopra tutto l'abbondanza delle rime imperfette: *ombra-strapiomba*; *canneto-sgretola*; *s'addorma-forme*; *pulviscolo-invischia*; *disagio-randage*; *rupi-nubi*; *brucia-luce*; *cenere-sereno*. Il segno del controllo che il poeta sa esercitare sui propri

---

[9] Vd. *L'opera in versi* a cura di R. Bettarini e G. Contini, p. 871.

mezzi espressivi consiste nel rapporto dinamico tra la regolarità non scolastica della metrica – e la sua apparente più che vera facilità – e la tensione che erompe dalle parole. Tuttavia, se l'equilibrio raggiunto dall'artista consiste anche nel sapere dissimulare l'arte, *Non rifugiarti nell'ombra* porta ancora segni d'immaturità. Forse è da imputarne anche quell'urgere della materia dentro la fantasia, che fa di questo « osso » un componimento ricco di spunti destinati a dare frutti migliori di lì a poco. Non c'è rapporto strettissimo tra il « falchetto che strapiomba fulmineo » e il « falco alto levato » di *Spesso il male di vivere*, ma un rapporto esiste. Il « canneto stento » senza dubbio è il medesimo del posteriore « osso » *Il canneto rispunta i suoi cimelli*. Il « pulviscolo madreperlaceo » e le impressioni che suscita ci portano a ripensare sia all'esaurirsi dei corpi « in un fluire di tinte » di *Portami il girasole* sia, ancor più, al dissolversi delle parvenze nella luce di *Gloria del disteso mezzogiorno*. La visione poi della « chiostra di rupi Che sembra sfilacciarsi In ragnatele di nubi » è strettamente legata, per opposizione, alla « serenità che non si ragna » di *Il canneto rispunta i suoi cimelli*, per il rapporto esistente anche tra le « ragnatele di nubi » e il verbo *ragnarsi*.

Diversi sono i modi nei quali D'Annunzio viene ripreso negli *Ossi*, e non ne esaurisce l'elenco il ricco e, in certo senso, troppo ricco repertorio offerto dal Mengaldo e nemmeno ciò che si legge in questo volume nel capitolo *Dannunzianesimo e antidannunzianesimo*. È vero comunque che elementi dannunziani non riconducibili a parole e figure derivati direttamente dall'immaginifico entrano nel primo libro di Montale, per essere subito corretti o addirittura contraddetti. D'Annunzio avrebbe probabilmente pagato un alto prezzo per avere saputo aprire una delle laudi alcionie con un verso fastosamente e canoramente celebrativo della solarità meridiana quale è « Gloria del disteso mezzogiorno », *incipit* dell'« osso » giustamente più famoso tra quelli dedicati all'ora del meriggio. Dico, a ragion veduta, celebrativo, per il rilievo che ha sùbito, in apertura, la definizione della invadente luce del mezzogiorno, ottenuta con un verso che, dal punto di vista sintattico, ha la caratteristica di costituire una proposizione senza verbo e, dal punto di vista metrico, quello di pretendere un rallentamento del ritmo attraverso la scansione delle sillabe: « gloria », parola tematica fortissima, va letta infatti come trisillabo, secondo le norme della metrica latina. Eppure la celebrazione risulta subito ben diversa dalla laude dannunziana. Quello che il poeta attua nella prima quartina è la rappresentazione del paesaggio dentro linee di essenzialità potente. Anziché la profusione descrittiva ed elencativa di cose e colori della poesia dannunziana vediamo soltanto quegli alberi che formano dei blocchi immobili di verde come in un quadro di Cézanne, e sentiamo l'azione corrosiva della luce che annulla e consuma gli oggetti, toglie loro consistenza corposa, li muta in « parvenze », che confondono i loro colori in una evanescenza luminosa. Se *falbo* è ancora aggettivo che poteva essere stato suggerito da D'Annunzio (*Alcione*, *L'otre* III, 14), e che era stato usato anche da Pascoli nella *Canzone del Paradiso* (X, 53), il significato che assume qui è nuovo, riscattato da quel tanto di prezioso che ha in D'Annunzio e in Pascoli. Nel primo infatti significa fulvo ed è detto del pelo animale; per il secondo falbi sono i capelli di re Enzio; in Montale l'aggettivo indica il colore dorato della luce.

L'essenzialità nella raffigurazione del paesaggio porta anche nel primo verso della seconda quartina all'eliminazione del verbo: « Il sole, in alto, – e un secco greto ». Ma funzione più forte di quella che potrebbe avere un verbo ha qui la congiunzione *e*, che segna con una rapidità folgorante l'effetto dell'arsura del sole sulla terra e la vede dove essa ha più di doloroso: nel greto privato della fresca vitalità dell'acqua. Montale ha dato veramente al tema dell'ora meridiana una potenza tragica, vedendo con tanta essenzialità gli effetti dell'arsura. Non pretendo, in nome di una poetica classicistica, che dove si esprime un sentimento tragico della vita debba esserci, di necessità, la catastrofe tragica. Mi sembra però che un sentimento così doloroso dell'esistenza escluda qualsiasi consolazione, e, sopra tutto, penso che quando uno stato d'animo è integralmente espresso attraverso figure di assoluta oggettività, quali sono quelle dei primi cinque versi di questo « osso », il poeta commetta un errore se pretende di rendere espliciti i suoi simboli. In questo errore Montale è incorso spiegando che nel meriggio che ha rappresentato si riconosce il meriggio della sua vita e che, a confortarlo di tanta desolazione, sta la speranza di un futuro diverso. Nei vv. 6-8 è singolare la rispondenza degli elementi figurativi con la prima parte della poesia. Il « muretto » fa ancora parte del paesaggio arso dal sole, e il tramonto, non rappresentato con colori pittoreschi e movimenti di nubi, ma immaginato come una superficie a tinta unita, quale è la scialbatura, lo strato d'intonaco che si stende su una parete, è il più coerente che si possa immaginare dopo un meriggio bloccato nell'immobilità assoluta. Eppure la poesia scade, non come avviene sempre nella poesia simbolista quando il poeta pretende di spiegare i suoi simboli, ma proprio perché il rapporto tra il meriggio assolato e il meriggio della vita non c'è. Del resto queste osservazioni trovano una conferma nella terza quartina. Bellissima è la ripresa dei vv. 9-10:

> L'arsura in giro; un martin pescatore
> volteggia s'una reliquia di vita.

Si riflette nel volo lento del martin pescatore la sospensione che è di tutta la natura nel meriggio; con la « reliquia di vita », indefinita e perciò fortemente suggestiva, l'idea della morte suggella la poesia ispirata a un intenso sentimento tragico. Tornando perciò negli ultimi due versi al motivo della speranza, è inevitabile che il tono scenda dall'altezza tragica a modi tra elegiaci ed epigrammatici:

> La buona pioggia è di là dallo squallore,
> ma in attendere è gioia più compita.

Un altro momento in cui l'afa e l'arsura meridiana si fanno immagine di uno stato d'animo e, per il sospendersi dei moti vitali, provocano il sospiro verso una condizione diversa, è nell' « osso » *Il canneto rispunta i suoi cimelli*. Ma il modo di aggredire il tema (dico « aggredire » non casualmente) è qui ben diverso. Nei limiti che comporta qualsiasi distinzione tra significante e significato, si può dire che la forza di questa poesia consiste infatti più che nelle immagini nella violenza delle parole. Non penso a un'iniziativa delle parole, che porterebbe a leggere non correttamente Montale; ma a una sorta di *outrance* verbale, che intensifica e drammatizza immagini e figure. Si dà qui un caso dei più esemplari di quella che molto acutamente Giorgio Orelli ha definito « una potenzialità espressiva, una suggestività che dal livello fonologico-lessicale s'espande per tutto l'enunciato poetico »[10]. Subito colpisce il suono delle rime consonantiche e rare delle prime due quartine; forse non altrettanto evidente è che queste rime determinano una sorta di tensione in una poesia dalla struttura strofica e metrica molto regolare, costituita di tre quartine con le rime alternate, tutte di endecasillabi, eccettuato il sesto verso che è settenario. E se nella terza quartina, nella quale si effonde il sospiro ele-

---

[10] Giorgio Orelli, *L'upupa e altro*, « Strumenti critici » n. 15 (giugno 1971), p. 239 e ora nel vol. *Accertamenti verbali*, Bompiani, Milano, 1978.

giaco, le rime diventano facili, la carica drammatica delle prime due quartine non cessa di propagarsi sino agli ultimi versi, nel timbro stesso delle sillabe in *u*, in rima e fuori di rima (*consuma, tutto, suo, dirupa, bruma*).

L'*outrance* verbale è spiccata specialmente nella prima quartina. C'è innanzi tutto l'uso eccezionale di *rispuntare*, di norma intransitivo, che fatto qui transitivo assume le forza propria del verbo veramente attivo, accresciuta per di più dalla novità del costrutto. Ma singolarissimo nel primo verso è anche « cimelli ». « Cima tenera delle piante » spiega il *Grande Dizionario* del Battaglia, che cita soltanto questo passo degli *Ossi di seppia* e un altro delle prose dello stesso Montale, ma non dice quello che dovrebbe essere detto: cioè che cimello è il ligure *çimello*, che nel *Dizionario moderno genovese-italiano e italiano-genovese* di Gaetano Frisoni porta questa spiegazione: « cima cimetta, pipita (punta tenera) delle ortaglie » [11]. Di diversa provenienza, non dialettale ma letteraria, è *ragnare* che si dice tanto di tessuto consunto sì da lasciar trasparire la trama, quanto – come qui – del cielo che si copre di nuvole leggere, le quali danno l'impressione di una ragna (cioè di una ragnatela, o, meglio, di una rete per prendere gli uccelli). E letterario e arcaico (è usato da Guittone d'Arezzo) è « ramelli » del v. 3, in luogo del più comune ramicelli; mentre « stagno » nel significato di stagnante e, ancor più, di pesante, compatto, è corrente in pressoché tutti i dialetti settentrionali, almeno nel linguaggio degli operai e degli artigiani.

Si ha dunque nella prima quartina un linguaggio che forza la sua espressività per mezzo di accostamenti di parole tra loro lontane per origine e per uso. Retorica sapiente, ma non retorica fine a se stessa, perché molte parole hanno pregnanza di senso poetico. Ma l'immobilità delle cose e, ancor più, lo spreco di energia della natura nell'ora meridiana ha la sua raffigurazione piena nella seconda quartina: nel momento di sospensione (l'« ora d'attesa » così energicamente definita dall'attributo « vacua », isolato e messo in rilievo a fine di verso), cui segue, come una frana, il precipitare dei cumuli di nuvole che avevano preso quasi la forma di un albero innalzatosi sopra il mare.

---

[11] Il passo in prosa in cui torna « cimello » è questo: « Si sporgevano dalla finestra con una lunga canna dal cimello pieghevole – una canna da pesca – dalla quale pendevano tanto di spago e un grosso amo da palàmiti » di *Laguzzi e C.* nella *Farfalla di Dinard*. Anche qui aiuta il *Dizionario* del Frisoni che dà: « *cimello da pesca*, canna da pesca ».

Distinguere dunque tra immagini e parole è sempre un procedimento artificioso, al quale si ricorre soltanto per leggere più a fondo nella poesia. Nella seconda quartina, tra le parole che portano il segno della violenza con la quale il poeta aggredisce le cose, certo fa spicco «cinigia» sia per la collocazione in rima sia, ancor più, per il significato, che, essendo quello di cenere calda, nella quale resta qualche carboncino acceso, trasferisce l'idea dell'arsura persino al cumulo di nubi.

Ma anche la terza quartina, che pure vuol dire la nostalgia della donna lontana, ha nelle parole i segni della violenza. Si osservi sopra tutto «dirupa», che, significando il precipitare da una rupe, appartiene alla famiglia di quei verbi danteschi nei quali Montale ha sentito una potenza drammatica: quali *divallare*[12] e *diroccciare*[13]. *Dirupare* è però un forte denominativo, un verbo cioè ricavato da un nome, e non è il solo di questo «osso», nel quale troviamo anche *rispuntare*, *ragnare*, *ingrigiarsi*, indizi tutti di una sensibilità alla dura concretezza delle cose, che mi sembra segni, oltre il resto, il lungo cammino percorso dal primo «osso» *Meriggiare pallido e assorto*[14].

Negli «ossi», in modi differenti ma tra loro coerenti, il poeta rappresenta l'urto drammatico tra l'esuberanza di vitalità di cui si carica la natura nella assolata ora meridiana e il misterioso senso di morte e distruzione che sta latente dentro il rigoglio della vita. Quando questo dramma si dilata si hanno le smagliature del tessuto poetico che si possono rilevare persino in *Gloria del disteso mezzogiorno* con l'idea della buona pioggia. Allora l'unità e l'identità del fisico e del metafisico vengono compromesse; la poetica sottesa alla poesia si fa esplicita. Così in *Debole sistro al vento* che è bellissimo nel suo attacco, e per nulla viziato da ricordi letterari, anche se, per merito o per colpa di D'Annunzio e di Pascoli, nella poesia di fine Ottocento e del primo Novecento erano forse presenti più i sistri dell'antico Egitto che strumenti musicali a percussione a tutti ben noti:

> Debole sistro al vento
> d'una persa cicala,
> toccato appena e spento
> nel torpore ch'esala.

---

[12] *Clivo*, 21-22: «Come una musicale frana Divalla il suono, s'allontana». Per il rapporto con Dante si veda la nota 24 a p. 119.

[13] *Fine dell'infanzia*, 49-50: «Rara diroccia qualche bava d'aria», per cui si veda p. 125 e la nota 2.

[14] Da sottolineare ancora «consuma» (v. 10) invece del comune *si consuma*. Il verbo fatto assoluto da riflessivo è molto più forte, perché il pensiero corre alle mille cose consumate.

Ma al canto intermittente della cicala, che traduce in una debole musica il senso di torpore e di angoscia che c'è nel paesaggio, segue enfatizzato lo smarrimento del poeta, sopraffatto dall'impressione di vanità e di morte che egli avverte dentro di sé. Dall'immobilità della calura meridiana, evocata nella prima strofa con la sola efficacissima frase « nel torpore ch'esala », si passa a un'idea quasi astratta della negatività dell'esistenza, e qui le parole perdono d'incisività e di precisione. Ci si chiede che cosa veramente sia nella seconda quartina la vena segreta che dirama dal profondo e che nesso abbia con l'instabilità del nostro mondo. Nemmeno nella terza è ben chiaro che cosa si accenni, e certo il « tu » del v. 9 (« se tu l'accenni ») non chiama in causa l'interlocutrice alla quale il poeta ha spesso il bisogno di aprire il cuore in un atto di confidenza, ma sembra che abbia il significato più didascalico che poetico di un pronome indefinito. L'aria bigia poi porta lontano dal paesaggio che s'intravede nella prima strofa, un paesaggio che se non è dichiaratamente quello del mezzogiorno, è però un paesaggio immerso nel silenzio della calura estiva. Anche il tremore delle vestigia corrotte non saprei dire con esattezza che cosa sia, e, in un poeta di tanta incisività quale è il nostro, le vestigia incorrotte (probabilmente i segni della nostra esperienza di uomini, subito scancellati dal libro della memoria) danno l'impressione di un linguaggio insolitamente vaporoso. Una ripresa c'è nell'ultima quartina:

> Il gesto indi s'annulla,
> tace ogni voce,
> discende alla sua foce
> la vita brulla.

Un'idea che frutterà ancora nella poesia montaliana questa, qui accennata, dell'alienazione che ci fa perdere la conoscenza non soltanto delle persone e delle cose amate, ma la coscienza dei nostri stessi gesti e quindi della nostra identità, e verrà ripresa e svolta non molto più tardi in una poesia del 1926, *Due nel crepuscolo*, che fu però fatta conoscere soltanto nel 1943 ed entrò nella *Bufera*. Anche il discendere della vita vuota di emozioni e di gioie verso la foce è immagine molto suggestiva, per quello che implica il rapporto tra l'annullarsi di un fiume nelle acque del mare e il dissolversi della vita nel nulla.

È chiaro che i limiti che pongo a *Debole sistro al vento* non riguardano il tema del meriggio, che, a rigore, è tanto larvato qui da poter essere messo in dubbio. Riguardano il prevaricare di un pensiero astratto sull'intuizione di una verità concreta – quella che, secondo lo stesso Montale, deve comunicarci la poesia –, e questo si constata in un altro « osso », non proprio in stretta relazione col tema del meriggio, *Là fuoresce il Tritone*.

L'« osso » si apre con versi nei quali c'è la superiore pacatezza di chi domina col pensiero le impressioni ricavate dal mondo esterno facendone un valore della coscienza:

> Là fuoresce il Tritone
> dai flutti che lambiscono
> le soglie di un cristiano
> tempio, ed ogni cosa prossima
> è antica.

L'indicazione *Portovenere* scritta in testa alla poesia è la chiave per spiegarne il significato letterale: a Portovenere, situata sulla riviera ligure di fronte all'isola Palmaria, sfocia il torrente Tritone, e sul promontorio sorge la chiesa di San Pietro, nel luogo in cui si crede che sorgesse il tempio di Venere, che ha dato il nome al luogo. Mi pare che in questi versi i dati presi dalla realtà si trasformino in poesia per il fondersi, senza nessun residuo cronachistico, di natura e storia, del passato più recente e di un passato addirittura leggendario. Il Tritone è sicuramente il torrente, ma in quanto « fuoresce ... dai flutti » porta immediatamente la fantasia ai tritoni del mito greco, divinità per metà uomo e per metà pesce, che uscivano dalle onde come i delfini, e così una religione antichissima si congiunge alla religione cristiana, facendo tutt'uno dell'antico e del recente. Subito dopo il volo dei primi versi a me sembra però di scendere terra terra con la frase che segue:

> Ogni dubbiezza
> si conduce per mano
> come una fanciulletta amica.

Può darsi che io provi un'invincibile avversione per un vezzeggiativo quale « fanciulletta », che appartiene a una poesia di gusto tra pascoliano e crepuscolare, a mio avviso del tutto estraneo a Montale, anche al primo Montale. Ma più mi disturba che sia tradita da una immagine inadeguata l'idea che viene suggerita dall'impressione del paesaggio di Portovenere: l'idea dell'abolirsi della nozione del tempo e della storia, per cui il passato recentissimo assume subito il medesimo senso del passato più remoto. E attribuisco al tradursi dell'idea giusta in una immagine impropria anche la sproporzione che c'è tra la prima e la seconda strofa, nella quale il poeta cerca il significato generale di un'esperienza profondamente vissuta, alla maniera non di un poeta-filosofo, ma di un poeta didascalico. Se poi certi elementi linguistici devono essere valutati non con la mentalità del grammatico che si limita a fare statistiche, osservo che una spia di questo tono didascalico c'è nei verbi di seconda persona « sei alle origini » e « ripartirai »: come la seconda persona di « se tu l'accenni » in *Debole sistro al vento*, il tu implicito in « sei alle origini » e in « ripartirai » non chiama in causa l'interlocutrice di tanti altri luoghi della poesia di Montale; è un *tu* che ha il significato di pronome indefinito, e denunzia come tale l'intento didascalico.

È ben vero che anche questi cedimenti possono trovare una spiegazione nella poetica montaliana. Montale, a buon diritto, si è sentito diverso dai così detti ermetici, da quello che in uno degli *Xenia* (I, 6) molto duramente ha definito « il gracidante Limo dei neòteroi ». Quali siano stati gli intenti del nostro poeta nel differenziarsi dai poeti puri risulta da molti documenti. Per il rigore delle distinzioni giova tuttavia rifarsi a uno scritto del 1946, *Esiste un decadentismo in Italia?*, nel quale, ammettendo che nel termine decadentismo si può riconoscere, più per convenienza che per una ben motivata ragione storica, l'« etichetta, il cartellino del così detto *gusto* moderno in fatto di poesia », Montale aggiunge queste precisazioni:

Gusto che include la poesia *pura* o alogica, ma abbraccia insieme qualcosa di più vasto, e comprende cioè anche la poesia che attraverso l'approfondimento dei valori musicali tenta di giustificare (sia pure riducendole al minimo) quelle parti grige, quel tessuto connettivo, quel cemento strutturale-razionale che i poeti puri respingono ... quando ci riescono. Naturalmente non v'è poeta moderno che appartenga rigidamente a una di queste due scuole, tra le quali avvengono perenni scambi e feconde confusioni. Ma intesa la distinzione in modo molto elastico citerei fra i primi [i lirici del puro lampeggiamento intuitivo] il Coleridge di *Kubla Khan*, il Rimbaud delle *Illuminazioni* e l'Ungaretti di molte poesie; e porrei fra i secondi il Foscolo dei *Sepolcri*, il Hopkins delle liriche più pensate, il Valéry del *Cimitero marino* e l'Eliot dei *Quartetti*. [15]

---

[15] *Sulla poesia*, p. 112.

È chiaro che Montale sente di appartenere alla seconda famiglia dei poeti di cui parla. Ungaretti a lui è sembrato un poeta nel quale si sublima in poesia il gusto dei frammentisti. E Montale per parte sua non ha mai concesso nulla al frammentismo; e non occorre dimostrarlo dopo la lettura di *Mediterraneo* e di *Meriggi e ombre*. È stato però, nella stagione degli *Ossi di seppia*, poeta didascalico più di quanto comporti il gusto moderno. Nel grande e generoso fluire della poesia di *Mediterraneo* e di *Meriggi e ombre* il didascalico è riassorbito e riscattato, in quanto il « tessuto connettivo », il « cemento strutturale-razionale » si giustificano nell'approfondimento dei valori musicali. Negli « ossi », per le strutture più gracili e scarnite, il didascalico rischia di emergere con prepotenza, sebbene il poeta ne avverta la inopportunità e cerchi di esorcizzarlo, col risultato di ripiegare talvolta in uno stile epigrammatico, nel quale il discorso rischia di raccorciarsi un po' faticosamente, e, più spesso, col sostituire al discorso analogico dei passaggi logici che per le loro forzature portano anche a qualche oscurità. Sebbene Montale abbia rifiutato la poesia del frammento, anche per lui però la poesia è stata a volte illuminazione istantanea, momento di verità in sé concluso che tale avrebbe dovuto restare, senza subire quella specie di sopraffazione che consiste nelle aggiunte in cui si riassume un atto di riflessione.

Queste considerazioni su alcuni cedimenti degli « ossi » non devono peraltro essere irrigidite. Constatando la parte che ha un certo tono didascalico si vuole sopra tutto riconoscere il particolare accento della poesia montaliana, in quanto poesia profondamente nutrita di pensiero. E il bisogno di approfondire, attraverso la riflessione, gli improvvisi bagliori della fantasia porta infatti già in alcuni degli « ossi » a costruire la poesia in quella forma bipartita che diventerà, se non costante, assai caratteristica dei mottetti delle *Occasioni*. Tipico è per questo aspetto l'« osso » *La farandola dei fanciulli*, che è anch'esso legato al tema dell'arsura meridiana.

L'attacco è veramente un « improvviso », la cui natura musicale è annunciata da « farandola ». La farandola è una danza provenzale che si esegue con accompagnamento di flauto (il provenzale *galoubet*) e di tamburello; è parola squillante e, come ogni danza, è sentita come il tradursi della musica in figura e movimento. La scena dei fanciulli festanti è di quelle che sarebbero poi entrate nelle prose della *Farfalla di Dinard* ed è sentita come cosa appartenente al passato, ma qui torna folgorante alla memoria, con una concentrazione dalla quale il

Montale della *Farfalla di Dinard*, mirando a un diverso livello stilistico, si è tenuto deliberatamente lontano. Nel paesaggio arso, nel quale la vita vegetale è ridotta a « rare canne » e a uno « sterpeto », la danza dei fanciulli era un'esplosione di vitalità, simile alla « danza gioiosa » dei putti del pergamo del Duomo di Prato rievocata dal D'Annunzio nel *Compagno dagli occhi senza cigli*. Ma in Montale non c'è affatto l'esaltazione da superuomo che faceva credere a D'Annunzio di essere vissuto, durante i suoi sette anni di collegio, nella « illusione d'essere prigioniero non d'un branco di pedagoghi ma d'una ghirlanda di genietti ». In Montale c'è lo stupore per l'esplosione della vita umana in mezzo a una natura brulla, e lo stupore di sentirla parte della natura: tale è il senso di « cespo umano ». Nella seconda strofa l'atto di riflessione ha poi la funzione di approfondire il sentimento di stupore. Il passante, che può ben identificarsi col poeta stesso, è colui che mentre si sorprende a contemplare la festa dei fanciulli, non può non avvertire la pena di essere ormai staccato dal mondo e dall'età che rendevano possibile quel miracolo. Possono spiacere nella chiusa l'« età d'oro florida » e le « sponde felici » come definizioni convenzionali della fanciullezza, ma nell'ultimo verso « anche un nome, una veste, erano un vizio » c'è un'intuizione acutissima dell'identificarsi della vita individuale col tripudio collettivo sì da annientarvisi, cosicché tutto ciò che separa dall'autenticità che si trova in una immersione totale nella natura (anche un nome, anche una veste) è sentito come colpa e profanazione. Il proiettarsi nella lontananza del passato, complice la memoria, esige qui un linguaggio fermo, ma non aggressivo; e la stessa struttura sintattica e metrica sembra studiata per ottenere una distensione quasi narrativa: quattro periodi che occupano ciascuno due versi, e i versi sono lunghi, tutti composti, tranne l'ultimo, un endecasillabo che tende peraltro a stendersi nella pronuncia al di là delle undici sillabe, ché delle quattro sinalefi in esso presenti due almeno restano abolite dalle forti pause segnate dalle virgole.

Si può riconoscere ne *La farandola dei fanciulli* quasi una conclusione del tema dell'arsura meridiana che siamo venuti seguendo nella sezione degli « ossi ». Rispetto alle altre liriche che s'ispirano al medesimo tema, si riducono qui gli elementi illustrativi e la poesia vive per il contrasto tra la prodigiosa, imprevedibile esplosione di vitalità dei fanciulli e il dolore di colui che deve staccarsi dal luogo cui pure lo legano radici tenaci. Come in Leopardi però la visione del silenzio meridiano trovava la sua conclusione nel passo del *Cantico del gallo silvestre* che non contiene la descrizione di un meriggio, ma è la sublimazione, in una sfera di astrazione magica, di quell'immobilità e di quel silenzio di cui l'ora meridiana aveva offerto l'immagine sensibile al poeta, così negli « ossi » se si vuole trovare una conclusione del tema che abbiamo seguito, la si deve leggere in *Forse un mattino*.

Non si stabilisce un parallelo forzato con Leopardi, ma si lega *Forse un mattino* alle intuizioni poetiche che l'hanno preparato, riconoscendo nell'aria di vetro arida di questo « osso » una trasposizione metafisica dell'immobilità, conosciuta fisicamente nel meriggio; perciò questo mattino è tutto ipotetico, sta fuori dal tempo, proiettato in un futuro indeterminabile come l'immobilità dell'universo nel *Cantico del gallo silvestre*. Il tempo dei verbi che ne *La farandola dei fanciulli* è l'imperfetto, qui diviene perciò il futuro; non è la memoria infatti che rievoca un accadimento, ma è il cuore che vive nell'attesa di un evento. E se Montale tende a modi di forte tensione, nel lessico e nella metrica stessa, dove il tempo della poesia è il presente e si dà una attualizzazione delle impressioni e dei sentimenti (si ricordino in particolare *Il canneto rispunta i suoi cimelli* e *Non rifugiarti*), sia il futuro sia il passato – l'attesa e il ricordo – portano invece a una pacatezza che non annulla ma vela l'intima drammaticità. In *Forse un mattino* c'è una smorzatura di tono anche più sensibile che ne *La farandola dei fanciulli*: nessuna parola fa spicco; le rime, tranne la rima eccedente *miracolo-ubriaco*, sono senza forte rilievo; i versi con la loro ampiezza conferiscono al prodigio immaginato dal poeta la naturalezza dei fatti realmente accaduti[16]. Eppure l'evento al quale il poeta pensa è agghiacciante, come può esserlo il senso del vuoto e del nulla; quando poi il miracolo cessa, si fa più profonda la sofferenza di una solitudine che non può in nessun modo spezzarsi, perché, al riapparire dei segni della vita, chi ha conosciuto l'orrore del vuoto deve tenerlo dentro di sé come un segreto.

Anche Italo Calvino che ha dedicato un saggio molto intelligente a questo « osso »[17], ha osservato che esso si stacca dagli altri perché

---

[16] Tranne il terzo e il quarto che sono endecasillabi, gli altri sono versi composti, che vengono a dare alla breve poesia un ritmo esametrico: quinario e novenario il primo verso (con dialefe tra i due membri metrici); settenario sdrucciolo e ottonario sdrucciolo con accenti di quarta e di settima il secondo; settenario e ottonario il quinto e il sesto; doppio settenario il settimo; endecasillabo l'ultimo, aperto da una sorta di anacrusi, costituita da un ternario sdrucciolo.

[17] *Caro Montale buon compleanno. Una sua poesia commentata da Calvino*, « Cor-

è una poesia «narrativa», ma ancor più perché è una poesia «priva di oggetti, di emblemi naturali, priva di un paesaggio determinato, è una poesia d'immaginazione e di pensiero astratti», nella quale la determinatezza del medio (l'aria-vetro) «sbocca nel senso del nulla». Calvino poi nella sua analisi coglie con grande acume il modo eccezionale, miracoloso appunto, nel quale il poeta ha la percezione del vuoto. Non dentro il suo campo visivo, davanti a sé, avvertirà l'annientarsi degli oggetti; ma dietro di sé, o per un improvviso momentaneo rivolgersi dello sguardo o, più verisimilmente, per una percezione indefinibile, e di qui gli verrà «un terrore d'ubriaco». Osserva Calvino che siffatto modo di sentire si lega al senso d'insufficienza che ci è connaturato, per essere privi di un organo che ci faccia vedere ciò che sta dietro le nostre spalle, e che l'esperienza immaginata dal poeta si situa prima di quella fondamentale rivoluzione antropologica che è lo specchio retrovisore dell'automobile. Diversamente da ciò che avviene quando guardiamo in uno specchio normale, nel quale ciò che sta dietro di noi si riflette come contorno della nostra immagine, dallo specchio retrovisore resta esclusa l'immagine del guidatore, sicché questi coglie due campi visivi nello stesso tempo: la strada che gli sta dietro e quella che gli si snoda davanti. Ineccepibile poi è dare a «schermo» del quinto verso non il significato, codificato alla tradizione poetica classica, di «riparo-occultamento» o «diaframma», bensì quello, divenuto consueto grazie al cinema, di «superficie su cui si proiettano immagini». Perciò «questa poesia (databile tra il 1921 e il 1925) – aggiunge Calvino – appartiene chiaramente all'era del cinema in cui il mondo corre davanti a noi come ombre di una pellicola, alberi case colli si distendono su una tela di fondo bidimensionale, la rapidità del loro apparire ("di gitto") e la enumerazione evocano una successione d'immagini in movimento». Percezione del vuoto improvviso e poi constatazione del perdurare del mondo con i suoi oggetti e «gli uomini che non si voltano» perché presi, come è loro destino, dalla persuasione che «il mondo esiste» (*Vento e bandiere*) determinano l'atmosfera di lucido trasognamento nella quale consiste la forza poetica di *Forse un mattino*. E se si deve ammettere che la conoscenza dell'immobilizzarsi della vita nei gesti e negli oggetti visti nella luce abbacinante dell'arso meriggio ne ha preparato

---

riere della Sera» del 12 ottobre 1976, ristampato col titolo *Forse un mattino andando* nel vol. di AA. VV., *Letture Montaliane* in occasione dell'80° compleanno del Poeta.

la metafisica astrazione, è altresì evidente che fila sottili lo legano ad altre poesie del libro, dai *Limoni* a *Clivo*.

Raggruppando gli « ossi » secondo affinità tematiche non si pretende certo di fondare delle precise categorie, ma di suggerire un modo di lettura. Alla ricerca della parola e alla coscienza della sua approssimatività (dolorosamente affermata anche nell'ottavo movimento di *Mediterraneo*) s'ispirano *Non chiederci la parola* e *Mia vita a te non chiedo*; la pena dell'esistenza si esprime in *Spesso il male di vivere*; il senso dell'immobilità meridiana che si conclude con la visione del nulla è, con diverse sfumature, il tema di *Gloria del disteso mezzogiorno*, *Non rifugiarti*, *Il canneto rispunta i suoi cimelli*, *Debole sistro*, *Portovenere*, *La farandola dei fanciulli*, *Forse un mattino*. Altri due « ossi » letti precedentemente, *Valmorbia* e *Cigola la carrucola del pozzo*, nonostante le diverse occasioni da cui sono nati, hanno come elemento che li avvicina la constatazione della piccola parte di felicità che è concessa all'uomo. *Valmorbia*, con i suoi ricordi di guerra, rievoca la quasi favolosa felicità che c'era stata in circostanze in cui il senso della precarietà della vita era necessariamente più angoscioso che d'abitudine; *Cigola la carrucola del pozzo* si svolge sull'idea dell'immagine ridente che torna un attimo soltanto per subito sparire. La labilità della felicità diventa il tema dell'« osso » *Felicità raggiunta*.

Il vocativo col quale si apre ne ricorda altri *Mia vita, a te non chiedo*; *Valmorbia, discorrevano il tuo fondo*; *Upupa, ilare uccello*: vocativi che portano tutti con sé una nota di affettività. Ma « felicità raggiunta » ha un valore particolare: toglie astrattezza al concetto, segnando il registro dell'intera lirica, che procede tutta per immagini, le quali danno un senso di grande evidenza al pensiero, lo rendono, si può ben dire, facile, ma non di una banale facilità. E facili sono anche le rime, in questo discorso senza intoppi, nel quale l'epigramma finale

> Ma nulla paga il pianto del bambino
> a cui sfugge il pallone tra le case,

non suona *ex abrupto*, ma dà uno spessore più forte alla malinconia che nasce dalla consapevolezza del breve durare della felicità, della sua fragilità. Invero Montale non indulge qui a nessuna intenzione didascalica; esprime nella forma più naturale una sua convinzione di deluso osservatore della vita. La facilità degli enunciati dà forza alla verità del moralista, e questo « osso » potrebbe essere definito una « favilla » della poesia filosofica montaliana.

Dalle immagini nelle quali si traduce l'idea della felicità risulta evidente che quelli a cui pensa il poeta non sono stati d'animo che si contrappongano al dolore e ce ne liberino; ma piuttosto l'interrompersi di una condizione di apatia e di rinuncia. Montale poteva celebrare l'indifferenza alla maniera degli epicurei, come un dono divino; poteva anche mettere una punta di snobismo nell'ammirazione per chi, nuovo eroe romantico, fa dell'indifferenza una sorta di maschera. Erano tutte conseguenze di un lucido pessimismo, che portava sì ad ammirare chi sappia elevare l'indifferenza ad abito di vita, ma che non si abbandonava all'illusione della possibilità di eliminare dalla vita il dolore, con un atto di volontà stoica. Il tema della labilità della felicità era naturalmente legato a quello del male di vivere e dei suoi insidiosi antidoti. Bene lo si vede in *So l'ora in cui la faccia più impassibile*. Questo « osso » ha il suo momento di forza nella prima quartina, in quel cogliere la « cruda smorfia » di dolore inconfessato che attraversa una faccia che della impassibilità si è fatta una legge, e, per contrasto, l'indifferenza degli uomini che non sanno vedere quella pena. La seconda quartina, a mio avviso, rende troppo esplicita l'idea della inadeguatezza della parola a tradurre un'amara sofferenza, e l'epigramma contenuto negli ultimi due versi:

> La più vera ragione è di chi tace.
> Il canto che singhiozza è un canto di pace,

si pone ben al di sotto di altri momenti in cui Montale ha dichiarato il medesimo pensiero. Basterebbe pensare alla « cupa storia che non si racconta » del sesto movimento di *Mediterraneo*.

Ma in quanto il tema del breve durare della felicità si lega al pessimismo che sta al fondo di tutta la poesia degli *Ossi di seppia*, quello che più importa è riconoscere quali precise esperienze psicologiche diano vita a questa poesia della delusione e della rinuncia. Mi sembra che una simile attenzione porti a leggere più a fondo anche nel dolore che si esprime nella smorfia d'una faccia assuefatta all'impassibilità; sicuramente aiuta a sentire come un atto di partecipazione personale molto forte l'incertezza del poeta di fronte al destinatario di *Ripenso il tuo sorriso*. Già leggendo *Vasca*, a proposito del motivo dello specchio nella poesia di Montale, si è avuto occasione di osservare come quel motivo entri anche in questo « osso ». Vi entra per esaltare liricamente, con la visione dell'acqua limpida in cui un'edera specchi i suoi corimbi sotto un bianco cielo, il calmo sorriso dell'amico lontano. Ma anche qui, dove sembra che la salvezza contro il male di vivere possa trovarsi in una serenità distaccata, il poeta non è sicuro che nel sorriso dell'amico si esprima la calma felicità che gli pare di avervi riconosciuto. Forse in quel volto non si ha da leggere la gioia mai scalfita dal dolore, ma, tutt'al contrario, il segno di una rinuncia. Che la poesia concluda con un atto quasi d'abbandono al senso di pace che comunque infonde il pensiero dell'amico lontano, non è contraddittorio, almeno per chi sa che anche le illusioni hanno una loro forza consolatrice. Ma non è la coerenza logica di *Ripenso il tuo sorriso* che preme mettere in luce; è l'intonazione di questi versi, in testa ai quali, mentre ha provveduto a togliere le molte dediche che accompagnavano gli *Ossi di seppia* nelle prime edizioni (fino alla terza di Carabba), non casualmente Montale ha voluto conservare la dedica "a K.", cioè a colui che ispirò la poesia, che, da vecchi manoscritti, risulta essere Baris [*sic*] Kniaseff[18]. E l'intonazione è carica di un'affettività, che trova un andamento colloquiale, da epistola poetica, con versi lunghi risultanti dall'accoppiamento di settenari, ottonari, novenari, con rime perfette e imperfette che, anche per la distanza che c'è tra loro, segnano con nota molto discreta le consonanze interne. Ma, sopra tutto, c'è l'intuizione di un personaggio poetico nel quale già s'indovinano alcuni dei tratti che renderanno indimenticabili i personaggi femminili delle *Occasioni* quali Gerti e Dora Markus. Non insisterei su uno stretto rapporto esistente tra i versi

> o vero tu sei dei raminghi che il male del mondo estenua
> e recano il loro soffrire con sé come un talismano,

con i luoghi delle *Occasioni* in cui oggetti e segni assumono funzione magica di amuleti (si pensi anche soltanto all'amuleto che forse salva Dora Markus: il topo bianco d'avorio che la donna tiene vicino alla matita delle labbra, al piumino, alla lima); sottolineerei però, anche per il significato che ha come anticipazione della poesia delle *Occasioni*, il valore che assume il personaggio colto nella sua essenza psico-

---

[18] Cfr. *L'opera in versi* a cura di R. Bettarini e G. Contini, p. 872.

logica e fissato in maniera inconfondibile, senza indulgenza peraltro a facili elementi descrittivi.

Ci è già occorso di dire che *Arremba su la strinata proda* fu inviato a Paola Nicoli. È probabile che « la donna splendida » sia stata l'ispiratrice oltre che di *Tentava la vostra mano* [19], anche dell'« osso » *Ciò che di me sapeste*, non solo per il *voi* col quale il poeta si rivolge alla donna, come in *Crisalide*, ma anche per l'accento che hanno le sue confessioni. Le due poesie tuttavia sono assai diverse, nell'ispirazione e nello stile. In *Ciò che di me sapeste* è svolto il tema della incomunicabilità, nella forma alquanto convenzionale e mondana di un madrigale, con ciò che di grazia e di facilità musicale comporta un madrigale, anche in un poeta moderno che abbia saputo trarre partito dalle eleganze dei parnassiani e di Mallarmé, e con la concettosità e gli artifici forse inseparabili da questo genere lirico. L'artificiosità è ben riconoscibile nel linguaggio raro ma non del tutto preciso. Leggendo « scialbatura » ricordiamo l'« occaso scialbato » di *Gloria del disteso mezzogiorno*, ma per il senso figurato che la parola assume qui essa è più preziosa che espressiva. « Sigillo » della seconda strofa, applicato al « cielo », è una forzatura, nella quale un maestro di retorica vedrebbe il venir meno del *decorum*. « Falòtico », nel significato di stravagante, bizzarro, dal francese *falot*, formato probabilmente in analogia con cervellotico, entrato nella nostra lingua del tardo Cinquecento, ma usato a lungo dagli scrittori comici, pretende di essere una parola che fa macchia per la singolarità. « Ignito » è d'altra parte aggettivo latineggiante, usato da Dante e caro al D'Annunzio: letterario in sé, e reso ancor più letterario essendo attributo di *zolla*. La definizione poi dell'ignoranza come « il fuoco che non si smorza » è, a dir poco, abbastanza strana. Propria di un madrigale mi sembra anche la metrica; cinque quartine con prevalenza di cantabili ottonari, ai quali si sostituiscono tre settenari, due senari, un quinario e alla fine tre novenari. Un risalire della fantasia può sembrare che ci sia nell'ultima strofa, ma a ben considerare, l'ombra che il poeta vorrebbe spiccare da sé non ha nulla in comune con la geniale trovata del *Peter Schlemihl* di Chamisso: è un altro concetto madrigalesco.

Ben altra cosa è *Tentava la vostra mano*. Nessun gesto forzato

---

[19] L'autografo di *Tentava la vostra mano*, conservato nel Fondo dell'Università di Pavia, reca la data « 18 giugno 1924 » e al centro in alto la dedica *A P.*: vd. *Autografi di Montale* a cura di Maria Corti e Maria Antonietta Grignani, p. 51.

qui, niente di eccessivo; tutto sta nel ricordo dello smarrimento che improvvisamente ha inceppato le mani della donna sui tasti del pianoforte, nella sensazione che l'interrompersi dei suoni segni lo spezzarsi di un accordo nelle cose, e poi nell'impressione che si sia verificato un altro accordo, al quale la stessa natura pare che partecipi con teneri e dolci assensi, ed è l'accordo che hanno trovato, senza prenunciare parola, due cuori innamorati.

La suggestione che viene dal personaggio di *Ripenso il tuo sorriso* consiste nel dubbio dal quale il poeta è preso di fronte a lui: se dal suo volto si esprima libera un'anima ingenua o se la serenità del suo sorriso sia la maschera di un rassegnato soffrire. In *Tentava la vostra mano* la donna al pianoforte vive un'esperienza tanto drammatica, nonostante l'apparente insignificanza, da coinvolgervi non soltanto il poeta innamorato che le sta vicino, ma le cose stesse che fanno da spettatrici al suo smarrimento. Si compie in effetti in questa poesia uno di quei miracoli dai quali soltanto, per lo spezzarsi della rete che ci imprigiona, per l'interrompersi dell'ordine meccanico che ci costringe, si ha la rivelazione sorprendente della felicità. E questo miracolo è rievocato senza nessuna di quelle forzature stilistiche che disturbano in *Ciò che di me sapeste*, senza nessuna *scialbatura* e nessuna *ignita zolla*; e l'«ignoranza» nella quale il poeta e la donna trovano il prodigioso accordo delle loro anime nulla ha a vedere con l'ignoranza («il fuoco che non si smorza») dell'altro «osso». Se mai in *Tentava la vostra mano*, a parte il *voi* che ha il sapore d'una grazia mondana d'altri tempi, è da osservare la delicatezza un poco estenuata dei segni che vengono a dare il loro assenso alla inattesa rivelazione dell'amore: il bruire (e bruire è verbo di indubbia derivazione dannunziana) della marina chiara oltre i vetri socchiusi; la fugace danza di farfalle nel riquadro della finestra; la fronda che si scrolla nel sole. Pare d'indovinare in questi versi il gusto col quale furono dipinte certe scene d'interni da pittori dell'ultimo Ottocento e del primo Novecento (De Nittis, Boldini ...); e se la situazione dalla quale è nata la poesia si collega ancora al tema della fragile felicità, la sospensione dei sentimenti s'informa tutta non a un senso di tragedia, ma a note di dolce malinconia. Del resto il tono non lascia dubbi. I versi e le strutture sintattiche all'interno delle tre strofe realizzano una musica anche più blanda che *Ripenso il tuo sorriso* e, al tempo stesso, più sottilmente franta: le rime sono tutte regolari, i versi sono endecasillabi o endecasillabi ipermetri aperti da anacrusi, tranne gli ultimi due che si allargano alla misura di esametri. E si osservi la scansione delle frasi, con le pause all'interno dei versi, con la limpidezza che fa di ogni particolare un'immagine ben distinta. Nella poesia d'amore il Montale delle *Occasioni* e della *Bufera* saprà far vibrare corde più alte, ma già questo « osso » appartiene alla sua più personale lirica d'amore, e segna una data nella poesia montaliana, ponendo per la prima volta, nel clima fra naturalistico e simbolistico degli *Ossi di seppia*, quel rapporto tra un interno e l'esterno che si tingerà di note drammatiche in alcune delle più alte poesie delle *Occasioni*: *Carnevale di Gerti*, la seconda parte di *Dora Markus*, *Nuove stanze*, *Notizie dall'Amiata*, per non dire degli stessi *Vecchi versi* e del *Balcone*.

I legami tra gli « ossi » che s'ispirano al tema della fragilità di quel poco di bene che è concesso nella vita possono forse sembrare troppo tenui. Bisogna però considerare che questo, più che un tema poetico, è un pensiero che sta al centro della concezione di vita nel poeta, pensiero che, alimentandosi di una varia esperienza psicologica, trova espressione in situazioni tra loro non facilmente confrontabili. Forse una prima lettura di *Arremba su la strinata proda* porta innanzi tutto la memoria alle navicelle di carte versicolori dell'*Epigramma* per Camillo Sbarbaro o alla « flottiglia di carta », ai « piccoli sciabecchi » di *Flussi*. Più a ragione un lettore pronto a cogliere le corrispondenze verbali, timbriche, stilistiche, leggendo nella seconda strofa:

> Nel chiuso dell'ortino svolacchia il gufo
> e i fumacchi dei tetti sono pesi,

ripenserà al passo di *Flauti-Fagotto* degli *Accordi* nel quale col « tuffarsi di rane canterine » c'è

> uno sciacquare un buffo uno svolio
> d'uccelli nottivaghi.

Effettivamente tra lo « svolio » degli *Accordi* e lo « svolacchia » dell'« osso » c'è indubbia relazione, tanto più che « buffo », abbastanza raro nel significato di colpo di vento, che fa macchia negli *Accordi*, torna due versi sotto anche in *Arremba su la strinata proda*:

> L'attimo che rovina l'opera lenta di mesi
> giunge: ora incrina segreto, ora divelge in un buffo. [20]

---

[20] *Buffo* ricorre anche in *Mediterraneo* III: « Chinavo tra le petraie, Giungevano buffi salmastri Al cuore ».

Del resto l'impressione del volo pesante degli uccelli notturni è di quelle che hanno accompagnato a lungo la fantasia di Montale, se la ritroviamo ancora nella poesia che chiude le *Occasioni, Notizie dall'Amiata*, nel « volo infagottato degli uccelli Notturni ». Cogliendo questi particolari si fa sì storia della poesia montaliana; ma poi si deve riconoscere che al centro di *Arremba su la strinata proda*, in quello che può sembrare anche uno scherzo musicale per la scelta delle parole che fanno macchia più per il suono che per il significato e per il gioco delle rime interne *cartone-padrone, svolacchia-fumacchi*, il motivo profondo sta nel senso della precarietà, nell'idea che la nostra serenità e la volontà di costruire sono insidiate da imprevedibili e irreparabili sconvolgimenti. Perciò la poesia che al principio adombra appena nei « malevoli spiriti che veleggiano a stormi » le insidie della vita, sale poi a una desolata riflessione sul destino umano, ricavando dalla considerazione delle minacce incombenti sul lavoro dell'uomo l'idea che la sola salvezza stia nella rinuncia. Ma – segno del dominio dell'artista sulla propria materia – c'è una coerenza stilistica perfetta tra gli ultimi due versi e i primi; si realizza un vero movimento circolare, tornando il pensiero alla piccola flotta del « fanciullo padrone »[21]:

> È l'ora che si salva solo la barca in panna.
> Amarra la tua flotta tra le siepi.

I due componimenti che chiudono la sezione degli « ossi » si legano in modo diverso a motivi in parte noti. L'ultimo *Sul muro grafito*, sebbene in una forma molto discreta, intende essere la conclusione dell'intera serie, riproponendo il contrasto tra l'atonia che investe la vita e quasi la pietrifica e l'insorgere, malgrado tutto, di un filo di speranza. Ricordiamo in particolare *Gloria del disteso mezzogiorno*, con le riserve che si sono fatte al motivo della buona pioggia e dell'attesa. In *Sul muro grafito* non c'è l'impeto lirico di *Gloria del disteso mezzogiorno*, con la bellissima capacità di fissare il paesaggio dell'arsura meridiana in oggetti emblematici. Ma la minore tensione fantastica trova compenso in un'unità più serrata. Per di più in questo

---

[21] Sul preciso significato di « padrone » (« colui che può esercitare piccolo cabotaggio senza essere capitano diplomato ») Montale fornì spiegazioni in una lettera a Contini del 31 ottobre '45: vd. *L'opera in versi* a cura di R. Bettarini e G. Contini, p. 877.

« osso » Montale, anziché riprendere con sapienti variazioni idee già fissate in altre sue poesie – come è sembrato a qualche critico – ha avuto una prima intuizione di immagini e motivi che avrebbero trovato espressione più compiuta a qualche anno di distanza. La visione dell'« arco di cielo ... Finito » è, a mio avviso, una prima intuizione del tragico « arco d'orizzonte Flagellato » de I morti; e nella seconda strofa l'idea del « fuoco ch'arse Impetuoso Nelle vene del mondo » in epoche remote e ora è irriconoscibile negli oggetti freddi e opachi, è un primo indizio di quella poesia dei drammi cosmici che, su uno spunto del tutto diverso, verrà svolta nelle Stanze delle Occasioni. Queste forti intuizioni nell'« osso » rendono più intenso il dramma tutto interiore che si apre tra la visione di una realtà ferma, immobile, fatta di cose trite e grige e l'attesa di un futuro sereno, la quale trova la sua figurazione poetica nei due versi finali:

> Nel futuro che s'apre le mattine
> sono ancorate come barche in rada.

Anche per questa chiusa liberatrice Sul muro grafito segna un'anticipazione di poesia degli anni più maturi. È una prova poetica da collocarsi quasi alle soglie dei « mottetti », direi, più specificamente, è una prova d'artista, per sottolinearne la densità non facilmente decifrabile che può esserci nell'atto in cui viene saggiata una nuova maniera.

Passando al più famoso Upupa, ilare uccello, torna alla mente la battuta di Henry Miller: «Alla perfezione di Turgheniev contrappongo la perfezione di Dostoevskij », che ricordo non per dichiarare preliminarmente una preferenza, ma piuttosto come indicazione di due diversi modi di poesia. In Upupa infatti non resta nessun sottinteso; parole e immagini rendono in maniera perfetta il pensiero; c'è, oltre il resto, un uso degli elementi letterari sapientemente ironizzato; e sono tutti segni di un controllo assoluto nell'artista. Anche la rielaborazione alla quale l'« osso » venne sottoposto per modificarlo notevolmente rispetto alla redazione della prima stampa, ha portato a farne un testo di rara eleganza [22].

---

[22] Riferisco di seguito la redazione della prima stampa (Gobetti, Torino, 1925) e quella definitiva:

> Upupa, ilare uccello calunniato
> dai poeti, tu giri la tua cresta
> sopra l'aereo stollo del pollaio.
> Un falso gallo sembri che turbini nel vento.

L'upupa è il «galletto di marzo» già consacrato alla poesia in *Quasi una fantasia*; ma la stessa denominazione popolare usata in *Quasi una fantasia* non avrebbe consentito nessun accenno alle denigrazioni patite dall'upupa nei versi famosi di nostri poeti: Parini[23] e Foscolo[24]. Qui invece, primo indizio di un equilibrio studiato tra abbandono alla fantasia e ironia, tra invenzione poetica e gioco letterario, l'attacco suona come rifiuto delle accuse che i poeti hanno mosso all'ilare uccello, e non i poeti soltanto, vogliamo aggiungere, ma, probabilmente prima di loro, la tradizione popolare, consacrata almeno dal detto « Quand la buba la canta in Lombardia o pest o mort o carestia ». A siffatto gioco d'ironia il lettore degli *Ossi di seppia* non è impreparato. Ricorda l'esordio de *I limoni*:

> Ascoltami, i poeti laureati
> si muovono soltanto fra le piante
> dai nomi poco usati: bossi ligustri o acanti.

A far le spese dell'ironia di Montale nei *Limoni* era prima di tutti D'Annunzio, nel quale – basta consultare il *Vocabolario dannunziano*

> Upupa, primaverile nunzio incantato,
> come per te s'arresta
> il tempo e non muore più il Febbraio;
> come tutto di fuori si protende
> al muover del tuo capo,
> aligero folletto, e tu l'ignori.
>
> Upupa, ilare uccello calunniato
> dai poeti, che roti la tua cresta
> sopra l'aereo stollo del pollaio
> e come un finto gallo giri al vento;
> nunzio primaverile, upupa, come
> per te il tempo s'arresta,
> non muore più il Febbraio,
> come tutto di fuori si protende
> al muover del tuo capo,
> aligero folletto, e tu l'ignori.

Le sostituzioni e gli spostamenti di parole e i cambiamenti nella metrica hanno portato a un equilibrio superiore; ma è sopra tutto notevole la soppressione dei punti fermi, per la quale la poesia risulta un unico lungo periodo, che poggia sul vocativo del primo verso, sapientemente ripetuto al quinto.

[23] Parini, *La Notte* 13-15: « e ùpupe e gufi e mostri avversi al sole Svolazzavan per essa [la notte antica]; e con ferali Stridi portavan miserandi augurj ».

[24] Foscolo, *I Sepolcri*, 78-86: « Senti raspar fra le macerie e i bronchi La derelita cagna ramingando Su per le fosse, e famelica ululando; E uscir del teschio, ove fuggia la luna, L'upupa, e svolazzar su per le croci Sparse per la funerea campagna, E l'immonda accusar col luttuoso Singulto i rai di che son pie le stelle Alle obliate sepolture ».

di G. L. Passerini per rendersene conto – c'è una vera profusione di acanti e bussi o bossi o bossoli. I ligustri poi (che sono arbusti con foglie ovate e fiori bianchi profumati raccolti in grappoli) si rischia di conoscerli più attraverso la poesia che per averli visti. Li ha immortalati Virgilio nella seconda *Egloga* (vv. 17-18):

> O formose puer, nimium ne crede colori:
> alba ligustra cadunt, vaccinia nigra leguntur.

Ma nei *Limoni* veniva chiamato in causa anche il Pascoli, il quale ha addirittura una poesia delle *Myricae* intitolata al *Fior d'acanto*. E Pascoli, verso il quale, se si bada alle influenze dirette, Montale ha scarsissimi debiti, deve essere ricordato, perché in *Upupa* gli fu ben presente. È una citazione da Pascoli l'«aereo stollo» del terzo verso, discutibile per la sua poca proprietà. Lo stollo è invero la lunga pertica (l'anima) intorno alla quale si forma il pagliaio, e Montale vedendo invece l'upupa sullo stollo di un pollaio la immagina come uno di quei galli di lamiera che s'usa mettere sulle aste di case o di capanne per segnavento: «e come un finto gallo giri al vento». Ma a parte altri luoghi del Pascoli stesso e di D'Annunzio in cui si legge la parola non certo comune, è nel *Dialogo* di *Myricae* che essa viene accoppiata con l'attributo «aereo»:

> *Scilp*: i passeri neri su lo spalto
> corrono, molleggiando. Il terren sollo
> rade la rondine e vanisce in alto:
> *vitt ... videvitt*. Per gli uni il casolare,
> l'aia, il pagliaio con l'aereo stollo;
> ma per l'altra il suo cielo ed il suo mare.

In un saggio molto notevole Pietro Bonfiglioli ha scritto che la «citazione» dell'*aereo stollo* ha «un sapore ironico, antinaturalistico e in definitiva antipascoliano»[25]. Antipascoliano è forse eccessivo, ma non c'è dubbio che anche l'aereo stollo entra come tessera di un gioco che sfrutta intenzionalmente dal principio alla fine elementi letterari e poetici, ché se l'esordio è, in forma condensata, una sorta di *oratio defensoria* contro le calunnie dei poeti, molto di prezioso c'è poi nel

---

[25] Pietro Bonfiglioli, *Pascoli e Montale*, in AA. VV., *Studi per il centenario della nascita di Giovanni Pascoli pubblicati nel cinquantenario della morte*, Commissione per i testi di lingua, Bologna, 1962, vol. I, p. 225.

definire l'upupa « nunzio primaverile » e « aligero folletto ». In queste definizioni pare di risentire il gusto che informa alcuni tratti dell'Esterina di *Falsetto*, un'altra poesia la cui prima redazione venne sottoposta a sottili correzioni, e nella quale si osserva un uso sapiente e ironicamente controllato della lingua letteraria.

Certamente l'« osso » è il risultato di un'arte raffinata. Lo ha dimostrato, con un'analisi strutturalistica molto acuta, Giorgio Orelli nel saggio, che si è già avuto occasione di citare, *L'«upupa» e altro*. Ma proprio i richiami di Orelli all'*Infinito* leopardiano e allo stupendo esordio del canto XXIII del *Paradiso* (« Come l'augello, intra l'amate fronde ... ») sono per noi un ammonimento, preterintenzionale, a non confondere la perfezione dell'arte con la profondità della poesia. Il miracolo compiuto dall'upupa di arrestare per sé il tempo al rinascere della vita a primavera – un miracolo che l'aligero folletto compie senza rendersi ragione della sua forza medianica (« e tu lo ignori ») – avviene al di fuori di quella tensione drammatica che è la carica della grande poesia montaliana. Non è un caso che, nonostante la fortuna che questo « osso » ha incontrato tra i lettori e gli antologisti, a cominciare da Giuseppe De Robertis [26], l'upupa non sia divenuta una delle figure emblematiche della poesia degli *Ossi di seppia*, come sono, per esempio, il falco alto levato, il martin pescatore che volteggia s'una reliquia di vita, la statua nella sonnolenza del meriggio, la maglia rotta nella rete che ci stringe, la muraglia che ha in cima cocci aguzzi di bottiglia, il pezzo di suolo non erbato che si è spaccato perché nascesse una margherita, l'arido paletto che si consuma per ridare vita al rogo morente ...

---

[26] Nell'antologia *Poeti lirici moderni e contemporanei* con l'interpretazione di Giuseppe De Robertis (Le Monnier, Firenze, 1948) la sezione dedicata a Montale si apriva con *Upupa, ilare uccello*.

DAGLI « OSSI DI SEPPIA » ALLE « OCCASIONI »

Quando ancora aspettava che Gobetti si decidesse a pubblicare gli *Ossi di seppia* e ne veniva ritoccando il manoscritto, in una lettera a Giacomo Debenedetti del 10 novembre 1924 Montale dichiarava di sentirsi in buona parte già staccato dalla sua opera[1]. Né una crisi, né l'esaurirsi della vena poetica; ma certamente l'esigenza di un rinnovamento è da riconoscere nella confessione all'amico, e un'esigenza tutt'altro che velleitaria, come dimostrano le non poche poesie composte nei due anni successivi alla prima edizione degli *Ossi*.

L'ultimo periodo del soggiorno in Liguria fu ancora fecondo. Del 1926 sono *Vecchi versi* che, pubblicati in « Solaria » nel 1929 e successivamente nella *plaquette* del '32 *La casa dei doganieri e altri versi*, entrarono poi nelle *Occasioni*; e due poesie, *Dora Markus* e *Due nel crepuscolo*, fatte conoscere ben più tardi di quel nono anno che Orazio raccomandava ai poeti per una giusta stagionatura dei loro versi. *Dora Markus*, più esattamente la sua prima parte, uscì infatti nel « Meridiano di Roma » del 10 gennaio 1937, con la notizia che essa era l'inizio di una poesia che non fu mai finita e non sarebbe mai stata completata (nelle *Occasioni* ebbe invece il completamento di una seconda parte); a pubblicare *Due nel crepuscolo* Montale, come si è detto, si decise addirittura nel 1943[2]. Ma alla stessa stagione di

---

[1] Cfr. Giacomo Debenedetti, *Amedeo*, All'insegna del Pesce d'oro, Milano, 1957, p. 39.

[2] Apparve in « Primato » del 15 maggio 1943 con questa nota: « Nel vecchio taccuino in cui ho ritrovato, anni fa, *Dora Markus*, c'erano anche questi appunti che portano la data del 5 settembre 1926. Li ho trascritti aggiungendovi un titolo un po' alla Browning (*Two in the Campagna*) e inserendo poche parole dov'erano dei vuoti o delle cancellature. Ho compiuto, cioè, il lavoro che avrei dovuto fare allora, se avessi pensato che l'abbozzo poteva interessarmi dopo molti anni ». In volume *Due nel cre-*

queste poesie appartengono altre sei che, a giudizio dell'autore, conservavano più consistenti legami con gli *Ossi di seppia*, se vennero incluse nella seconda edizione del libro (1928). Sono: *Vento e bandiere, Fuscello teso dal muro, Arsenio, I morti, Delta, Incontro*[3]. Mentre le ultime quattro entrarono in *Meriggi e ombre* (*Arsenio* per costituirne da solo la seconda sezione, le altre tre a conclusione della terza), le prime due vennero a formare un dittico che, col titolo *Altri versi*, fu inserito tra i *Sarcofaghi* — con i quali sia *Vento e bandiere* sia *Fuscello teso dal muro* hanno in comune la visione drammatica del contrasto fra il trascorrere del tempo e le sue stasi — e gli «ossi», ai quali le due nuove poesie si accostano per i colori e i contorni del paesaggio spiccatamente naturalistici.

Il tema di *Vento e bandiere* è la memoria disperata, anticipazione della più famosa *Casa dei doganieri* delle *Occasioni*[4]. Ritornano nella natura i fatti che hanno reso memorabile un istante, ma irrimediabilmente lontana è la donna per la quale quei fatti si sono fissati nella vita del poeta come un evento. Diversamente da quello che sarà nella *Casa dei doganieri* c'è però nello svolgimento del tema, nonostante un'innegabile coerenza logica, uno stacco netto tra il momento della rievocazione fantastica e l'atto di riflessione che gli si accompagna. Non pretendiamo di distinguere puntigliosamente la poesia dalla non poesia; ma è evidente che nelle prime tre strofe il tema poetico è già tutto svolto. L'attacco forte del primo verso («la folata che alzò l'amaro aroma») che si ripete senza scarto semantico al principio della seconda strofa («la raffica che t'incollò la veste»)[5], esalta il ritorno di quella violenza della natura che sembra essere passata solo per fissare come in un lampo la figura della donna; e le tre strofe, nettamente scandite, si seguono come i momenti di un'unica frase indivisibile. Il discorso, che rimane sospeso nella prima, ha la sua con-

---

puscolo fu raccolta nella seconda edizione di *Finisterre* (Barbèra, Firenze, 1945) e, successivamente, ne *La bufera e altro*.

[3] Erano apparse prima in riviste: *I morti, Delta, Incontro* (col titolo *Arletta*) nel « Convegno » VII, nn. 11-12 (25 novembre-25 dicembre 1926), pp. 823-25; sotto il titolo comune *Versi, La folata che alzò l'amaro aroma ...* [*Vento e bandiere*] e *Fuscello teso dal muro ...* in « Solaria » I, n. 12 (dicembre 1926), pp. 10-12; *Arsenio* in « Solaria » II, n. 6 (giugno 1927), pp. 21-23.

[4] Per il rapporto con *La casa dei doganieri* e altre poesie ispirate da colei che il poeta aveva soprannominata Arletta rinvio al mio saggio *Anelli del ciclo di Arletta* nel vol. *Le metafore del vero*. Si vedano in particolare le pp. 30-38.

[5] Per l'attacco di sostantivo seguito da relativa si veda la nota 16 di p. 40.

clusione nella seconda, alla quale la terza si lega indissolubilmente per il ripetersi del nesso congiuntivo « come ». Ciò non toglie che nella lunga frase ci sia una gradazione sapiente: mentre nelle prime due strofe tutto contribuisce a dare il senso dello sconvolgimento, con l'incisività delle immagini e, non meno, con l'urto dei suoni in allitterazioni e paranomasie (« amaro aroma Del mare », « scompigliò ... groviglio », « queste Pietre ») e con i troncamenti dei passati remoti, uno dei quali (« modulò ») porta, con l'accento di quinta, quasi a una frattura dell'endecasillabo, nella terza il ritmo si distende fino a toccare l'abbandono elegiaco del verso:

> tra gli alberi ne' tuoi voli senz'ali.

D'altra parte l'irrevocabilità del passato è tutta esplicita nell'inciso del settimo verso: « te lontana ». Perciò diciamo che la poesia tocca la sua compiutezza nei primi dodici versi. Forse quel tanto di gnomico che non di rado anche negli « ossi » è inerente alla sostanza metafisica della poesia montaliana può far sentire come non estranea all'occasione vera di *Vento e bandiere* la quarta strofa; ma l'« ahimè » del tredicesimo verso è un passaggio pesantemente artificioso; e se in « non mai due volte configura Il tempo in egual modo i grani » l'idea dei grani del rosario che sfilano lenti tra le dita di un devoto [6] tocca quasi la pregnanza di significato di « e il calcolo dei dati più non torna » della *Casa dei doganieri*, è pur vero che la riflessione che segue (« E scampo N'è: ché, se accada, insieme alla natura La nostra fiaba brucerà in un lampo », segna una brusca interruzione.

Il contrasto tra l'ideale eleatico dell'immobilità e l'idea eraclitea del flusso perenne della vita non ha cessato di assillare il pensiero di Montale [7]. Ma qui non è in causa l'attendibilità di un contenuto di pensiero, bensì la coerenza stilistica, che il poeta stesso forse ha giudicato precaria. Può essere indizio di questa consapevolezza anche lo

---

[6] Secondo altri i grani « non sono quelli del rosario ma i granelli di sabbia che, scendendo in basso, non formano nella clessidra mai due volte la stessa figura ». Vd. Giuseppe Savoca, *Chiarimenti per gli « Ossi di seppia »*, p. 81. Anche se si pensasse ad altro (per es. ai grani della semente) il senso poetico non muterebbe, in forza dell'*autonomia della metafora* (arrischio una definizione paradossale, augurandomi di non vederla divulgata da qualche maestro delle nuove critiche).

[7] Sulla « teoria che vede la vita come una continua trasformazione », che secondo l'esperienza e la logica dovrebbe avere partita vinta, e sul continuo insorgere viceversa della « teoria dei ritorni, dei circoli, degli anelli » si ricordi almeno fra i testi di anni recenti la seconda delle *Variazioni* (31 dicembre 1959), in *Auto da fé*, p. 158.

sforzo di rinsaldare le fratture interne ricorrendo alla regolarità della struttura metrica. *Vento e bandiere* è costituita infatti, come una poesia di forma rigidamente chiusa, di sei quartine d'endecasillabi a rime incrociate, e con poche e non forti licenze: le rime sdrucciole *immagine-voragine* nella seconda quartina, e le rime eccedenti *valli-pallido* nella prima, *alito-senz'ali* nella terza.

Ben diversa è la struttura metrica di *Fuscello teso dal muro*, costituito di due strofe, una di quattordici e l'altra di tredici versi di diversa misura, con prevalenza di novenari e ottonari.

Il fuscello che con la sua ombra segna sul muro le ore, come l'asta di una meridiana, patisce il tedio del fluire meccanico e senza scopo delle ore, e sente come un peso la cappa azzurra del cielo, che fa di lui lo strumento di un'azione penosa[8]. Occorre un fatto eccezionale, è necessario un miracolo o uno sbaglio di natura perché il fuscello si liberi dalla sua schiavitù, e realizzi il proprio destino, che dovrebbe essere non quello di odiare la luce ma, se mai, quello di tendersi verso di essa come fonte di vita. Il miracolo avviene, ma in maniera imprevista e non come totale liberazione, il mattino in cui un velo strappato durante la notte a un'orda invisibile ricopre il fuscello, sì da velarne e alterarne la forma. Materialmente l'evento liberatore deve essere visto come una ragnatela che resta impigliata nel fuscello, sia perché l'orda invisibile fa pensare ai ragni, predatori di altri insetti, sia perché « risplende ai primi raggi » rende l'impressione del luccichio delle gocce di rugiada che restano attaccate alla ragnatela.

Questa trascrizione prosaicamente pedestre dei primi versi della seconda strofa vorrà essere perdonata se non altro perché cerca di dissipare l'oscurità che lettori attenti vi hanno riscontrato: il Forti ha parlato di una « oscurità non sempre dissipata »[9], e Giuliano Manacorda addirittura di una « angosciante impenetrabilità delle immagini che ne fanno una delle poesie più oscure di Montale »[10].

---

[8] Può sembrare d'obbligo ricordare qui *L'azur* di Mallarmé; ma escluderei che abbia suggestionato il Montale di *Fuscello teso dal muro*.

[9] Marco Forti, *Eugenio Montale. La poesia, la prosa di fantasia e d'invenzione*, Mursia, Milano, 1973, p. 69.

[10] Giuliano Manacorda, *Montale*, La Nuova Italia, Firenze, 1969, p. 38. Mi sembra comunque che manchino ragionevoli appigli alla spiegazione del velo data da Manacorda: « Il velo di qualcuno che è passato nella notte – una sirena, un camminante ». Perché il poeta parlerebbe di orda, che, ammesso l'ardimento del linguaggio poetico, può spiegarsi con la natura predatrice dei ragni? Mi sembra abbastanza strano che Alvaro Valentini (*Lettura di Montale. « Ossi di seppia »*, Bulzoni, Roma, 1971, p. 64) pur accettando come ovvia la spiegazione che avevo dato di *Fuscello teso dal muro* nelle

La poesia non si conclude però con la liberazione del fuscello dalla condanna di scandire con la sua ombra la carriera del sole e quella delle creature. Altre forme di vita stanno a significare il comporsi, se non proprio in perfetta serenità, in una sopportabile rassegnazione dell'antitesi tra moto e immobilità, tra il fluire e il sospendersi del tempo. L'oggetto che si offre allo sguardo di chi sta in alto e si affaccia sul mare è ora un trealberi che scivola sull'acqua, e il passaggio può sembrare simile a quello che in *Vento e bandiere* porta a spostare gli occhi dalle pietre sporgenti sulla voragine e dal giardino al gruppo di abitati distesi sul fianco di un declivio, solo se si prescinde dai significati analogici insiti nelle parole. Le idee implicite in « ciurma » e in « preda » stabiliscono infatti un rapporto con i versi precedenti, poiché ciurma ha un significato affine a quello di orda, e preda si pone in parallelo con l'atto attribuito al fuscello di strappare il velo nella notte. Ma il trealberi che scivola via sulla superficie marina senza lasciarvi traccia viene ad essere un'altra figura del contrasto tra il movimento e la stasi, tra il divenire e l'essere che si risolve soltanto nell'idea del nulla.

Non è irrilevante che ne *I morti* Montale abbia trattato per la prima volta quel tema del ritorno dei morti che fu ricco di futuro nella sua poesia, affiorando nelle *Occasioni*, e trovando il suo svolgimento in alcune delle liriche più ispirate della *Bufera* e negli *Xenia*. Ma l'idea informatrice de *I morti* è caratterizzata da una tensione di natura romantica, dalla partecipazione intensa al dolore dei morti che tornano, assillati dai ricordi terreni, tra i vivi immemori di loro, ed è idea che non sarà ripresa né nella *Bufera* né negli *Xenia*, dove, in diverso modo, i morti tornano per confortare i vivi. Non direi per questo che Montale abbia avuto presente qualche modello di poesia romantica; è vero però che, fino alla lunga frase conclusiva « Così forse anche i morti ... », questa lirica si svolge come un canto o coro dei morti, quali, per ricordare esempi insigni, sono il *Canto dei morti* nell'*Enrico di Ofterdingen* di Novalis e il coro del leopardiano *Dialogo di Federico Ruysch e delle sue mummie*. Del resto, l'impulso che riconduce i morti alle cose che ebbero care, l'angoscia di non avere

---

mie vecchie dispense universitarie del 1961, trovi anche lui oscura questa lirica. Una convalida alla spiegazione di velo nel senso di ragnatela è ora portata dal Marchi sulla base di testi dannunziani: vd. Marco Marchi, *Sul primo Montale*, Nuove edizioni Enrico Vallecchi, Firenze, 1978, p. 130.

portato a compimento il proprio destino, la pena che essi provano per l'oblio dei vivi, sono motivi che, presenti in alcune credenze religiose, hanno acceso la fantasia di poeti romantici e post-romantici, ed è probabile che a chi ha riconosciuto di essersi formato come poeta nel solco della poesia metafisica che ha il suo capostipite in Baudelaire e in certo Browning, e nasce talora dalla loro confluenza, qualche precisa suggestione sia venuta anche per questa poesia da Baudelaire. Certo, tra i grandi testi della lirica moderna, è difficile indicarne un altro nel quale l'angoscia che riporta i morti tra noi e il tormento di cui soffrono per sapersi dimenticati dai vivi abbiano l'intensità di quella che resta una delle più famose poesie delle *Fleurs du mal*, *La servante au grand coeur*[11].

Il paesaggio marino nel quale tornano i morti è sì quello ligure degli *Ossi di seppia*, ma porta i segni di una desolata tristezza, quali non si trovano in altre parti del libro. Le onde che si infrangono contro la riva hanno il colore fosco di una nube foriera di tempesta, ma quanto c'è di freddo e di cupo nelle cose ha una intensità tragica particolare, perché i morti trovano immutato quello che già avevano conosciuto nel loro transito terreno. La costa ferrigna – e l'aggettivo, di probabile derivazione dantesca, designa non solo il colore fosco ma anche aridità e gelo[12] – è quella stessa sulla quale in vita queste anime avevano gettato invano la loro speranza « ansante più del pelago ». Il gorgo ha il colore verde di sempre; ma è un verde che significa sterilità. La tristezza delle anime che tornano ai luoghi noti si esprime però, non meno che attraverso le forme del paesaggio, nella musica lenta e franta dei versi. La prima strofa è di sette endecasillabi, tutti legati tra loro dalle rime (al quinto verso anzi « nostra » si aggiunge come rima imperfetta a « opposta » e « sosta »), ma le rime non hanno forte rilievo per la presenza di *enjambements* (« opposta Riva », « no-

---

[11] Anche chi voglia dare un significato all'attacco forte ottenuto col porre in principio il sostantivo seguito da proposizione relativa (« Il mare che si frange sull'opposta Riva ») potrebbe trovare per l'esordio de *I morti* un modello ne *La servante au grand coeur*, che si apre con un sostantivo, accompagnato da un inseparabile complemento appositivo, al quale fanno sèguito non una ma due proposizioni relative, per mutare quindi il soggetto, sì che la figura della « servante au grand coeur » s'impone col massimo di energia: « La servante au grand coeur dont vous étiez jalouse, Et qui dort son sommeil sous l'humble pelouse, Nous devrions pourtant lui porter quelques fleurs ».

[12] Cfr. *Inf.* XVIII, 1-2: « Luogo è in Inferno detto Malebolge Tutto di pietra e di color ferrigno ».

stra Speranza ») e, ancor più, per il non coincidere dei periodi sintattici con i periodi ritmici, costituiti da singoli endecasillabi, e per le conseguenti forti pause all'interno dei versi.

Anche il resto della poesia è in endecasillabi, con l'eccezione di tre soli settenari (v. 24: « come la gallinella »; v. 33: « senza materia e voce »; v. 27: « del mare si sommergono ») [13], con un diradarsi progressivo delle rime, che scompaiono del tutto nell'ultimo lungo periodo strofico dei vv. 27-37, il quale – conviene ripeterlo – non fa parte del canto dei morti, ma ne costituisce il commento.

Si apre con la seconda strofa un momento di requie nella natura per effetto del vento del nord che spiana la superficie del mare, respingendo le correnti verso il largo, e di questo momento profitta un pescatore per appendere le reti ad asciugare sui rami degli alberi, disposti in una lunga fila di cui non si scorge la fine. La luce quasi crepuscolare fa sì però che nemmeno in questa presenza di un vivente, non casualmente designato con l'indefinito « alcuno », si riconosca il pur minimo indizio di consapevolezza da parte dei vivi della presenza di quelle anime angosciate. Il viale stesso, che discende fino dove lo sguardo può arrivare, convalida il sentimento dello squallore; non adombra l'idea che Leopardi esponeva in una pagina memorabile dello *Zibaldone* quasi a commento del suo *Infinito* [14]; sta invece a significare un penoso senso del limite. E si badi che le reti sono « stinte », che il tocco della luce è « tardo e freddo ». Ma un sentimento addirittura di tragedia cosmica si ha nella visione dell'azzurro del cielo che, nell'accendersi e spegnersi dell'ultima luce del giorno, sembra di un compattezza cristallina [15], e si chiude sulla linea dell'orizzonte dando un senso di giorno del giudizio.

---

[13] I vv. 12-13 solo per artificio grafico risultano un settenario e un quinario; con la sinalefe tra la sillaba finale di « discende » e la prima sillaba di « oltre » essi formano un endecasillabo.

[14] Leopardi, *Zibaldone*, p. 171: « ... alle volte, l'anima desidererà ed effettivamente desidera una veduta ristretta e confinata in certi modi come nelle situazioni romantiche. La cagione è la stessa, cioè il desiderio dell'infinito, perché allora in luogo della vista lavora l'immaginazione, e il fantastico sottentra al reale. L'anima s'immagina quello che non vede, che quell'albero, quella siepe, quella torre gli nasconde, e va errando in uno spazio immaginario, e si figura cose che non potrebbe, se la sua vista si estendesse da per tutto, perché il reale escluderebbe l'immaginario ».

[15] Palpebrare, che qui indica l'accendersi e lo spegnersi della luce, torna in *Vecchi versi* delle *Occasioni*, per descrivere la linea incerta e mutevole della spiaggia su cui s'infrange l'onda: « a un fioco Occiduo palpebrare della traccia Che divide acqua e terra ». Propriamente si dice del muovere le palpebre, aprendo e chiudendo

Non è il movimento delle cose che ridesta le sofferenze dei morti
– quale si vede nei gorghi e nelle onde che trascinano con sé le alghe –,
bensì l'immobilità che essi riscontrano nel paesaggio ben noto. La
rassegnazione che ebbero quando si staccarono dalla vita, pensando
forse che per opera d'altri la loro speranza si facesse realtà, che un
destino si compiesse, si è mutata nel cocente tormento della delusione.
Perciò più che legati ancora alle cose del mondo, i morti sono come
imprigionati in esse. E che siano prigionieri del mondo che avevano
amato e nel quale aveva riposto le loro speranze è detto con un'immagine bellissima: quella che fa delle reti stinte messe ad asciugare
al povero sole del tramonto quasi una trappola:

> tra i fili che congiungono
> un ramo all'altro si dibatte il cuore
> come la gallinella
> di mare che s'insacca tra le maglie.

La condizione poi di prigionieri angosciati del mondo che li ha delusi,
e al quale tuttavia si sentono indissolubilmente legati, è detta nella
frase altamente suggestiva che definisce l'agghiacciante fissità che li
obbliga a vagare appenati:

> e immobili e vaganti ci ritiene
> una fissità gelida.

Nei versi finali, che abbiamo sommariamente definito di commento,
il poeta rende più esplicita la sua concezione dell'angoscia dei morti.
La morte non è, come molti pensano, un porto di pace. I morti restano legati alla vita dalla sofferenza di non aver portato a compimento
il loro destino; sono « larve rimorse dai ricordi umani »: indimenti-
cabile definizione di questo loro attaccamento alla vita. Una siffatta
concezione non è estranea ad alcune credenze religiose; per quanto
so, in certo rituale giudaico (luci accese nella casa per consentire di
vedere, specchi coperti con veli perché non vengano riflesse immagini
illusorie) si riflette proprio l'idea della sofferenza che, dopo la
morte, l'anima prova a distaccarsi definitivamente dalle cose che ebbe

---

gli occhi. Il dialetto genovese ha, abbastanza usato, il verbo *parpelà*, e già il ligure
Ceccardo Roccatagliata Ceccardi l'aveva usato in *Dialogo drammatico* (« Riviera Ligure » XIX, 1913, n. 24): « vasto Palpebrar del mare ». Montale usa palpebrare anche
nella *Bufera*, nel primo dei *Madrigali privati*, v. 4.

care. Ma è di Montale il pensare che il ritorno dei morti sia dovuto al tormento che provoca in loro il ricordo della vita, e che essi cedano a un ingannevole richiamo tornando tra i vivi, « fiati Senza materia o voce Traditi dalla tenebra ». Anche il motivo, presente in Baudelaire, della sofferenza che provoca nei morti l'oblio dei vivi, si trasforma nella poesia di Montale in una figurazione che si collega a un tema caro al nostro poeta, il quale fino dai giovanili *Accordi*, ha visto nel volo pesante degli uccelli notturni una condizione di pena, proprio per il suo contrapporsi alla bellezza del volo che si dispiega libero e felice [16]. Ma se non l'oblio, l'insensibilità e la cecità dei vivi sono motivo di pena anche nella lirica di Montale: la presenza di queste anime che tornano tra noi angosciate non è infatti avvertita, e a loro, venuti dal mare, non resta che tornare al mare come a un luogo che li liberi dal tormento dei ricordi terreni.

Se per *I morti* possono essere indicati, non dei modelli, ma degli archetipi in poesie romantiche e tardoromantiche, in *Delta* si riconosce un tema che ha radici anche più remote: l'attrazione tutta spirituale di una sublime femminilità, che, per non dire del Petrarca e dei petrarchisti, aveva trovato un'espressione altissima nel Leopardi del canto *Alla sua donna*. Creatura di puro sogno era per Leopardi colei che gli ispirava l'amore, che se fosse esistita sarebbe stata una delle idee « cui di sensibil forma Sdegni l'eterno senno essere vestita E fra caduche spoglie Provar gli affanni di funerea vita ». Ma per il Leopardi di *Alla sua donna* il vagheggiamento di quella bellezza tutta spirituale restava uno dei « dolci inganni » che ripagano delle delusioni della vita; in Montale il dubbio dell'esistenza di colei che gli si rivela, più che nella veste di donna amata, come portatrice di un messaggio che può salvarlo, si esprime con accenti drammatici. Contini quando ha scritto che « la vera salute (nell'ordine del concreto, e perciò della lirica) della poesia montaliana è, sempre fuori da questo mondo, presente e distrutto, nel sospetto di un altro mondo, autentico e interno, o magari "anteriore" e "passato" », ha citato, come caso limite di questa situazione, proprio *Delta*, in cui « si parte addi-

---

[16] Già ho ricordato (pp. 39-40): « un buffo, uno svolio D'uccelli nottivaghi » di *Flauti-Fagotto* degli *Accordi* e il v. 5 dell'« osso » *Arremba su la strinata proda*: « Nel chiuso dell'ortino svolacchia il gufo », mettendo a confronto questi passi con « il volo infagottato degli uccelli Notturni » di *Notizie dall'Amiata* delle *Occasioni*.

rittura dalla vita misteriosa, congetturabile per una sola traccia »[17]. Per l'interpretazione di *Delta* si deve tener conto di un parere tanto autorevole, evitando però di fare di Montale uno spiritualista che rifiuti come tutto ingannevole e illusorio il mondo della realtà.

Abbiamo detto per quali ragioni e dentro quali precisi limiti *I morti* siano una poesia ricca di futuro per Montale; un'osservazione non diversa è da fare per *Delta*, in quanto qui si trova la prima intuizione della donna salvatrice, che avrà tanta parte nella poesia delle *Occasioni* e, ancor più, della *Bufera*. Ma in *Delta* non appare nessuno dei tratti, essenziali e incisivi, ai quali si affiderà l'immagine della donna angelo: « il sigillo imperioso », gli « occhi d'acciaio », « la frangia dei capelli », il « biocco infantile », gli « occhi ardenti », i « duri sopraccigli ». La donna di *Delta* è la portatrice di un messaggio muto, e come tale vive nella poesia, non senza che il poeta possa del tutto dissipare il dubbio che la sua esistenza sia, non uno dei « dolci inganni », che Leopardi rimpiangeva, bensì un « inganno del mondo come rappresentazione »[18]:

> Tutto ignoro di te fuor del messaggio
> muto che mi sostenta sulla via:
> se forma esisti o ubbia nella fumea
> d'un sogno t'alimenta
> la riviera che infebbra, torba, e scroscia
> incontro alla marea.

Contrapponendo « ubbia » a « forma » il poeta ha voluto dare a « forma » più che il significato ovvio e corrente di essere nettamente individuato, quello che dalla filosofia scolastica era passato nella poesia medievale d'amore: si pensi in particolare al passo famoso del Petrarca « Non era l'andar suo cosa mortale Ma d'angelica forma » (*Rime* XC, 9-10). Forma allude più che a un'esistenza concreta, a una realtà garantita da un'essenza spirituale; appunto il contrario di ubbia, cioè apparenza illusoria. Ma in questi versi è pure asserita la potenza propria del mondo fenomenico, se la messaggera può essere soltanto l'illusorio prodotto dello scatenarsi di una forza della natura. Appunto perché pensa allo sfociare del fiume in mare come a un urto violento, Montale esalta qui le sue invenzioni linguistiche, usando i verbi *infebbrare* e *torbare*, che non hanno dietro di loro l'autoriz-

---

[17] Gianfranco Contini, *Una lunga fedeltà. Scritti su Eugenio Montale*, pp. 19 e 20.
[18] *Sulla poesia*, p. 565.

zazione di un uso sia pure esclusivamente letterario. Infebbrare è coniato sul francese *enfiévrer*, che in senso proprio significa dare la febbre, e in senso figurato può significare infervorare; ma qui designa quel non so che di febbrile che c'è nella violenza del fiume alla sua foce. Torbare è denominale di torba (più comunemente torbida), cioè la corrente dei fiumi intorbidata dalle piogge, e qui, usato intransitivamente (come « infebbra » e « scroscia »), indica l'acqua che corre torbida di fanghiglia e di detriti.

Lo scontrarsi dell'acqua del torrente con quella del mare è l'acme della poesia, il momento da cui deriva il suo stesso titolo. Vera o illusoria che sia la presenza della messaggera, il poeta l'avverte dove il delta del fiume gli dà il senso di un urto drammatico di forze, di una violenza della natura che rivela la presenza di energie imponderabili e forse miracolose nel mondo fenomenico, il paradigma di un essere che cerca di ribellarsi al proprio destino; esattamente il contrario di quell'abbandono felice che, per ricordare una poesia famosa, D'Annunzio ha raffigurato nell'*Alcione* in *Bocca d'Arno*.

Non per questo si aprono contraddizioni nella concezione di Montale, e nemmeno vi affiora qualche ambiguità. Il poeta avverte sempre la forza misteriosa e, in certo senso, medianica che agisce nella profondità del mondo delle apparenze. La nostra stessa natura di esseri viventi nasconde alle sue sorgenti energie imponderabili, ed è da quel fondo quasi prenatale che viene al poeta l'impulso a legarsi alla sconosciuta messaggera:

> La vita che si rompe nei travasi
> secreti a te ho legata:
> quella che si dibatte in sé e par quasi
> non ti sappia, presenza soffocata.

Dopo la fase naturalistica e simbolistica degli *Ossi di seppia* in Montale si è fatta sempre più forte l'esigenza non di negare il mondo della realtà, ma di risalire alle sorgenti spirituali della vita. Nasce di qui anche l'idea di un dramma cosmico, quale è adombrato nella seseconda strofa. Il « tempo che s'ingorga alle sue dighe » è un'ardita definizione dei momenti nei quali la vita non è un monotono fluire, uno « scialo Di triti fatti, vano Più che crudele », ma o si fa vorticosamente veloce o rischia di cessare. Ed è in questi momenti che la messaggera rivela più chiaramente la sua presenza, quasi riemergendo dal buio dell'oblio. Montale tocca così uno dei punti più alti della sua poesia metafisica; eppure proprio qui egli sa cogliere in un'immagine tutta fisica, che trasporta dal dramma cosmico a una precisa impressione pittorica, l'armonia della vita:

> come ora, al dopopioggia, si riaddensa
> il verde ai rami, ai muri il cinabrese.

Il verde più intenso sui rami e il rosso chiaro dei muri fattosi più luminoso dopo la pioggia sono la rivelazione della felicità che si raggiunge quando anche dentro di noi è perfetta armonia. Ma i legami che la messaggera ha col mondo sono pure ribaditi alla fine della poesia: lontana, sì da non dare indizio di sé, nelle ore insignificanti o nei momenti in cui una luce fatua simula la pienezza dell'esistere, essa fa sentire ad un tratto la sua presenza in un indizio di vita vera, o meglio in un atto di salvazione, quale può essere « il fischio del rimorchiatore Che dalle brume approda al golfo ».

Quanto *Delta* è poesia di forte concentrazione, tutta gravitante intorno a un tema preciso, tanto *Incontro* risulta di una ricchezza quasi dispersiva. L'invocazione alla tristezza, come compagna della propria vita, segna un avvio di tono elegiaco, che confermano l'ora prossima al tramonto e ogni nota d'ambiente: il soffio del caldo vento di scirocco [19], la nebbia, il cormorano ridotto a un segno appena decifrabile nell'alto del cielo. E all'elegia s'informa la dolcezza delle parole; persino la calcolata ambiguità dei due costrutti « al soffio che si estenua » e « a questo » che immediatamente segue. Dico ambiguità per la funzione della preposizione *a* che, indicando insieme un tempo e un modo di essere, spiega anche la ripercussione che hanno i fatti del mondo fisico sull'animo del poeta.

Ma con la seconda strofa si ha un cambiamento di registro tanto forte che in essa, e nella seguente, un critico ha potuto riconoscere uno dei momenti più vistosi dell'espressionismo montaliano, per l'identificarsi dell'umano con segni di vita non umana e per il deformarsi dei volti e dei gesti in un crudele grottesco [20]. La foce del torrente

---

[19] Vento forano o foraneo è il caldo vento di scirocco levante, portatore di pioggia. Per una probabile derivazione da D'Annunzio (« vento diforano », *Alcione, Feria d'agosto* v. 10) vd. P. V. Mengaldo, *La tradizione del Novecento. Da D'Annunzio a Montale*, p. 306 n. 16.

[20] Angelo Marchese, *Visting Angel. Interpretazione semiologica della poesia di Montale*, pp. 227-229.

« sterile d'acque, vivo di pietre e di calcine » diventa emblema del fallimento dell'umano, se volti e mani degli uomini hanno lo stesso senso che hanno animali e oggetti ai quali non si era posta come scopo la liberazione da una condizione limitatrice:

> visi emunti,
> mani scarne, cavalli in fila, ruote
> stridule.

Quindi la forte negazione « vite no: vegetazioni Dell'altro mare che sovrasta il flutto »[21], sancisce, con l'idea della morte, anche quella sorta di annientamento della volontà che viene raffigurato nella strofa seguente come

> ... un'aura che avvolge i nostri passi
> fitta e uguaglia i sargassi
> umani fluttuanti alle cortine
> di bambù mormoranti,

cioè come il ridursi dell'uomo a inerte vita vegetativa (quella delle alghe in balia dei movimenti del mare) e, peggio, a un movimento meccanico, quale può essere quello delle cortine di bambù, che si mettevano d'estate a riparo delle porte delle botteghe. Ma forse il segno più doloroso dell'inutilità dell'esistenza è nei versi che con le figure degli incappati, nate insieme dall'impressione lasciata da una tetra processione e dal ricordo degli ipocriti dell'*Inferno* dantesco, esprimono la tristezza di un'esistenza inerte, non rischiarata da nessuna luce di speranza:

> Si va sulla carraia di rappresa
> mota senza uno scarto,
> simili ad incappati di corteo,
> sotto la volta infranta ch'è discesa
> quasi a specchio delle vetrine.

La degradazione dell'umano al subumano e il cielo di apocalisse non precludono tuttavia il ritorno dell'elegia, nella quarta strofa. Si ripete

---

[21] Come la foce del torrente simboleggia la fine squallida della vita (« foce di umani atti consunti »), così tutti i segni di un'esistenza soffocata sembra che non siano vita, ma inerte vegetazione in balia di un mare, che non è quello pur naturalisticamente presente nella poesia, bensì il mare della vita: appunto un « altro » mare, cioè un secondo, un diverso mare, sovrastato dai flutti, e perciò sconvolto.

qui l'invocazione alla tristezza « solo Presagio vivo in questo nembo », e la sospensione penosa del tempo è resa con una immagine di rara bellezza che dissuona però dall'atmosfera di tragedia delle due strofe precedenti: il ronzio delle sfere quando a una pendola sta per scoccare un'ora[22]. Ma anche « l'onda lenta, che non appare », pur rifacendosi alle figure della seconda strofa come segno dell'attesa di una liberazione, ha in sé un accento più elegiaco che tragico. Da questa disposizione sentimentale nasce la momentanea speranza di una nuova vita, il cui indizio consiste nel sentire al tocco di « una misera fronda che in un vaso S'alleva s'una porta d'osteria » non la presenza di una vita vegetale, bensì quella di una vita umana: dopo la degradazione delle nostre vite a vegetazioni dunque il processo contrario, in una libera interpretazione del mito metamorfico di Dafne. Ma la oscurità della quinta strofa può essere appianata oggi alla luce di notizie che il poeta stesso ha fornito attraverso una poesia delle più belle del *Diario del '71 e del '72, Annetta*:

> Perdona Annetta se dove sei
> (non certo tra di noi, i sedicenti
> vivi) poco ti giunge il mio ricordo.
> Le tue apparizioni furono per molti anni
> rare e impreviste, non certo da te volute.
> Anche i luoghi (la rupe dei doganieri,
> la foce del Bisagno dove ti trasformasti in Dafne)
> non avevano senso senza di te ...

Ispiratrice della *Casa dei doganieri* e di questo momento di *Incontro* (oltre che di *Vento e bandiere* e d'alcuni luoghi delle *Occasioni*), Annetta era « una villeggiante dei tempi delle Cinque Terre, figlia di gente che aveva una casa a Monterosso – scrive Giulio Nascimbeni –.

---

[22] Il rumore che dà una pendola quando stanno per scoccare le ore, col suo senso di fatica, è una personalissima intuizione poetica. Non mi sembra però un'inutile divagazione osservare che qui Montale condensa in una frase carica di senso tragico un fenomeno descritto genialmente da Gògol nel terzo capitolo delle *Anime morte*: « Le parole della padrona furono interrotte da uno strano fruscìo che quasi spaventò l'ospite: era un rumore come se tutta la stanza si fosse riempita di serpi; ma guardando in su, egli si rassicurò, perché così capì che all'orologio a muro era presa la voglia di batter le ore. Al fruscìo seguì subito un ronzare, e finalmente, raccolte tutte le forze, l'orologio batté le due, con un suono che pareva il picchiar d'un bastone sopra una pentola fessa; dopo di che il pendolo riprese tranquillamente a ticchettare a destra e a sinistra ». Vd. Nikolàj Gògol, *Le avventure di Cìcikov ovvero Le anime morte*, Prima traduzione integrale ... di Margherita Silvestri Lapenna, Vallecchi, Firenze, 1944, vol. I, p. 78.

[Montale] sa che è morta, ricorda di averle giocato assieme. È la stessa giovane villeggiante che gli ispirò *La casa dei doganieri* »[23].

Il ricordo miracoloso della donna, che ripaga il poeta dello smarrimento in cui è caduto[24], non dura più di un istante. Ma rifacendosi presente in modo prodigioso essa assolve la funzione di salvatrice che nelle *Occasioni* e nella *Bufera* sarà propria della donna angelo. Perciò il poeta può rivolgere a lei la preghiera di assisterlo nel momento della prova decisiva, quando non avrà come testimoni gli uomini distratti dalle loro occupazioni, e sarà necessario il coraggio che nasce soltanto dalla coscienza della propria dignità:

> Prega per me
> allora ch'io discenda altro cammino
> che una via di città,
> nell'aria persa, innanzi al brulichio
> dei vivi; ch'io ti senta accanto; ch'io
> scenda senza viltà.

Secondo Contini *Arsenio* « la lirica più attraente e nuova, se non la più perfetta degli *Ossi* », è un quadro che ha i suoi « cartoni » in *Incontro* e ne *I morti*: in *Incontro* per l'« uguaglianza degli uomini ai relitti del mare prima che si manifesti sia pur destinato a sparire *ni vu ni connu* il fantasma salvatore »; ne *I morti* per la « stabilità dell'inquietudine per i vivi e per i morti, "immobili e vaganti" »[25]. Ma in questa lirica famosa, nella quale il dramma del personaggio rispecchia le vane attese e il fallimento del poeta, è singolare, come riepilogo di tutta una stagione della poesia montaliana, anche il ritorno di immagini e momenti poetici disseminati lungo pressoché tutto l'arco degli *Ossi di seppia*. Se i cavalli incappucciati che annusano la terra (vv. 3-4) riportano la memoria « ai cavalli in fila » di *Incontro* (v. 16) e, per una sovrapposizione non improbabile, agli « incappucciati » della stessa poesia (v. 21), la « tromba di piombo, alta sui gorghi » (v. 14) è nata da un'impressione nella quale si fondono la « tromba Di schiume intorte » di *Corno inglese* (vv. 12-13) e le « acque di piombo » di *Crisalide* (v. 49). Nella seconda stanza l'« anello d'una

---

[23] Giulio Nascimbeni, *Eugenio Montale*, p. 181.

[24] « farsi mia Un'altra vita sento, ingombro d'una Forma che mi fu tolta » dice energicamente come il vuoto, l'annullamento della persona del poeta sia colmato dalla forza vitale della salvatrice.

[25] Gianfranco Contini, *Una lunga fedeltà. Scritti su Eugenio Montale*, pp. 25-26.

catena» (vv. 21-22), col suo significato di costrizione, fa pensare a «l'anello che non tiene» dei *Limoni* (v. 27); ma, ancor più, l'ossimoro drammatico «delirio [...] d'immobilità» che subito segue (v. 21) ha come antecedenti insieme il delirio del mare in *Mediterraneo* (*Avrei voluto sentirmi scabro ed essenziale*, v. 24: «Il tuo delirio sale agli astri ormai») e, per il senso di tormento che esprime, la chiusa di *Scirocco* (vv. 20-23): «e nel fermento D'ogni essenza, coi miei socchiusi bocci Che non sanno più esplodere oggi sento La mia immobilità come tormento»[26]. Nel «fremer di lamiera Percossa» (vv. 26-27) c'è sicuramente l'eco del «forte scotere di lame» di *Corno inglese* (v. 2), anche per il significato dato a *lame*. Anche «dirama» (v. 31) non è nuovo nel lessico montaliano (cfr. *Debole sistro al vento*, vv. 5-7: «Dirama dal profondo In noi la vena Segreta»), senonché nel tornare dal senso metaforico al proprio il verbo trova una ben maggiore icasticità. Nel «rombo silenzioso» del timpano dei tzigani (v. 33) si condensano con nuova e più forte espressività il «volo senza rombo» e il «glorioso affanno senza strepiti» che batte in gola di *Crisalide* (v. 48 e v. 52). Non è nemmeno da escludere che, volgendo il significato al metafisico, il tendersi della pesante materia terrestre verso il mare, descritto in *Mediterraneo* (*Scendendo qualche volta*, vv. 13-17: «la pietra Voleva strapparsi, protesa A un invisibile abbraccio; La dura materia sentiva Il prossimo gorgo, e pulsava») abbia segnato una traccia al diverso protendersi di *Arsenio* «a un vuoto risonante di lamenti Soffocati» (vv. 49-50); certo «tutto [...] ti figge in una sola Ghiacciata moltitudine di morti» (vv. 52-54) è nel colore dell'immagine vicino alla «fissità gelida» de *I morti*: «e immobili e vaganti ci ritiene Una fissità gelida» (vv. 26-27).

Luoghi e figure del suo paesaggio sono così profondamente radicati nella memoria di Montale da ritornare quasi come fantasmi assillanti negli *Ossi di seppia*. Ma la trama singolarmente fitta costituita in *Arsenio* dalla ripresa di temi e stilemi già saggiati convalida il significato che si deve attribuire a questa lirica, che, ultima in ordine di tempo

---

[26] Alla nuova formulazione e alla sua potenza drammatica poté tuttavia portare il ricordo de *L'ora nostra* di Saba in *Trieste e una donna*, e precisamente del passo in cui Saba definisce il movimento che precede l'ozio della sera con la formula: «tutto questo andare Ha una parvenza d'immobilità». La distanza tra i versi del poeta triestino e l'immoto andare e il delirio d'immobilità di *Arsenio* è grande. Ma l'accostamento di «andare» e «immobilità» nelle due poesie è sintomatico, tanto più che Montale citava tra i più bei versi di Saba quelli de *L'ora nostra*, nel suo ampio e acuto saggio su Saba del 1926. Vedi *Sulla poesia*, pp. 199-200.

degli *Ossi di seppia*, è la conclusione, sia pur provvisoria, dell'intero libro.

Rispecchiando nel personaggio di Arsenio il suo più intimo dramma personale («noi, della razza Di chi rimane a terra»; «Codesto solo oggi possiamo dirti, Ciò che *non* siamo ciò che *non* vogliamo»; «e forse Mi occorreva il coltello che recide, La mente che decide e si determina») in questa lirica Montale ha dato la sua autobiografia traslata. Eppure, come ha scritto Sergio Solmi, «la vertigine metafisica di *Arsenio*, pur attuandosi su un determinato sfondo autobiografico di villeggiatura marina, pur esprimendosi nei segni casuali di un uragano estivo, è ancora universalistica, e, in questo particolare senso, classica»[27].

I segni dell'imminente temporale sono fissati immediatamente, e non c'è particolare nell'esordio della prima stanza che non risponda a una situazione schiettamente naturalistica: il sollevarsi a mulinelli della polvere sotto il soffio turbinoso del vento, l'immobilità statuaria dei cavalli incappucciati che, annusando la terra, manifestano l'istintivo presentimento dei fenomeni meteorologici e sismici che è proprio degli animali. Ma, con un mutamento che fa pensare a passaggi memorabili dei *Canti* leopardiani («Ma sedendo e mirando» dell'*Infinito*; «Io solitario in questa Remota parte alla campagna uscendo» del *Passero solitario*) l'apparizione di Arsenio «in questo giorno Or piovorno[28] ora acceso», comporta un'idea del tempo come pura percezione interiore: la successione delle ore, strette in una trama monotona, è spezzata da un indizio che, pur avendo ancora riferimento con la realtà naturale, lo ha in forma vagamente allusiva. Non per caso «il ritornello di castagnette», ricondotto al suo sostrato realistico, può dar luogo a interpretazioni diverse: essere inteso come il rumore del tuono lontano o, con una più stretta coerenza con l'alternarsi di schiarite e di piovaschi, come il suono della pioggia che batte su alberi, tetti, vetrate, preannunzio di quello che sarà, nello scatenarsi del temporale, il fragore del tuono.

Come la realtà esterna coinvolga Arsenio in un dramma che non è solo della natura viene però detto in maniera anche più netta nella seconda strofa, dove non il ritornello delle castagnette soltanto, ma

---

[27] Sergio Solmi, *Scrittori negli anni*, p. 294.
[28] L'aggettivo dantesco *piorno* (*Purg.* XXV, 91) è ripreso nella forma *piovorno*, per probabile ricordo del carducciano *Miramar*, vv. 1-2: «O Miramare, a le tue bianche torri Attediate per lo ciel piovorno».

tutto ciò che presagisce la violenza dell'uragano è l'indizio dell'evento che può spezzare la trafila delle ore tutte uguali. Basterebbe il significato di «orbita», che allarga la visione ben al di là dei termini ai quali può giungere la percezione sensoria, per alludere a una dimensione più spirituale che fisica. È questo passaggio dal piano naturalistico a quello emblematico che motiva il tono reciso dell'imperativo «discendi», tanto più rilevante in quanto muta il puramente enunciativo «tu discendi» del v. 6 in un comando, e, collocato al principio di verso e di frase, verrà ripreso poi come verbo tematico al principio della quarta strofa: «Discendi in mezzo al buio che precipita...», dopo che un altro imperativo – «ascolta» – si è inserito nella singolare *oratio hortatoria* che il poeta indirizza al doppio di se stesso. La perentorietà dei due imperativi è lampante, ma meglio ne intende la forza il lettore che ha nella memoria la chiusa di *Incontro*:

> Prega per me
> allora ch'io discenda altro cammino
> che una via di città,
> nell'aria persa, innanzi al brulichio
> dei vivi; ch'io ti senta accanto; ch'io
> scenda senza viltà. [29]

Non *descensus ad Inferos*, ma il distacco dalle incertezze di una vita costretta dentro pigre abitudini, per affermare con un atto di coraggio, che rifiuta i gesti teatrali, la propria dignità di uomo: come, a molti anni di distanza e su un registro diverso, il poeta avrebbe scritto nella *Visita a Fadin* della *Bufera*:

Exit Fadin. E ora dire che non ci sei più è dire solo che sei entrato in un ordine diverso.

Ad Arsenio il richiamo viene dal sommovimento delle onde, da quella specie di sfida che la «tromba di piombo ... salso nembo vorticante» lancia contro il cielo, là dove, all'orizzonte, i due elementi mare e cielo s'incontrano. Attratto da quello scatenarsi della natura Arsenio dovrebbe vincere la propria incertezza, dare ai propri atti il significato di una scelta precisa. Nell'assumere non a funzione simbolica, bensì a equivalente di valori spirituali ciò che possiede una sua con-

---

[29] Espressione d'orgoglio in D'Annunzio, l'imperativo in Montale ha valore di ottativo (cfr. G. Almansi-B. Merry, *E. Montale*, p. 9), ma molto marcato in *Arsenio*.

cretezza fisica, la decisione di Arsenio deve riconoscersi in gesti che lo stacchino definitivamente dall'inerzia: il suo passo scricchiolerà sulla ghiaia come quello di persona che procede sicura[30] e i piedi si districheranno dalle alghe che vorrebbero inciamparlo come insidiosi legami. Non solo i gesti di Arsenio, ma tutta la realtà si carica di un'essenza metafisica; e dentro questa atmosfera la liberazione è sentita come il momento in cui si spezzerà la pigra incertezza che fa di Arsenio nient'altro che l'anello di una catena, ed egli vincerà le sue contraddizioni: quelle che sono rese attraverso i due arditissimi ossimori: « immoto andare » e « delirio d'immobilità ».

È giusta l'osservazione fatta da Solmi, che sono casuali i segni dell'uragano estivo dentro i quali s'inscrive il delirio metafisico di Arsenio; ma essi vengono esaltati in un continuo traslato, e, con loro, ogni altro indizio di vita che penetra nella coscienza del personaggio.

Più stretto che in altre pagine degli *Ossi di seppia* si fa quindi il contrappunto tra il mondo fisico e i suoi soprasensi. Il fragore del tuono che vince il suono dei violini promette il trionfo dell'autenticità sull'artificio, in un contrasto che rivela la sua forza anche per la evidenza degli elementi figurativi dei quali il poeta si vale per rendere i due diversi suoni: il « getto tremulo » dei violini tra i palmizi, che riporta alla memoria le « langueurs des jets d'eaux » care a Laforgue e ai simbolisti, è vinto dal tuono che « rotola... con un fremer di lamiera ». Ma ancora nella terza stanza s'insinuano i richiami di una natura che sembra fatta per affascinare con le sue bellezze. Non lo scatenarsi degli elementi è nell'aria, bensì la dolcezza della tempesta che esplode « quando Sgorga bianca la stella di Canicola Nel cielo azzurro e lunge par la sera Ch'è prossima ». Indizio di un abbandono alla natura e di una dolcezza quasi elegiaca è la ripresa da D'Annunzio del verbo sgorgare per indicare il sorgere in cielo d'una stella: tra i molti esempi addotti da Mengaldo[31], valga uno dei più significativi per la pregnante concentrazione metaforica: *Alcione, Feria d'Agosto*, 1: « Espero sgorga, e tremola sul lento Vapor che fuma dalla Val di Magra ». Ma ha colore dannunziano anche il modo di vedere il lento

---

[30] *Non chiederci la parola che squadri da ogni lato*, vv. 5-8: « Ah l'uomo che se ne va sicuro, Agli altri ed a se stesso amico, E l'ombra sua non cura che la canicola Stampa sopra uno scalcinato muro! ».

[31] P. V. Mengaldo, *La tradizione del Novecento. Da D'Annunzio a Montale*, p. 38. Si ricava da questo particolare il tempo immaginato per la poesia: Sirio, nella costellazione del Cane maggiore, si trova in congiunzione col sole dal 24 luglio al 26 agosto.

crepuscolo delle giornate estive, quando pare che il sole indugi all'orizzonte e che il chiarore del dì si prolunghi mentre già il buio della notte è prossimo: non per coincidenze di parole, ma per somiglianza di situazione ritorna, alla nostra memoria, la prima lassa della *Sera fiesolana*, con la figura di colui che silenzioso si attarda a cogliere le foglie del gelso (la stagione della lirica di D'Annunzio è dunque la tarda primavera)

> su l'alta scala che s'annera
> contro il fusto che s'inargenta
> con le sue rame spoglie
> mentre la luna è prossima a le soglie
> cerule e par che innanzi a sé distenda un velo.

Dolcezza c'è persino nella visione del fulmine raffigurato come un prezioso albero capovolto sullo sfondo di una luce rosata, e questa dolcezza sospende e devia la liberazione di Arsenio. Se infatti il tuono ha potuto sopraffare il getto tremulo dei violini, ora il suono che prevale è quello allettante e misterioso del timpano dell'orchestra tzigana: un rombo silenzioso[32].

Mentre la terza strofa indugia sugli allettamenti di una natura contemplata nei suoi momenti di languore e sulle attrattive che l'uomo stesso si inventa (appunto la musica tzigana), nella quarta dall'attesa esce il fatto che dovrebbe essere risolutivo per Arsenio. Il buio che cala non è quello dolce della sera: è il buio della tempesta che improvvisamente porta dalla luce del dì a un'oscurità simile alla notte, mentre resiste la fatua luminaria dei palloncini alla veneziana, ma lontano palpitano le luci delle barche da pesca sparse sul mare a indicare l'altra orbita, la salvezza che offrirebbe la vita autentica della natura. Il vento e la pioggia che si abbattono sulla terra sembra infatti che segnino il rinnovarsi della vita. C'è una vera partecipazione delle

---

[32] Nel *Commento ad « Arsenio »* (in *Ragioni critiche*, Firenze, Vallecchi, 1944) Adriano Seroni propende a vedere nei palmizi e negli tzigani un « sapore d'Oriente ». Non occorre però uscire dalla Liguria per trovare i palmizi e dai costumi degli anni Venti per l'orchestrina tzigana, con i suoi violini e con il timpano, lo strumento a percussione costituito da un bacino di rame rivestito di cuoio e coperto da una pelle d'asino ben tesa, che non era meno tipico dei violini nelle orchestre tzigane. Montale nemmeno qui inventa, trasferisce su un piano di valori diversi il reale. Perciò mi sembra del tutto inaccettabile il parere di Marco Forti (*Eugenio Montale. La poesia, la prosa di fantasia e d'invenzione* p. 109) che riconosce nel timpano degli tzigani un'« immagine senz'altro visionaria ». L'orchestra tzigana ha in sé l'artificio e la falsificazione che vanificano il grande rinnovamento atteso da Arsenio.

cose all'evento molto atteso che dovrebbe scampare Arsenio dal suo avvilimento, e lo dicono il pathos del cielo che trepida per la dolcezza purificatrice della pioggia, il suolo che l'acquazzone disseta, quella sorta di fremito che pervade la terra e somiglia, con meno di enfasi e più di vita, al « commuoversi dell'eterno grembo » di *In limine*. Anche gli schermi vani opposti dagli uomini alla violenza della natura – tutti li riassume la povera luminaria delle lanterne di carta – sono nullificati.

Eppure l'attesa salvezza non giunge. Arsenio è come un giunco che trascina con sé le sue radici viscide: non ha saputo liberarsi dai vincoli che lo legano alla vita di sempre e di tutti, nella quale il suono che si fa sentire non è quello della protesta eroica ma quello che proviene da « lamenti soffocati ». Egli è ripreso e come sommerso dall'onda delle abitudini sempre uguali – « la tesa [...] dell'onda antica » –, e gli oggetti che gli parlano sono quelli insignificanti ai quali credono di potersi affidare gli altri uomini: oggetti bloccati in un'unica gelida immagine di morte. Ormai gli scatti e i moti che potrebbero richiamare alla felicità, alle emozioni, ai palpiti attesi da Arsenio, qualora tentino di ridestarsi, sono l'immagine inconsistente di un riscatto soltanto sognato. Nell'« ora che si scioglie » (la definizione unifica la situazione del paesaggio e del personaggio ormai identificatisi tra loro: questa è l'ora in cui cessa la volontà di vivere, e si dà il franamento di tutto) la vita che Arsenio percepisce è la vita illusoria, balenata per un attimo come speranza e subito spenta e non occorre sapere che cosa sia in concreto, come non dobbiamo materializzare l'indefinibile e inafferrabile apparizione che affiorava alla superficie dell'acqua in *Vasca*:

> Ma ecco, c'è altro che striscia
> a fior della spera rifatta liscia:
> di erompere non ha virtù,
> vuol vivere e non sa come;
> se lo guardi si stacca, torna in giù:
> è nato e morto, e non ha avuto un nome.

Il dramma, nato come dramma individuale, ha assunto così proporzioni cosmiche, traducendo il sentimento della nullità in una agghiacciante visione di morte. Tutto crolla, anche ciò che sembra fatto per un'immobile eternità. Persino il cielo immenso non dà più la certezza che dovrebbe essergli intrinseca in quanto *firmamentum*, cioè come la grande volta immobile che chiude l'universo. Nel cielo non stanno più gli astri; c'è solo la loro polvere trascinata dal vento. Se al principio della lirica, in un clima volutamente naturalistico, « i turbini sollevano la polvere Sui tetti a mulinelli », alla fine il vento disperde la vana speranza « con la cenere degli astri » [33]. Perciò il fallimento di Arsenio è il punto più doloroso del dramma esistenziale vissuto dal poeta. La condizione psicologica dichiarata in questa poesia, il fallimento della volontà dopo l'attesa, resterà un punto di riferimento costante per il lettore delle *Occasioni*: se la poesia nascerà ancora sarà infatti bagliore improvviso, esiguo segno di vita – e perciò tanto più disperatamente amato – che può apparire nel deserto della rinuncia e dell'indifferenza.

---

[33] Angelo Jacomuzzi (*La poesia di Montale. Dagli « Ossi » ai « Diari »*, p. 74, nota 18) cita come fonte della « cenere degli astri » il passo di *Igitur* (IV, v) nel quale Mallarmé scrive: « ... les cendres, atomes de ces ancêtres ...; sur les cendres des astres, celles indivises de la famille, était le pauvre personnage »; e, a suo giudizio, « la mediazione letteraria con il preciso significato che essa rivela (gli antenati, i morti) segna l'accordo del verso finale con la " ghiacciata moltitudine di morti " ». Scarsissime prima di tutto le probabilità che il testo mallarmeano fosse a conoscenza di Montale quando scrisse *Arsenio*: *Igitur* venne pubblicato, in un'edizione di lusso a tiratura limitata, soltanto nel 1925. Ma se anche Montale l'avesse conosciuto subito, non avrebbe potuto darne la spiegazione che ne dà Jacomuzzi, che è frutto di lunghe e controverse esegesi. Sulla questione si veda l'ottimo saggio di Emerico Giachery *Un calco mallarmeano in Montale?*, in AA. VV., *Letterature comparate. Problemi e metodo. Studi in onore di Ettore Paratore*, volume quarto, Pàtron, Bologna, 1981.

BIBLIOGRAFIA

Opere di Montale

Poesia

Ossi di seppia, Gobetti, Torino, 1925; Ribet, Torino, 1928 (con sei liriche nuove e la soppressione di *Musica sognata*; è premessa l'Introduzione di Alfredo Gargiulo); Carabba, Lanciano, 1931; ivi 1941 (edizione non autorizzata dall'Autore); Einaudi, Torino, 1942 (vi sono soppresse le dediche ed è tolta l'introduzione di Gargiulo; tra i ritocchi e le correzioni, rilevante la soppressione della terza stanza di *Vasca*, per cui si veda in questo volume a p. 102); dopo altre due edizioni Einaudi nel 1942 e 1943, nel 1948 si ebbe la prima edizione Mondadori nei Poeti dello Specchio, cui ne seguirono dal 1951 al 1976 altre ventidue. Nel 1964 apparve in edizione di lusso numerata la ristampa della prima edizione gobettiana del 1925: Verona, Officina Bodoni.

Le occasioni, Einaudi, Torino, 1939 (in cui entrano anche le poesie già edite nella plaquette *La casa dei doganieri e altri versi*, Vallecchi, Firenze, 1932); nuova edizione presso lo stesso Einaudi nel 1940, con l'aggiunta di quattro poesie, e altre tre edizioni nel 1942, 1943 e 1945; prima edizione Mondadori nei Poeti dello Specchio nel 1949, cui ne seguirono altre dodici dal 1954 al 1976.

La bufera e altro, Neri Pozza, Venezia, 1956, preceduta da *Finisterre*, Collana di Lugano, Lugano, 1943, che raccoglieva «versi del 1940-42» e dalla sua seconda edizione arricchita, Barbèra, Firenze, 1945. Nel 1957 apparve la prima edizione Mondadori nei Poeti dello Specchio; altre otto edizioni apparse dal 1958 al 1976.

Satura (1962-1970), Mondadori, Milano, 1971, che raccoglie anche le liriche della plaquette *Xenia (1964-1966)*, Bellabarba, San Severino Marche, 1966 e, ampliata, Editiones Dominicae, Verona, 1968, ed ivi, 1970; altre sei edizioni presso Mondadori dal 1971 al 1976.

Diario del '71 e del '72, Mondadori, Milano, 1973 (due edizioni); comprende anche le poesie del *Diario del '71*, Scheiwiller, Milano, 1971.

Quaderno di quattro anni, Mondadori, Milano, 1977.

Nel 1977 Mondadori pubblica in un unico volume *Tutte le poesie* dagli *Ossi* al *Quaderno*.

Nel 1980 esce da Einaudi l'edizione critica de *L'opera in versi* a cura di Rosanna Bettarini e Gianfranco Contini, che contiene anche *Altri versi*, il *Quaderno di traduzioni* e le *Poesie disperse*.

Prosa

Farfalla di Dinard, Neri Pozza, Venezia, 1956 (edizione fuori commercio); Mondadori, Milano, 1960, edizione ampliata e ordinata diversamente; altre sei edizioni dal 1961 al 1976, di cui quella del 1969 arricchita dalle prose *Il colpevole* e *La poesia non esiste*.

Eugenio Montale - Italo Svevo, *Lettere* con gli scritti di Montale su Svevo, De Donato, Bari, 1966; col titolo *Carteggio*, Mondadori, Milano, 1976, a cura di Giorgio Zampa.

Auto da fé, Il Saggiatore, Milano, 1966, nuova ediz. 1972.

Fuori di casa, Ricciardi, Milano-Napoli, 1969; seconda e terza edizione, Mondadori, Milano, 1975.

Nel nostro tempo, Rizzoli, Milano, 1972.

Sulla poesia a cura di Giorgio Zampa, Mondadori, Milano, 1976.

Lettere a Quasimodo a cura di Sebastiano Grasso. Premessa di Maria Corti, Bompiani, Milano, 1981.

Prime alla Scala a cura di Gianfranca Lavezzi, Mondadori, Milano, 1981.

Traduzioni

La maggior parte delle traduzioni di liriche sono raccolte nel *Quaderno di traduzioni*, Edizioni della Meridiana, Milano, 1948; nuova edizione ampliata e corretta, Mondadori, Milano, 1975.

Poesie di Ezra Pound apparse nel 1956 (Scheiwiller, Milano), poi in E. Pound, *Opere scelte* a cura di Mary de Rachelewitz, Mondadori, Milano, 1970.

Numerose le traduzioni da Shakespeare. In W. Shakespeare, *Teatro* a cura di Mario Praz, Sansoni, Firenze, 1949 e poi in *Tutte le opere*, ivi, 1964: *La commedia degli errori*; *Timone d'Atene*; *Racconto d'inverno*. Inoltre: *Amleto principe di Danimarca*, Cederna, Milano, 1949; poi *Montale traduce Amleto di William Shakespeare*, Longanesi, Milano, 1971.

In *Teatro elisabettiamo* a cura di A. Obertello, Bompiani, Milano, 1951: Ch. Marlowe, *La tragica storia del dottor Faust.*

Traduzioni dallo spagnolo in *Teatro spagnolo* a cura di Elio Vittorini, Bompiani, Milano, 1941; e in *Narratori spagnoli* a cura di Carlo Bo, ivi, 1944.

Traduzioni da N. Hawthorne, H. Melville, M. Twain, F. Bret Harte, E. Scott, F.S. Fitzgerald, K. Boyle, W. Faulkner in *Americana* a cura di Elio Vittorini, Bompiani, Milano, 1942.

Altre traduzioni: J. Steinbeck, *La battaglia*, Bompiani, Milano, 1940; D. Parker, *Il mio mondo è qui*, ivi, 1943 e 1971; E. O'Neil, *Strano interludio*, Edizioni del Teatro dell'Università, Roma, 1943; J. Steinbeck, *Al dio sconosciuto*, Mondadori, Milano, 1946.

Montale ha tradotto metricamente anche libretti per musica.

Opere su Montale

Biografia

Giulio Nascimbeni, *Eugenio Montale*, Milano, Longanesi, 1969; col titolo *Montale biografia di un "poeta a vita"* e l'aggiunta di un capitolo, ivi, 1975, quarta edizione.

Bibliografia degli scritti di Montale

Laura Barile, *Bibliografia montaliana*, Mondadori, Milano, 1977 (contiene l'elenco dettagliato degli scritti del poeta a tutto il 1976, ordinato in dieci sezioni).

Bibliografia degli scritti su Montale e Storia della critica

Rosanna Pettinelli e Amedeo Quondam Giovanni Maria, *Bibliografia montaliana (1925-1966)*, "La Rassegna della letteratura italiana", a. 70°, serie VII, marzo-dicembre 1966, pp. 377-391; M. Forti, *Eugenio Montale. La poesia, la prosa di fantasia e d'invenzione*, Mursia, Milano, 1973, pp. 491-504; Id., *Per conoscere Montale*, Mondadori, Milano, 1976, pp. 41-70; G. Contini, *Una lunga fedeltà. Scritti su Montale*, Einaudi, Torino, 1974; pp. 99-115; per una prima bibliografia su Montale pittore, con uno scritto di Franco Russoli e riproduzione di opere pittoriche, *Pastelli e disegni*, Scheiwiller, Milano, 1966. Riccardo Scrivano, *Eugenio Montale*, ne *I classici italiani nella storia della critica*, vol. 3°: *Da Fogazzaro a Moravia*. Opera diretta da Walter Binni, La Nuova Italia, Firenze, 1977.

Opere monografiche e d'interesse generale. Raccolte miscellanee di scritti critici

Raoul Lunardi, *Montale e la nuova poesia*, Liviana, Padova, 1948.

Francesco Flora, *Eugenio Montale*, in *Scrittori italiani contemporanei*, Nistri-Lischi, Pisa, 1952.

Sergio Solmi, *Scrittori negli anni*, Il Saggiatore, Milano, 1963 (contiene: *Montale 1925, Le Occasioni di Montale, La poesia di Montale*).

Sergio Antonielli, *Eugenio Montale*, in *Aspetti e figure del Novecento*, Guanda, Parma, 1952.

Luigi Rosiello, *Le sinestesie nell'opera poetica di Montale*, « Rendiconti », maggio 1963.

Luigi Rosiello, *Analisi statistica della funzione poetica nella poesia montaliana*, in *Struttura e funzioni della lingua*, Vallecchi, Firenze, 1965, pp. 45-114.

Gaetano Mariani, *Eugenio Montale*, in *Poesia e tecnica nella lirica del Novecento*, Liviana, Padova, 1958.

Silvio Ramat, *Montale*, Vallecchi, Firenze, 1965.

Piero Bigongiari, *Eugenio Montale*, in *Poesia italiana del Novecento*, Vallecchi, Firenze, 1965 e 1968.

Pier Vincenzo Mengaldo, *Da D'Annunzio a Montale: ricerche sulla formazione e la storia del linguaggio poetico montaliano*, in AA.VV., *Ricerche sulla lingua poetica contemporanea*, Liviana, Padova, 1966, « Quaderni del Circolo filologico linguistico padovano », 1.

Giuliano Manacorda, *Montale*, La Nuova Italia, Firenze, 1969, « Il Castoro ».

Marco Forti, *Eugenio Montale. La poesia, la prosa di fantasia e d'invenzione*, cit.

Marco Forti, *Per conoscere Montale*, Un'antologia corredata di testi critici, cit.

D'Arco Silvio Avalle, *Tre Saggi su Montale*, Einaudi, Torino, 1972.

Glauco Cambon, *Eugenio Montale*, Columbia University Press, New York & London, 1972.

Claudio Scarpati, *Invito alla lettura di Montale*, Mursia, Milano, 1973.

Ghanshyam Singh, *Eugenio Montale. A critical Study of his Poetry*, Yale University Press, New Haven & London, 1973.

Gianfranco Contini, *Una lunga fedeltà. Scritti su Eugenio Montale*, cit.

Pier Vincenzo Mengaldo, *La tradizione del Novecento. Da D'Annunzio a Montale*, Feltrinelli, Milano, 1975 (con lo studio apparso nel n. 1 dei « Quaderni del Circolo filologico linguistico padovano » contiene altri studi su Montale).

Autografi di Montale, Fondo dell'Università di Pavia a cura di Maria Corti e Maria Antonietta Grignani, Einaudi, Torino, 1976.

M. Piattelli Palmarini, *Come uno scienziato interpreta Montale*, «Corriere della Sera» del 4 novembre 1976.

Guido Almansi & Bruce Merry, *Eugenio Montale. The private Language of Poetry*, Edimburgh University Press, 1977.

Angelo Marchese, *Visiting Angel*. Interpretazione semiologica della poesia di Montale, SEI, Torino, 1977.

Giovanni Getto, *Eugenio Montale*, in *Poeti del Novecento e altre cose*, Mursia, Milano, 1977.

Angelo Jacomuzzi, *La poesia di Montale. Dagli "Ossi" ai "Diari"*, Einaudi, Torino, 1978.

«La fiera letteraria» del 12 luglio 1952 (numero dedicato a Montale a cura di Giorgio Soavi e Vittorio Sereni).

Omaggio a Montale a cura di Silvio Ramat, Mondadori, Milano, 1966, che «con alcune aggiunte e sostituzioni, riproduce in gran parte il fascicolo 79-81 di "Letteratura" ... apparso nel giugno 1966 a festeggiare, anch'esso, i 70 anni di Montale» a cura dello stesso Ramat.

Contributi per Montale a cura di Giovanni Cillo, Milella, Lecce, 1976.

Letture Montaliane in occasione dell'80° compleanno del Poeta, Bozzi, Genova, 1977.

Eugenio Montale. Profilo di un autore a cura di Annalisa Cima e Cesare Segre, Rizzoli, Milano, 1977, «BUR».

Studi generali e particolari sugli "Ossi di seppia"

Emilio Cecchi, *Alla ricerca della gioventù* («Il Secolo», 31 ottobre 1925), ora in *Letteratura italiana del Novecento*, Milano, Mondadori, 1972.

Alfredo Gargiulo, *Eugenio Montale*, in *Letteratura italiana del Novecento*, Le Monnier, Firenze, 1940 e 1958, seconda edizione ampliata (apparve per la prima volta come Introduzione degli *Ossi di seppia* nell'edizione Ribet, 1928).

Raffaello Franchi, «*Ossi di seppia*», «Solaria», 1926, n. 1, poi in *Memorie critiche*, Parenti, Firenze 1938.

Alberto Consiglio, *Montale primo* (1928) e *Montale secondo* (1932), in *Studi di poesia*, Edizioni di Solaria, Firenze, 1934.

Natalino Sapegno, «*Ossi di seppia*», «Leonardo», maggio-giugno 1928.

Giuseppe De Robertis, *Montale*. «*Ossi di seppia*» (1931), in *Scrittori del Novecento*, Le Monnier, Firenze, 1940.

Pietro Pancrazi, *Eugenio Montale poeta fisico e metafisico* (1934), in *Ragguagli di Parnaso* II, Ricciardi, Milano-Napoli, 1967.

Elio Vittorini, *Poesia italiana: la svolta di Montale*; *Montale: negazione e inno, con elegia ma anche senza* (1931); *Virtù della miscredenza*, in *Diario in pubblico*, Bompiani, Milano, 1957.

Oreste Macrì, *Dell'analogia naturale: Montale*, in *Esemplari del sentimento poetico contemporanea*, Vallecchi, Firenze, 1941.

Giansiro Ferrata, *La ristampa degli «Ossi di seppia»*, «Primato», 1 settembre 1942.

Giansiro Ferrata, *Ricordi di un longobardo in Toscana*, «La Chimera», settembre 1954.

Adriano Seroni, *Commento ad «Arsenio»*, in *Ragioni critiche*, Vallecchi, Firenze, 1944.

Leone Piccioni, *Appunti per una rilettura degli «Ossi» e delle «Occasioni»*, in *Sui contemporanei*, Fratelli Fabbri, Milano, 1953.

Pietro Bonfiglioli, *Pascoli, Gozzano, Montale e la poesia dell'oggetto*, «Il Verri», II, n. 4, 1958, pp. 34-54.

Pietro Bonfiglioli, *Pascoli e il Novecento*, «Palatina», II, n. 7, luglio-settembre 1958, pp. 14-39.

Pietro Bonfiglioli, *Pascoli e Montale*, in AA. VV., *Studi per il centenario della nascita di Giovanni Pascoli pubblicati nel cinquantenario della morte*, Commissione per i testi di lingua, Bologna, 1962, I, pp. 219-243.

Pietro Bonfiglioli, *Dante, Pascoli, Montale*, in AA.VV., *Nuovi studi pascoliani*, Bolzano-Cesena, 1963, pp. 35-62.

Pier Paolo Pasolini, *Montale*, in *Passione e ideologia*, Garzanti, Milano, 1960.

Giorgio Bàrberi Squarotti, *Montale, la metrica e altro*, «Letteratura», 1961, n. 51, pp. 53-66.

Edoardo Sanguineti, *Da Gozzano a Montale*, in *Tra Liberty e Crepuscolarismo*, Mursia, Milano, 1961.

Edoardo Sanguineti, *Documenti per Montale*, in *Ideologia e linguaggio*, Feltrinelli, Milano, 1965.

Giuseppe Angelo Peritore, *Le prime lettura di Eugenio Montale*, «Belfagor», XIX, n. 3, maggio 1964.

Lucio Lugnani, *Ossi di seppia*, «La Rassegna della letteratura italiana», anno 70°, serie VII, nn. 2-3, maggio-dicembre 1966, pp. 247-265.

Guido Almansi, *Earth and Water in Montale's Poetry*, «Forum for Modern Language Studies», vol. II, n. 4, October 1966, pp. 377-385.

Giacomo Zazzaretta, *Ossi di seppia di Montale*. Estratto dall'Annuario 1966-67 del Liceo Scientifico «G. Galilei» di Macerata, Tip. San Giuseppe, Macerata.

Franco Fortini, *Montale*, in *Ventiquattro voci per un dizionario di lettere*, Il Saggiatore, Milano, 1968.

Alvaro Valentini, *Lettura di Montale. Ossi di seppia*, Bulzoni, Roma, 1971.

Marco Forti, *Montale prima delle «Occasioni»*, in *Le proposte della poesia e nuove proposte*, Mursia, Milano, 1971, seconda edizione.

Giuseppe Savoca, *Introduzione alla lettura degli «Ossi di seppia»*, Libreria Editrice Bonaccorso, Catania, 1972 (Dispense universitarie).

Giuseppe Savoca, *Chiarimenti per gli «Ossi di seppia»*, «Siculorum Gymnasium», N.S., a. XXV, n. 1, Catania, gennaio-giugno 1972, pp. 77-101.

Antonio Musumeci, *Silenzi montaliani: note sull'enjambement nella poesia di Montale*, «Forum italicum», dicembre 1972.

Elisabetta Graziosi, *Le figure del tempo negli «Ossi di seppia»*, «Lingua e Stile», VII (1972), pp. 147-180 (ora nel vol. *Il tempo in Montale*, La Nuova Italia, Firenze, 1978).

Guido Almansi, *Lettura di «Corno inglese» di Montale*, «Studi novecenteschi», II, n. 6, novembre 1973.

Lorenzo Polato, *Il primo Montale e l'avanguardia borghese*, «Studi novecenteschi», II, n. 6, novembre 1973.

Gaetano Mariani, *Linee compositive di un poemetto montaliano: Lettura di «Mediterraneo»*, in AA.VV., *Letteratura e Critica. Studi in onore di Natalino Sapegno*, vol. III, Bulzoni, Roma, 1976, pp. 817-849.

Silvio Ramat, *Storia della poesia italiana del Novecento*, Mursia, Milano, 1976.

Arshi Pipa, *L'influence de Boutroux et de Bergson sur Montale*, «Revue des Etudes italiennes», Nouvelle Série, Tome XXII, n. 3, Juillet-Septembre 1976, pp. 193-204.

Arshi Pipa, *Montale et le déterminisme physique*, in *Letteratura e Scienza nella Storia della cultura italiana*, Atti del IX Congresso dell'Associazione internazionale per gli studi di lingua e letteratura italiana, Palermo, Manfredi, 1978, pp. 839-846.

Giorgio Orelli, *L'upupa e altro*, in *Accertamenti verbali*, Bompiani, Milano, 1978.

Laura Bellucci, *Di là dalla metafora in quattro poesie del primo Montale*, «Atti della Accademia dell'Istituto di Bologna», Classe di Scienze morali, anno 71°, Memorie vol. LXIX (1976-1977).

Laura Bellucci, *Per l'interpretazione di «Vento e bandiere» (Montale, Ossi di seppia, Altri versi)*, «Studi e problemi di critica testuale», n. 15, ottobre 1977.

Marco Marchi, *Sul primo Montale*, Nuove edizioni Enrico Vallecchi, Firenze, 1978.

Emerico Giachery, *Un calco mallarmeano in Montale?*, in AA. VV., *Letterature comparate. Problemi e metodi. Studi in onore di Ettore Paratore*, volume quarto, Pàtron, Bologna, 1981, pp. 1911-1917.

INDICI SISTEMATICI

POESIE E BRANI CITATI E COMMENTATI

INDICE LINGUISTICO, STILISTICO, METRICO

208

INDICE DEI NOMI E DEGLI AUTORI

210

213

Finito di stampare nel settembre 2004
da Copy Card Center s.r.l. in San Donato Milanese (Mi)
per conto delle Edizioni dell'Orso